Todas las constelaciones del amor

LYDIA NETZER

Todas las constelaciones del amor

¿Y si la persona que más te quiere de este mundo
no supiera cómo demostrártelo?

Traducción:
ÁLVARO ABELLA VILLAR

MAEVA

Título original:
   SHINE SHINE SHINE
Adaptación de cubierta:
   ROMI SANMARTÍ sobre diseño de OLGA GRLIC
Imagen de portada:
   STEVE GARDNER
Fotografía de la autora:
   KATIE WEEKS

© The Netzer Group LLC., 2012
© Publicado con el acuerdo de St. Martin's Press, LCC. Todos los derechos reservados.
© de la traducción: ÁLVARO ABELLA VILLAR, 2014
© MAEVA EDICIONES, 2014
Benito Castro, 6
28028 MADRID
emaeva@maeva.es
www.maeva.es

ISBN: 978-84-15893-23-3
Depósito legal: M-34.667-2013

Preimpresión: MT Color & Diseño S. L.
Impresión y encuadernación: Huertas, S. A.
Impreso en España / Printed in Spain

Para Benny y Sadie

«Somos amapolas
entre el trigo.»

—Maxon Mann

1.

Una lucecita brillaba en lo profundo de la oscuridad. Él flotaba en el interior de la lucecita, en una nave espacial. Sentía frío, allí flotando. Sentía el frío del espacio dentro de su cuerpo. Todavía podía mirar por la ventanilla redonda de la nave y ver la tierra. A veces también podía ver la luna, acercándose. La tierra rotaba lentamente, y la astronave se movía lentamente en relación con las cosas que la rodeaban. Ya no había nada que él pudiera hacer, ni en un sentido ni en otro. Iba en una nave que se dirigía a la luna. Llevaba unos patucos blancos de papel en lugar de zapatos. Un mono de vuelo en lugar de ropa interior. Solo era un ser humano, de carnes magras y huesos alargados, ojos nublados y cuerpo frágil. Había partido, lanzado desde la tierra, y ahora flotaba en el espacio. Lo habían mandado lejos, a la fuerza, de un colosal empujón.

Pero, en su cabeza, Maxon estaba pensando en su hogar. Con sus largas piernas flotando a la deriva, posó sus manos a ambos lados de la redonda ventanilla y se aferró a ella. Miró al exterior, a la tierra allá abajo. Muy lejos, a través de las frías millas estelares, el planeta se cocía entre nubes. Todos los países de la tierra se amalgamaban bajo aquel encaje blanco. Por debajo de aquella capa tormentosa, las ciudades de ese mundo traqueteaban y ardían, conectadas por carreteras, unidas por cables. Allá abajo, en Virginia, su mujer Sunny estaba dando un paseo, viviendo y respirando. A su lado iba su pequeño hijo y en el vientre llevaba a su hijita. Maxon no podía verlos, pero sabía que estaban allí.

Esta es la historia de un astronauta que se perdió en el espacio, y de la mujer que dejó atrás. O esta es la historia de un hombre valiente que sobrevivió al fracaso de la primera nave enviada al espacio con el propósito de colonizar la luna. Esta es la historia de la raza humana, que mandó una alocada esquirla de metal y unas pocas células latentes hacia los vastos y oscuros confines del universo, con la esperanza de que esa esquirla chocara contra algo y se quedara clavada, y las pequeñas células latentes pudieran sobrevivir de algún modo. Esta es la historia de una protuberancia, un brote, de cómo la raza humana intentó subdividirse, del brote que se formó ahí fuera, en el universo, y de lo que le sucedió a ese brote, y también a la tierra, la Madre Tierra, una vez que el brote surgió.

En un barrio colonial de Norfolk, en la costa de Virginia, en la suntuosa cocina de un palacete georgiano restaurado, tres cabezas rubias se inclinaban sobre la isla de granito. Una de ellas era la de Sunny, la más rubia de las tres. Las iluminaba una moderada luz cenital, y del techo colgaban cazuelas de cobre en hileras sobrias y perfectas. Contra las paredes había alacenas de madera pulida; la encimera tenía un fregadero rústico, reproducido en acero inoxidable. Encima de este, una ventana invernadero albergaba plantitas aromáticas. El sol brillaba y calentaba el granito. La máquina de hielo podía hacer cubitos redondos o cuadrados. Las mujeres aupadas en taburetes alrededor de la isla de la cocina tenían el pelo largo y suelto, meticulosamente alisado o cuidadosamente rizado. Se apiñaban en torno a la más menuda, que estaba llorando. Rodeaba su taza de té con ambas manos y sus hombros se estremecían mientras sollozaba sobre la infusión. Sus amigas le atusaban el pelo y secaban sus ojos. Sunny también se atusó el pelo y se secó los ojos.

—No puedo entenderlo —dijo la sollozante, sorbiéndose la nariz—. Me había dicho que este verano me iba a llevar a Noruega. ¡A Noruega!

—Bah, Noruega —repitió la que llevaba un cárdigan verde lima, entornando los ojos—. ¡Menuda broma! —Tenía nariz aguileña y ojos pequeños, pero, por su peinado y maquillaje, su figura esbelta y sus zapatos caros, la gente la consideraba atractiva. Su nombre era Rachel, pero las chicas la llamaban Rache. Fue la primera en el vecindario que tuvo un gimnasio decente en casa.

—¡No, si yo quiero ir! ¡Mis antepasados son de allí! ¡Es precioso! Hay fiordos.

—Jenny, Noruega no es la cuestión, cielo —dijo Rache, dejando que una cascada de suaves bucles y frondas de cabello dorado cayera sobre su pecho moreno y voluptuoso, al inclinarse hacia delante—. Te estás desviando de lo importante.

—Ya —dijo Jenny, volviendo a sollozar—. La cuestión es esa zorra con la que está liado. ¿Quién es? ¡No me lo dice!

Sunny se apartó de ellas. Llevaba un chal de *chenille* sobre los hombros y trajinaba con los electrodomésticos de su cocina con una mano mientras la otra descansaba sobre su vientre embarazado. Se dirigió a la tetera, refrescó el té de Jenny y le entregó un pañuelo. Eran sus mejores amigas: Jenny y Rache, y se encontraban enfrascadas en una conversación normal sobre el marido de Jenny y su infidelidad. Era algo normal sobre lo que hablar. Pero ahí, en su sitio de siempre, con una mano en la tetera y la otra en la barriga, se fijó en algo preocupante: una grieta en la pared, justo al lado de la despensa. Una grieta en aquella vieja pared georgiana.

—Ella tampoco es la cuestión, Jenny, da igual quién sea —dijo Rache. Sunny la miró con severidad por encima de la cabeza de Jenny. Rache respondió enarcando las cejas en gesto de inocencia.

—Es un imbécil —dictaminó Jenny—. Esa es la cuestión. —Y se sonó la nariz.

Sunny se preguntó si sus amigas se habrían fijado en la grieta. Se extendía resueltamente pared arriba, cruzando la suave superficie de yeso color mantequilla, rasgándola en dos partes. La grieta no estaba ahí el día anterior, y ya parecía ancha. Y profunda. Se imaginó la casa, partida en un terrible zigzag, una mitad de la despensa separada de la otra. Bolsas de lentejas orgánicas. Tarros de conservas de remolacha. Tubérculos. ¿Qué podía hacer?

Pero Jenny no había terminado de llorar.

—¡Es que no sé qué hacer! —balbució por tercera vez—. ¡Tengo que pensar en los niños! ¿Cómo ha podido permitir que me entere? ¿Por qué no ha sido más cuidadoso?

Sunny visualizó la casa partiéndose en dos, con ella como línea de falla. Quizá, ahora que Maxon estaba en el espacio, la casa había decidido dejar de guardar las apariencias. Quizá se viniera abajo sin él, sin la persona que ocupaba el lugar de marido. Todo cambia, todo termina cayendo: el marido de Jenny, los cohetes que van a la luna, la pared de la despensa.

—¡Chist! —dijo Rache. Agarró el mando a distancia y subió el volumen del televisor de la cocina. Sunny vio que el reloj del microondas marcaba las 12.00. Se envolvió aún más en el chal y con dos dedos ahuecó el flequillo que le caía sobre la frente. En ese momento empezaban las noticias.

—Oh —dijo Jenny—. Es la hora de Les Weathers.

—Ese sí es un hombre fiable —dijo Rache, ladeando la cabeza y guiñando un ojo al aparato.

Todas contemplaron en silencio durante unos minutos a un hombre alto y rubio de facciones marcadas y ojos azules relucientes que informaba sobre un incendio local. Se apoyaba lo justo sobre su mesa y usaba sus grandes manos para gesticular. Su preocupación por el fuego parecía real, tangible su admiración por los bomberos. Tenía un torso corpulento, fuerte en la parte superior como un trapecio, con grandes brazos. Sin embargo, era algo más que un tío trajeado en la televisión; era importante y cercano para ellas, porque vivía tres puertas más abajo, en una inmaculada casa gris, tras una gruesa puerta roja.

—Es como Hércules —opinó Jenny entre lágrimas—. A eso me recuerda. Les Weathers es Hércules.

—Con maquillaje —comentó Sunny secamente.

—¡A ti te encanta! —la acusó Rache.

—¡Calla! No soy una de sus adoradoras —replicó Sunny—. La única vez que he hablado con él fue en enero, cuando le pedí que quitara aquella guirnalda.

—¡No es verdad! ¡Estuvo en la fiesta de Halloween de Jessica! —dijo Jenny, olvidando momentáneamente sus problemas—. ¡Además, te entrevistó una vez en la tele, cuando

¡Maxon estaba haciendo la campaña de promoción de su misión!

—Me refería a hablar con él a solas —aclaró Sunny y permaneció en pie con las piernas abiertas. Le parecía sentir un temblor en la casa. Algo estaba retumbando en los cimientos. Algo se estaba deshaciendo. Un tren pasó muy cerca y la grieta se abrió algo más. Alcanzaba ya la moldura del techo. ¿Sería eso lo que se sentía al parir? La vez anterior le pusieron la epidural y dio a luz sin que se le corriera el pintalabios. Para esta ocasión tenía pensado que le inyectaran una epidural más potente todavía, y dar a luz al niño con sus collares de perlas puestos.

—Yo nunca he hablado con él a solas —dijo Rache, todavía reticente, imitando a Sunny—. Debes de ser su amante.

—¿Podríamos no hablar de amantes? —pidió Sunny, señalando enfáticamente hacia Jenny con la cabeza.

—Tendría que llamar algún día a Les Weathers —murmuró Jenny, con los ojos fijos en la pantalla—. Un hombre tan solo en esa casa tan bonita, albergando un corazón roto.

Entretanto, Les Weathers sonreía mostrando su reluciente dentadura blanca mientras dedicaba a su compañera unos comentarios jocosos.

—No lo llames —dijo Rache—. No des a tu marido más excusas.

—¿Acaso tiene excusas? —farfulló Jenny.

Empezó un anuncio de pañales.

—En fin —dijo Sunny, recogiendo las tazas de té—. Tengo que ir a recoger a Bubber al colegio, y luego al hospital a ver a mamá.

—¿Cómo está tu madre? —preguntó Rache. Las mujeres se bajaron de los taburetes, recomponiéndose. Se alisaron los puños de las blusas y se abotonaron los jerseys de lana.

—Está bien —dijo Sunny—. Perfectamente. Casi se puede ver cómo mejora cada día que pasa.

—Pues pensaba que estaba con soporte vital —comentó Jenny.

—Sí, y está funcionando —confirmó Sunny.

Las condujo con prisas hasta la puerta, y de regreso a la cocina inspeccionó la grieta con los dedos. No era peligrosa. No estaba creciendo. Igual llevaba todo el tiempo ahí. Igual Sunny no la había visto trepar, trepar, extendiéndose por su casa y por su vida, amenazándola con una fisura infranqueable. Se sentó en el taburete que había ocupado Rachel y dejó caer el cabello sobre los hombros como lo llevaba su amiga. Tendió una mano con la manicura hecha hacia el lugar que había ocupado Jenny, como queriendo posar su brazo sobre un hombro fantasma. Asintió con la cabeza y frunció el ceño, igual que Rache. Alzando la vista, vio que la grieta seguía allí. Se sentó con la espalda más recta. Juntó las rodillas y se ahuecó el flequillo. En la televisión, Les Weathers despedía la transmisión. Los cotilleos del barrio decían que su esposa embarazada lo había abandonado para irse a vivir a California con otro hombre. Ni siquiera le dejó conocer al pequeño. La vida es dura, aunque ahora todas las mujeres en seis manzanas a la redonda querían zurcirle los calcetines. Sunny se preguntó cómo se zurcía un calcetín. Pensó que si se encontraba en esa situación, simplemente se compraría unos nuevos. Tiraría los calcetines rotos al fondo del cubo de la basura y nadie lo sabría jamás.

Finalmente, tras lanzar una última y larga mirada a la despensa y apagar la luz, recogió su bolso, las llaves y los libros de Bubber. Subió a su monovolumen, encajando su abultada barriga tras el volante. Se volvió a retocar el pelo mirándose en el espejo retrovisor, arrancó y se dirigió hacia la guardería.

Por todo el barrio, gruesos árboles sureños se extendían a lo largo de las calles, proyectando sombras sobre las fachadas de majestuosas mansiones de ladrillo. Abejorros zumbaban sobre las azaleas suspendidas, blancas y de todas las tonalidades del rosa. Aceras limpias se calentaban al sol primaveral. En cada cruce, Sunny echaba el pie al freno, y luego pisaba el acelerador. El monovolumen avanzaba como un salón móvil, un trapecio de aire levitando sobre la tierra. Ella iba sentada dentro, haciéndolo avanzar. Se olvidó de la grieta. Se olvidó de la esposa de Les Weathers. Cada casa era un rectángulo perfecto, un ejercicio matemático.

El mundo exterior relucía y estaba lleno de cosas en movimiento. A cada lado de la calle por delante y por detrás se alzaban mansiones históricas formando ángulos majestuosos. Los robles se elevaban por encima de ellos, y a lo largo de las aceras los mirtos extendían sus ramas deshilachadas. Líneas paralelas se unían con líneas perpendiculares formando una cuadrícula sobre la que podías navegar por medio de números. Números pares a la derecha, números impares a la izquierda. Maxon había dicho en una ocasión: «El número de parcelas en una manzana de una ciudad, multiplicado por la raíz cuadrada de las baldosas de la acera delante de cada parcela, ha de ser igual al ancho de una plaza de aparcamiento para un coche en decímetros, más Francis Bacon.»* Maxon no sentía ningún respeto por la grandiosidad del vecindario urbano. Montones de personas, viviendo en filas. Comiendo, durmiendo y cocinando en filas. Conduciendo en filas y aparcando en filas. Decía que quería una cabaña de caza en la Turena, con un foso de tigres y un rastrillo de fuego en la puerta. Pero lo aceptaba. ¿Cómo no iba a hacerlo? La ciudad era una carta de amor a la geometría plana.

Solo unos pocos vecinos habían hablado alguna vez de verdad con Maxon. Sin embargo, toda la gente a lo largo y ancho de la calle se tomaba muy en serio las opiniones de Sunny. Ella había nacido para vivir allí. Era una profesional. Cuando se mudó a ese barrio, decían los vecinos, las cosas empezaron a funcionar. Se organizaron barbacoas. Se compraron *tupperwares*. Las mujeres comenzaron a ir en monovolúmenes asiáticos y los hombres, en berlinas alemanas. Restaurantes indios, puestos de helados y tiendas de mascotas se apiñaron alrededor del único cine independiente. Nadie se quedaba sin comer el día que tenía un hijo enfermo o una endodoncia. Nadie se quedaba

---

* Referencia a las teorías que atribuyen a Francis Bacon la autoría de las obras de William Shakespeare, basándose en cálculos matemáticos a partir de la métrica y el vocabulario. *(N. del T.)*

15

sin canguro el día que tenía cita con el médico, o una rueda pinchada, o una visita de fuera de la ciudad. Todas las casas se movían plácidamente por el espacio a un ritmo uniforme a medida que la tierra rotaba y la Commonwealth de Virginia rotaba con ella. En Virginia, decía la gente, puedes comer en el patio todo el año.

Había canguros para Sunny cuando sucedían cosas malas. Había guisos calientes que llegaban hasta su puerta. Cuando su madre tuvo que ir al hospital, hubo ayuda. Cuando lanzaron a Maxon rumbo a la luna en un cohete, hubo colaboración. Había un sistema en marcha, todo funcionaba correctamente, a la perfección, y cada uno cumplía con su parte.

Sunny se sentó junto a la cama de hospital de su madre enferma. Se sentó con su chaqueta de verano color melocotón y sus pantalones pirata color caqui, sus sandalias de cuero trenzado y sus gafas de sol color carey. Se sentó bajo una suave cascada de pelo rubio, habitando el cuerpo de una hija preocupada y amantísima. Se sentó con su hijo en el regazo y un bebé en el vientre. Su madre estaba tumbada en la cama, tapada con una sábana. No llevaba ni gafas de sol ni chaqueta. Solo vestía algo que le habían atado alrededor del cuerpo sin que se enterara. Llevaba dos semanas sin conocimiento.

Había algo en el interior de su madre, y ese algo era la muerte. Pero Sunny no pensaba en ello. El exterior de su madre, donde todo era obvio, todavía conservaba mucha belleza. Asomando de ese cuerpo en la cama, saliendo de su boca y su torso, Sunny veía brotar un parral floreciente. Las vides que mantenían a su madre con vida descendían por su cuerpo y llegaban hasta un árbol junto a su cama. Se enroscaban por el suelo, entrelazándose unas con otras, cubiertas con flores empapadas de rocío y zarcillos retorcidos. Contra las paredes crecían grupos de árboles que se inclinaban con la suave brisa, y a su alrededor, hojas doradas caían de las ramas al suelo. Un zorzal gorjeaba su melodía en una esquina de la habitación, mezclándose con los gritos y risitas de Bubber.

Bubber era su hijo y el hijo de Maxon. Tenía cuatro años y un pelo naranja brillante que le crecía en punta, como un cepillo. Era autista. Eso es lo que sabían de él. Gracias a la medicación, se estaba bastante calladito. Era capaz de caminar en silencio por un pabellón de hospital y leer en voz alta a su abuela sentado en el regazo de Sunny. A veces era capaz de pasar por un niño normal. Había medicamento por la mañana, medicamento a la hora de comer, medicamento para controlar la psicosis, medicamento para procurar una digestión sana. Sunny enderezó la espalda en la silla, sujetando a Bubber, que leía con un brioso tono monocorde. El bebé que llevaba en su interior se estiró y dio una vuelta, sin que aún se supiera si sería autista o no. Si se parecería más a Maxon o más a Sunny. Si encajaría en el vecindario... Todo eso estaba pendiente de determinar.

El borboteo balbuceante de la máquina de respiración asistida calmó la mente de Sunny, y se dijo que olía a vegetación de hoja perenne. Una brisa agitó el cabello rubio que acariciaba sus hombros. Podía ponerse sus gafas de sol encima de la cabeza, cerrar los ojos y creer que estaba en el cielo. Podía creer que siempre habría una madre aquí, en este bosque encantado, y que podría ir cada día a sentarse y contemplar ese rostro en paz.

Sunny salió del hospital. Cuando se produjo el accidente, Sunny conducía calle abajo rumbo a casa. Sus manos suaves, blancas y con la manicura hecha, agarraban el volante. Su pie izquierdo iba apoyado en el suelo. Su cabeza estaba levantada, alerta, prestando atención. El aroma de una barbacoa se colaba por la ventanilla abierta. Y, sin embargo, hubo un accidente de tráfico. En el cruce de la majestuosa calle Harrington y el señorial bulevar Gates, un todoterreno ligero negro se estrelló de lado contra su gran monovolumen plateado. Sucedió en la misma calle de su casa. Sucedió aquella tarde, justo el primer día después de que Maxon saliera al espacio. No hubo muertos, pero la vida de todos cambió. No hubo marcha atrás a un tiempo anterior. No se podía fingir que no había pasado. Los coches ajenos son como meteoritos. A veces chocan contra ti, y no se puede hacer nada por evitarlo.

Tras la visita al hospital, Sunny sentó al niño en el asiento infantil de su monovolumen le puso el cinturón y le ajustó el casco. Bubber sacudía mucho la cabeza, por desgracia, y más en el coche. Mientras conducía, Sunny iba explicando algo trivial. Pasaba mucho tiempo hablando en voz alta con Bubber, aunque él no dedicara mucho tiempo a responder. Era parte de lo que hacían por Bubber para ayudarlo con su problema, hablar con él de ese modo.

—Da igual qué silla cojas, ¿vale? —le explicaba—. Tú solo di: «¡Ah, bueno!», y te sientas en cualquier silla que esté libre. Porque si te agarras un berrinche por la silla, te vas a perder tu trabajo de arte, ¿verdad? Y solo es una silla, ¿vale? Está bien tener sillas de distintos colores. No importa cuál tengas. Tú solo di: «¡Ah, bueno! Es solo una silla. ¡Ya tendré la azul la próxima vez!», y te sientas en la roja. Di: «¡Ah, bueno!», Bubber.

Bubber dijo:

—Ah, bueno.

Su voz sonó alta, como la voz de un pato, si un pato hablara como un robot. Y para montar en coche tuviera que llevar un casco puesto. De lo contrario, a veces golpeaba la cabeza contra el asiento, una y otra vez, cuando las ruedas pasaban por las junturas de la carretera. Cuando esto sucedía, solo oírlo resultaba terrible. No era algo que Sunny quisiera oír.

—Y luego te sientas —continuó Sunny— y ya ni piensas en qué color estás sentado, solo te diviertes con tu trabajo de arte. Porque, ¿qué es más divertido, agarrarse un berrinche o hacer un trabajo de arte?

—Hacer un trabajo de arte —dijo Bubber como un pato.

—Entonces dices «¡Ah, bueno!» y te sientas.

Sunny movió una mano de arriba abajo, para ilustrar su argumento. Bubber tarareaba en su sillita. Sunny ya tenía suficiente trabajo haciendo de madre para Bubber, pero había algo más en su interior, ese bebé que la convertía en una mujer embarazada. Tenía un corazón, y el corazón latía. Se podía ver en los aparatos de la clínica del médico. Por fuera, Sunny llevaba una enorme barriga de embarazada en su regazo, como una cesta. El cinturón de seguridad pasaba por encima y por debajo de la barriga. No había marcha atrás. Ya estaba aquí. A pesar de lo que se pudiera haber hecho para evitarlo, o cualquier opinión que pudiera haber tenido acerca de que otro hijo era una mala idea, ahora ya había cruzado la raya. Sería madre de dos niños, bajo su pelo rubio claro, en el monovolumen trapezoidal, en su mansión señorial. A pesar de que Bubber no había salido del todo bien, de que había nacido con algunos cables cerebrales cruzados y pelados, algo de más por aquí, algo de menos por allá, iba a ser madre otra vez, porque todo el mundo quiere tener dos hijos. Uno no es suficiente.

Cuando Sunny era pequeña, jamás se imaginó teniendo hijos. Nunca jugaba a hacer de madre. A veces jugaba a hacer de hermana, pero nunca de madre. Quizá por eso quería otro bebé para Bubber. Para salvarlo de ser un hijo único, igual que ella.

El accidente sucedió en un cruce con stop. Sunny miró a la izquierda, a la derecha, y otra vez a la izquierda. Todo estaba despejado. Pero entonces, un Land Rover negro apareció disparado en su dirección por la calle que estaba cruzando. Se estrelló contra el monovolumen con una fuerza demoledora. Es el fin, pensó Sunny. Mi fin y el del bebé. El de Bubber también. Ya no habría familia. Después de tanto esfuerzo, el resultado sería negativo. Parecía algo monstruoso, imposible. Sintió una sacudida en el cerebro solo de pensarlo, como si zarandeasen sus huesos. Pobre Maxon, se dijo mientras el airbag golpeaba su pecho. ¿Qué nos hemos hecho el uno al otro? Un accidente de tráfico justo en ese momento y en ese lugar poseía una particularidad brutal, y, bajo el peso de esa realidad, le pareció que su corazón se había detenido de veras.

En ese momento, la luz del sol todavía caía atravesando millones de kilómetros por el espacio para calentar el parabrisas frente a su cara, pero con esa mueca en su boca, Sunny parecía un monstruo. Las gafas de sol en su rostro apuntaban hacia delante en la dirección en que se estaba moviendo el monovolumen. La tierra rotaba en la dirección contraria. El vehículo se movía sobre la tierra con una inclinación alocada. Tras el golpe, los coches siguieron avanzando un poco, pero ahora en direcciones diferentes. Todos los vectores habían cambiado. Los airbags silbaban. Un arbolito se dobló hasta el suelo. Y en aquel trémulo instante, una perfecta peluca rubia salió volando de la cabeza de Sunny, despedida por la ventanilla, y aterrizó en la calle, sobre un charco lleno de hojas. Debajo de la peluca, Sunny era totalmente calva.

Su madre se estaba muriendo; su marido, en el espacio, su hijo llevaba un casco porque no quedaba más remedio, y ella era calva. ¿Podía una mujer así existir de verdad? ¿Podía una mujer así explicarse a sí misma? En aquel momento tuvo tiempo de preguntárselo.

En el cielo, en el espacio, Maxon rotaba según los cálculos. Siempre sabía qué hora era, aunque en el espacio estaba más allá de la noche y el día. A la hora del accidente, eran las 3.21, hora de Houston. Recordaba la sobriedad con que Bubber se había despedido: «Adiós, papi». El modo en que se había dejado besar, como si lo hubieran entrenado para ello, y el modo en que Maxon lo besó, como si lo hubieran entrenado para ello. Así es como actúa un padre, así es como actúa un hijo, y esto es lo que ocurre cuando papá se va al espacio. Recordaba el modo en que los ojos del chico buscaban cualquier otra distracción, contar las baldosas del suelo, medir las sombras, mientras sus brazos se aferraban al cuello de Maxon, sin soltarlo.

Para él era como cualquier otro día de trabajo. Pudo oír las palabras calmadas de su mujer: «Dile adiós a tu padre». Tan habitual. Con cuatro años, la mente podía entender, pero el muchacho no podía comprender. ¿Por qué decir adiós? ¿Y qué significa *adiós*? ¿Por qué decirlo? No transmite ninguna información; no se realizan conexiones cuando dices *hola* o *adiós*. Por supuesto, por supuesto, una convención estúpida. Allí arriba, lejos de la tierra, Maxon se sintió hambriento físicamente. Hambriento de ver a su mujer y a su hijo. Hambriento de ver sus perfiles, la forma que crearían en una puerta, al entrar. Entre las estrellas, metido en esa esquirla de metal, sintió que eran distintos al resto del planeta. Era como si Sunny fuera un alfiler en un mapa, y Bubber el contorno coloreado del territorio que ella marcaba. No podía verlos, pero sabía dónde estaban.

2.
*

Hace años, en el momento que Sunny nacía, el sol fue totalmente eclipsado por la luna. El sol entero desapareció. Luego regresó, igual de cálido.

La luna raras veces consigue ocultar por completo el sol. De hecho, solo sucede cada cierto tiempo, y cuando sucede, solo se puede ver desde determinadas partes del mundo. En el resto de continentes, todo transcurre con normalidad. Incluso a mil kilómetros de distancia, la mañana continúa sin interrupción. Pero justo allí, en Birmania, en 1981, hubo un eclipse total y el sol permaneció oculto durante el tiempo que duró el nacimiento de una niña. Junto al Himalaya había un crepúsculo marrón en la tierra y una aureola brillante en el cielo. En algún momento del futuro habría otro eclipse en Birmania, pero nunca volvería a nacer otra niña como Sunny. Era única, y su madre lo supo desde el principio.

Solo durante la oscura totalidad del eclipse pudo empujar de verdad. Se encontraba en un hospital público de cien camas. Durante horas se resistió a la idea de dejar salir al bebé. Fuera, la sombra del monte Rung Tlang se extendía sobre la aglomeración de casas de la ciudad de Hakha, haciéndose cada vez más afilada. El sol se fue reduciendo hasta quedar convertido en una media luna, una rodajita, un arco curvado de hermosas cuentas. En la calle, la gente estaba alterada. Las mujeres que fumaban en pipa miraban al cielo. Los hombres con sombreros cónicos dejaron de cultivar las amapolas. La aureola del sol ardía y se agitaba alrededor del disco negro de la luna, como la larga melena de una sirena.

Entonces, en la profunda penumbra de la luna, la madre fue capaz de empujar como es debido. Cuando se ocultó el sol, únicamente hicieron falta un par de buenos empujones para que asomase la dura cabecita. Su implacable cérvix la envolvió como un puño cerrándose alrededor de un huevo, hasta que la cabeza salió fuera. Luego extrajeron los hombros y el bebé salió entero. La matrona lo arropó con rapidez, lo dejó en el pecho de su madre y corrió a la ventana.

La luna ya había comenzado a desplazarse y el otro lado del sol rompía por los valles. Igual que se había retirado, regresaba ahora, caliente como siempre, y todo el mundo tuvo que dejar de mirar, o se quedarían ciegos. La vida se reanudaba, y la mujer que antes no era madre, ahora era madre, con su pequeña criatura calva entre los brazos.

—No tiene pelo —dijo la matrona—. Ni pestañas. Es una niña muy especial.

Por la mañana, antes del eclipse, a Emma Butcher le agradaba la idea de pasar el resto de su vida en Birmania. Su cuerpo seguiría adelante, respirando, sonriendo y, finalmente, muriendo. Pero luego, después de tener el bebé, ya no estaba tan segura de querer quedarse. Se levantó de aquella cama siendo madre y dispuesta a luchar por el resto de sus días. ¿Qué importancia tiene para una mujer renunciar a su ser y vivir tranquila, aceptando las decisiones tomadas? Pero cuando esa mujer se convierte en madre, ya no puede seguir participando en ese lento corromperse. Porque no permitirá que nadie corrompa a su niño. Y se encargará de que cualquiera que lo intente sufra las consecuencias.

Por la tarde, el padre entró precipitadamente en la habitación del hospital llevando una planta de escudo persa metida con prisas en una maceta. La había arrancado de la jungla cercana a la playa, y la había llevado a las montañas para animar a su mujer. La planta era pequeña y no tenía flores, pero sus grandes hojas se desplegaban bajo la tenue bombilla del hospital mostrando su color morado. La dejó junto a la oscura ventana. Tenía algo emocionante que decir, muy emocionante, y sus axilas goteaban tras la tensión de llegar hasta allí para ver a su recién nacido. Manifestaba el embarazoso entusiasmo de un hombre mayor que por fin consigue ser padre.

—Tengo el nombre perfecto —dijo—. El bebé se llamará Ann. ¿A que es perfecto? —Y se acercó extendiendo sus manos rosadas hacia ella.

La nueva madre miró a su marido y al tiesto con la planta. Él llevaba una camisa negra de lino desabrochada sobre un pecho reluciente y un ridículo sombrero de pescador. Su bebé dormía junto a la madre, entre su cuerpo y su brazo, envuelto en una larga tela naranja. Sus ojos sin pestañas estaban cerrados como los ojos de la estatua de un santo, que también puede no tener pelo ni pestañas. El cabello rubio platino de la madre caía sobre las dos como una cortina de metal, suave como roca pulida. Sus penetrantes ojos azules miraban fijamente y sus labios estaban extendidos en una sonrisa beatífica. Había cambiado su vestido ensangrentado por un sari transparente, del color del salmón ahumado. Se encontraba tumbada en la cama como un cuchillo largo y fino. En la punta del cuchillo aparecía su hermosa cabeza, cincelada en hueso. Se la veía tan serena como una poza en una cueva.

Dejó que su marido agarrara al bebé y lo tomara en brazos. Observó cómo lo acercaba a la luz y miraba con atención su cara, inclinando sus mejillas fofas cerca de la naricita de la pequeña. Emma lo miró y vio que era mayor. Se preguntó qué había hecho exactamente al casarse con un hombre tan viejo y tener a su hija allí, en Birmania. Si hubiera sido un bebé oscuro y de pelo enmarañado, que aullase a voz en grito, o una cosa pelirroja que se desgañitaba, no habría sentido la misma palpitación en su garganta. Pero cuando vio a su marido agarrando a su extraño bebé con sus manos sudorosas, supo que tenía que llevarse a su niña de regreso a Estados Unidos, donde su vida pudiese ser real. Birmania era un sueño y su misión, una evasión. Su bebé arrancaría, despegaría como un cohete y se consumiría en este mundo. No vagaría a la deriva entre los rezos susurrantes de su padre. No languidecería en la jungla. Las enfermeras budistas la habían dejado, así que en cuanto fuera capaz de levantarse, se podría marchar. Marcharse del todo. Podría reconsiderar viejas decisiones. Tener un bebé te hace actuar así.

Pero, en vez de eso, la condujeron de vuelta a la cabañita al pie de la gran montaña, y continuaron viviendo juntos. Resulta que era difícil dejar Birmania. Resulta que estaba todo el tiempo atrapada allí. La madre llamó a su bebé Sunny debido al eclipse. El padre tuvo que ceder. A fin de cuentas, él no había estado allí cuando nació la pequeña. Estaba en la costa, recogiendo especies vegetales. Así que el nombre del bebé fue Sunny Butcher.

Cuando Sunny cumplió los dos años, aún seguían en Birmania y no le había crecido nada de pelo. Todavía tomaba el pecho y su madre seguía durmiéndola en sus brazos; le hacía gorros para el sol entrelazando telas, juncos e hilos. Contrataron a una niñera, Nu, que ayudaba a Emma con el bebé y con las tareas de casa. Sunny se paseaba con un pañuelo anudado a la cabeza, con su barriguita redonda asomando de un kimono de color azafrán. Sus rasgos seguían siendo élficos; sus hombros y miembros frágiles, pero su cabeza era enorme. Era una niña de aspecto extraño. Los indígenas de la etnia chin sonreían y la señalaban. Para ellos, era como uno de esos monjes que aparecían por allí para convertirlos de nuevo al budismo. Los hombres se acercaban a ella adelantando las dos manos. Las mujeres no tocaban su ropa. Aunque los chin en su mayoría adoraban al Dios cristiano, se mantenían fieles a sus tradiciones nativas.

El padre había querido llamar Ann a la niña en recuerdo de Ann Judson, una de las primeras misioneras que llegó a Birmania. Ann Judson fue víctima de varias fiebres, y finalmente una se la llevó. En su día, los lugareños castigaban a los misioneros cristianos encadenando sus pies a unos grilletes y levantándolos hasta que solo sus hombros tocaban el suelo, lo cual, sumado a los ataques de los mosquitos, era un castigo difícil de soportar. Aquello fue antes de que los británicos se adueñaran de Birmania, mucho antes de que se impusieran los comunistas. Un montón de cristianos habían llegado a Birmania y a la provincia de Chin a lo largo de aquel siglo.

El último misionero en llegar fue el padre de Sunny, con su hermosa mujer. Cuando se instalaron por primera vez en Hakha, Emma tenía veintitrés años y Bob cuarenta. Construyeron una bonita iglesia de madera junto al complejo de viviendas industriales. Los cristianos llevaban reuniéndose en lugares de toda Birmania desde hacía más de ciento cincuenta años. Su iglesia era, simplemente, una iglesia más. Un único ventilador redondo al fondo del santuario movía el aire entre la congregación. La esposa se sentaba en el primer banco con las rodillas bien juntas y un poco apartada. Llevaba sombreros de señora de estilo americano y se moría por fruta crujiente que no fuese tropical. Su marido se esforzaba por enseñarle el idioma, se empeñaba en hablar en chin en la mesa mientras cenaban, entre arroces y verduras.

Un año después de su llegada a Birmania, todos los misioneros fueron expulsados del país. Birmania fue purgada por completo de extranjeros, tanto misioneros como empresarios. Hombres con uniformes grises llegados del otro lado de las montañas llamaron a la puerta de los Butcher y los sacaron de su casa. La pareja lo dejó todo y escapó a la India, donde Bob se sentaba en la cocina de sus amigos misioneros y emitía un programa de radio en lengua chin. No usaba el término «contrarrevolucionario». Emma se preocupó. ¿Tendrían que regresar a casa? Ella podía vivir en Birmania con un esposo mayor y entusiasta, pero ¿podría vivir con él en Estados Unidos? ¿Podría ser la esposa de un pastor y organizar reuniones de estudio de la Biblia en su casa? Rezaba para que les permitieran quedarse en Asia. Parecía más sencillo.

Libre en la India, Emma se dedicó a dejarse llevar. En las misas, solo tarareaba los salmos. Las montañas dificultaban que la señal de la radio llegase a Birmania, así que Bob Butcher regresó a Estados Unidos, pero Emma no lo acompañó. Bob dejó en la India a su hermosa mujer de labios carmesí con los otros misioneros y él regresó a casa, resuelto a encontrar un modo de volver a Birmania bajo una tapadera legal, como empresario, científico o diplomático. Ella dormía en una hamaca en el porche. En la India se dedicaba a enseñar a los niños nativos a leer, pero nunca se imaginó tener un hijo propio. No podía imaginar que saliera algo bueno de eso que hacían juntos y que era necesario para tener un hijo. No quería que el sexo entre ella y Bob tuviera ningún efecto duradero. Cuando se levantaba por la mañana, se veía alejándose de ello y de lo que quedaba entre las sábanas. Nunca hablaban del tema. Era algo que solo sucedía por las noches, cuando Emma ya estaba dormida. Como si tuviera que estar dormida para que él se acercara. No podía acercarse si Emma lo veía.

Así fue como Bob se acercó a ella la primera vez, en plena noche, mientras Emma dormía en casa de sus padres en Indiana.

Cuando acabó la universidad, Emma volvió a la eficiente granja de sus severos padres. Bob fue a pasar una semana de encuentros de oración, un predicador del fuego y el azufre que puso a toda la iglesia de rodillas. Emma lo conocía desde la infancia, porque Bob iba todos los años y siempre lo recibían en su casa. Al principio lo acompañaba su esposa, que murió al dar a luz llevándose al bebé consigo al cielo, y luego solo; era un hombre dramático e intenso, que le daba su bendición poniéndole la mano sobre la cabeza. Una noche, tras su vuelta de la universidad, estaba dormida bajo su colcha amarillo limón y de repente despertó, y lo vio en su habitación. El reloj hacía tictac a su lado. Una sombra se movió por el techo.

—Te elijo a ti, Emma —le dijo con voz ronca. Nunca le había oído hablar en voz baja, solo gritar, vociferar, implorar, incluso llorar—. Te elijo para que me acompañes a Birmania.

Ella sintió un escalofrío. ¿Era un sueño? Hasta ese momento solo lo había visto de traje, en el púlpito, con todos los feligreses escuchando embelesados. También en mangas de camisa, con la corbata floja, en la mesa, contando historias. Cuando tenía doce años, la había bautizado en el río, y el voto que hizo Emma fue que quería tener una fe más genuina, no solo de palabra sino también de vivencias. Había montado en la parte de atrás de la camioneta del pastor, junto a los demás muchachos que llevaban todo el año esperando ser bautizados durante la semana del renacimiento. Vio sus anchas espaldas sacudiéndose, con una mano en el volante y la otra asiendo el marco superior de la ventanilla, como aferrándose con firmeza a este mundo.

Y ahora estaba con ella, en la oscuridad de su cuarto. Era un momento privado entre ellos dos. Se sentía paralizada, y especial. ¿Cómo no? Dentro del limitado mundo de la iglesia, la comunidad, la universidad cristiana a la que había asistido junto a muchachos torpes y llenos de sentimientos de culpa, él era una celebridad. Sus padres estarían orgullosos. ¿Y qué otra cosa iba a hacer? En comparación con él, nadie más parecía estar completamente vivo. Sentía que volvía a tener doce años, nerviosa, sin preparación alguna, y aún así orgullosa de ser una mujer para él. Orgullosa de saber lo que tenía que hacer. Nunca habían intercambiado más de unas palabras. Pero podría ser la que lo acompañase a Birmania, su compañera de fatigas, reemplazar a su difunta esposa, que en gloria estuviese.

En la oscuridad, su respiración era pesada. Estaba de pie junto a su cama sin la camisa, sus ojos somnolientos solo podían ver la parte superior del cuerpo, un ancho pecho brillando a la tenue luz de la luna. Sintió su cuerpo aplanado sobre la cama como una muñeca de papel. ¿Cómo sería lo que estaba a punto de experimentar? Un cosquilleo le subió desde el estómago. El aliento de él llenaba la habitación.

—¿Puedo acostarme contigo, Emma? —preguntó.

Ella vio su ceño fruncido. Asintió con la cabeza.

Entonces, él apartó la colcha y Emma sintió el frescor del aire. Él la miró, observó su vientre, sus piernas. Luego estaba sobre ella en la cama, con las rodillas a ambos lados de las suyas. Con una manaza bajó la cinturilla de franela de sus caderas, mientras con la otra presionaba su clavícula, frotando y frotando. El pene sobresalía de sus pantalones y ella lo sintió, cálido sobre su pierna en el repentino frío de la oscura habitación, suave y caliente, rozándola, presionando sobre sus bragas. El mentón cuadrado era todo lo que podía ver encima de ella, el resto de la cara apuntaba hacia arriba, hacia el cielo. Alzó las caderas para recibirlo, lo rodeó con un brazo y puso su manita en la parte baja de aquella cálida espalda. Él tocó con una mano caliente su clavícula, bajó por su pecho y llegó con urgencia hasta abajo, donde la palpó, la penetró, la abrió. Aquel cuerpo pesaba encima de ella, todo lo que hacía resultaba muy enérgico, muy exigente. Ahora tenía la frente en sus hombros y movía las caderas, emitiendo gruñidos.

—Oh, oh —murmuró—. Oh, Dios, cómo me gusta.

Pero también podía ser cariñoso. Podía decir:

—Oh, cariño, ya sé que duele.

Después de un año de exilio, Bob se llevó a su mujer de vuelta a Birmania. Y con ellos, un laboratorio portátil para estudiar las propiedades medicinales de las orquídeas, subvencionado por la Universidad de Chicago. La Guardia Roja estaba quemando iglesias en China. Fue una época de persecución y tormentos. Los cristianos solo podían entrar bajo la tapadera de trabajos seculares; en ocasiones, incluso tenían que ceder la palabra de Dios a los nativos, con la esperanza de que continuaran transmitiéndola. En público, Bob Butcher era ahora un científico, pero en privado seguía siendo un misionero que organizaba reuniones secretas en el dormitorio de su nueva casa de dos habitaciones en Hakha. Los comulgantes se apiñaban alrededor de la cama alargada.

Marido y mujer llevaron esta existencia humilde durante una docena de años. Emma plantaba té en su jardincito. Bob pronunciaba sermones entre susurros y entrechocaba probetas, destilando aceites. La pareja siempre se iba a dormir en paz, por separado, en sus respectivos cuartos. Luego, por la noche, con frecuencia se producía el despertar urgente, el abrazo ansioso, manazas envolviendo sus brazos o sujetándole las caderas; su boca caliente sobre su cuerpo, separándola, avanzando por ella. Y luego las exclamaciones de agradecimiento: «Gracias. Oh, Dios, gracias». A veces, a Emma le parecía que seguía soñando. A veces no se despertaba del todo hasta que su rígida erección ya estaba dentro de ella, su cuerpo perlado de sudor.

Bob se había hecho una vasectomía después de la muerte de su primera esposa en la sala de parto. Había pensado que era la voluntad de Dios. Emma sabía que nunca habría niños, y lo consideraba una llamada a ser la esposa de ese hombre cuya tragedia personal le había arrebatado el deseo de reproducirse. Emma no quería pensar en niños, creía que el sexo que tenían era algo ajeno a los niños que veía a su alrededor. Entonces, a la edad de treinta y siete años se quedo milagrosamente embarazada. Nadie se lo esperaba. La pareja lo celebró con mesura, cada uno secretamente aterrado. El marido anunció su logro a su congregación secreta. «Mi esposa, Emma, va a tener un bebé», les dijo. Todos asintieron, sonrieron y mostraron su aprobación dándose palmaditas en el brazo unos a otros.

¿Moriría en el parto? ¿El bebé sería un hombrecito sudoroso y efusivo? No. Sunny nació, creció y aprendió a moverse en el pueblo. Se sentaba con sus hermosos kimonos entre los perros callejeros. Nu lavaba los pañales y quemaba frutas en ofrenda a los dioses en el porche trasero. En el pueblo, su misión secreta estaba a salvo, porque la mayoría de la población del estado birmano de Chin era obstinadamente cristiana. No importaba cuántas Biblias se quemaran, se podían conseguir más en la India, o pasarlas de contrabando desde Estados Unidos. Todo era seguro y la familia se quedaría de forma indefinida hasta que Sunny fuera una mujer, sus pañuelos para la cabeza acabaran sucios y raídos y su madre muriera.

3.*

Sunny era una mujer sin ningún pelo en el cuerpo. Nació sin pelo y jamás le creció. Ni pestañas, ni pelusa en las axilas, ni vello en las piernas. Ni un solo cabello en su cabeza. En algunos momentos de su vida se preguntó si el mundo podría ser realmente un lugar hermoso para ella, una chica calva. En otros momentos, sin embargo, sentía que su vida era como cualquier otra. Ahora se acercaba a la treintena. Aunque no era la única mujer calva del mundo, nunca se había investigado mucho su problema. Era difícil de explicar. Resultaba un poco raro que nadie pudiera darle un porqué. Desde la infancia y la adolescencia, y hasta la época de casarse y tener un hijo, esa extraña calvicie no paró de asquearla. Su madre padecía una enfermedad más corriente. Tenía cáncer. Su vida tocaba a su final. Eso también era difícil de explicar.

Dentro del cuerpo reina la oscuridad. Las cosas que suceden allí no se pueden ver. Cuando alguien tiene un órgano que va mal, que se bloquea o sufre una fuga, sucede en silencio y sin luz. Nadie puede observar esas cosas. Ahí dentro se impone el silencio húmedo. ¿Hay algún ruido? ¿El hígado tiene sentido del tacto? Todos los bebés pasan sus primeros meses ahí dentro, en la oscuridad. Cada hijo mueve los brazos frente a un rostro ciego, y cada hija abre una boca vacía sin producir ningún sonido. Y dentro del bebé hay otra negrura y ningún sonido. Un humano crece y se marchita en la negrura y el silencio que reinaba bajo su piel. Sunny se levantó calva de la cuna, y siguió siendo calva a lo largo de su vida. Había nacido en determinado momento, y en determinado momento del futuro moriría. Lo que sucediera entre medias sería un episodio largo y lampiño.

A diferencia de la gente corriente que tenía pelos en la cabeza, ella no tenía ninguno. Mientras conducía un coche o iba de tiendas, ocultaba que algo iba mal. Algo no estaba bien. Gracias a la peluca, nadie en Virginia conocía su secreto, excepto las personas muy cercanas que tenían que saberlo necesariamente. Su marido. Su médico. Su madre y su hijo. No estaba disponible a la vista de todo el mundo como sí lo estaba la mujer con un extraño tumor que cubría la mitad de su cara, el hombre que tenía una cicatriz en la oreja, o el chico al que faltaba una mano. El suyo era un tipo de secreto diferente, oculto bajo una peluca.

Cuando la peluca salió despedida y cayó en un charco, no había nadie alrededor para echarle una mano. Maxon estaba en el espacio, pensando en robots. Los niños estaban allí, por supuesto, pero no podían hacer nada para ayudarla. Bubber podía chillar, enrabietarse y decir la hora sin mirar un reloj. El bebé que llevaba en su seno podía mover los bracitos y pedir deseos. Pero nadie pudo tender una mano y sujetarle la peluca sobre la cabeza antes de que saliera volando. El accidente de tráfico fue de lo más inesperado.

El Land Rover venía hacia ellos. La garganta de Sunny se cerró y sus brazos en tensión pelearon con el volante. Luego hubo un sonido como un crujido, y una sacudida. El airbag se disparó. La peluca salió volando. Todo dejó de moverse. A Sunny le salió la voz inmediatamente, casi antes del silencio.

—Estamos bien, estamos bien, todo está bien —dijo—. ¿Estás bien?

—¡Para! —gritó Bubber.

—Bubber, alguien nos ha golpeado con su coche, pero no pasa nada. Estamos bien.

Sin mirar atrás, estiró el brazo y le tocó la rodilla, presionando con fuerza para que su hijo pudiera sentirla de verdad.

—¡Para! ¡Para! ¡Para el coche! —aulló Bubber. Empezó a manipular el cierre de su cinturón de seguridad, buscando la manilla de la puerta. Su cara pecosa enrojeció, con los labios fruncidos de rabia. Lo último que haría sería echarse a llorar.

—¡¡Tú!! —gritó Bubber a través de la ventanilla tintada—. ¡¡Has chocado nuestro coche!! ¡No deberías haberlo hecho!

—Bubber, basta —dijo Sunny, atragantándose y con arcadas.

—Mami, ¿vas a vomitar? ¡¡Vomitar en la mano *es* mal!!

—No. Quédate en el coche. No te muevas de tu asiento.

Sunny echó un vistazo alrededor. Aferró el volante de nuevo con ambas manos, para evitar que trataran de palpar su cuero cabelludo. Intentó pisar el acelerador y sacar el monovolumen de la calle para, con suerte, llegar a casa. Fantaseó con que pasaban junto a la peluca y la dejaban allí. En casa, segura, podría colarse a cuatro patas por la gatera, esconderse debajo de la casa. Podría vivir bajo el suelo, en el sótano oscuro, para siempre. Quizá acabara enseñando los dientes y gruñiendo a los extraños; se alimentaría de perros callejeros, visitaría a Maxon por la noche a través de uno de los conductos de ventilación. Luego regresaría a su hábitat cuando él se fuera a dormir. Oscurecería su piel con el barro que convertía a su jardín trasero en un lugar inhóspito para los helechos. Los vecinos oirían las historias del zombi de cara colorada que, en ocasiones, iba hasta el buzón en plena noche, para echar postales. Evolucionaría hasta convertirse en una zarigüeya. Podría evolucionar aún más y transformarse en una ardilla. Por supuesto, el monovolumen no se movió, así que apagó el motor.

Sunny abrió su puerta. Los vecinos estaban saliendo de sus casas. Alguien corría hacia ella. Se sentía mareada, como si realmente fuese a vomitar. Se quitó el cinturón de seguridad y lo retiró de su barriga. Sentía un fuego virulento en la cintura, corrientes desatadas, como si un cometa estuviera embistiendo en su interior, como si el bebé se hubiera transformado en un monstruo de fuego. Un dolor envolvía su espalda. Se bajó apoyándose en una pierna temblorosa y luego en la otra. Se ajustó las gafas de sol en la nariz. Allí, en medio de su barrio, contempló a sus amigas y vecinos saliendo de sus casas como humildes campesinos: contritos, lúgubres, temerosos. Sintió el viento en la cabeza. Por supuesto, sentaba bien quitarse la peluca. Siempre le sentó bien. Eso era indiscutible.

Miró su calle de arriba abajo. Los árboles empezaban a perder las hojas. Junto al bordillo había un contenedor de escombros, seguramente para recoger los desechos de alguna reforma. Las raíces nudosas de los árboles ocupaban por entero las aceras, infestadas de brotes de helechos, arbolitos, o bellotas podridas. Los jardincitos, antes tan regulares, ahora se veían confusamente torcidos. Las casas se ladeaban unas contra otras, sus tejados jaspeados parecían resbalar como libros en equilibrio sobre la cabeza de torpes adolescentes. Oyó una sirena. Oyó el llanto de un bebé. Se alejó tambaleándose del monovolumen, temiendo caer por alguna tangente de la tierra y escurrirse por ella, hasta su muerte.

Un hombre se acercaba presuroso a ella por la acera. Lo reconoció al momento. Era el vecino de las noticias, Les Weathers: alto, fornido y rubio. Seguramente acababa de llegar a casa del trabajo. Todavía llevaba el traje azul, la corbata amarilla y el pañuelo de seda. Su pelo seguía engominado hacia atrás formando una lisa onda plastificada sobre su rostro bronceado. Sus rasgos expresaban preocupación y confusión en la medida justa. Sunny fue con paso vacilante hacia el charco en el que estaba tirada su peluca como un gato amarillo muerto. Ojalá pudiera volver a colocársela en la cabeza.

—¿Está bien, señora? —gritó Les Weathers, y sonó como Supermán.

Llegó más gente. Rache y Jenny se acercaban lentamente desde sus casitas adosadas de ladrillo, con zapatillas de cuero de tonos neutros pisaban con precaución para evitar las zonas mojadas de la acera.

Sunny asintió. Era una extraña para él. Les Weathers no la reconocía.

—¿Está herida? —preguntó alguien.

Sunny se volvió hacia Les Weathers y lo miró. Se quitó las gafas de sol.

—¿Eres Sunny? ¿Sunny Mann? —dijo él con cara de desconcierto.

Ella sonrió.

—Sunny, eres calva —constató él.

34

De todas las veces que le habían dicho eso en su vida, aquella fue probablemente la mejor. Mejor que su madre diciéndoselo con franqueza, mejor que su niñera diciéndoselo con ternura, mejor que los niños en secundaria diciéndoselo de los distintos modos en que se lo decían. Era muy divertido, en cierto modo. Durante cinco años, desde su llegada a la ciudad recién embarazada, con pantalones rosa, un jersey de cuello de pico a juego y escarpines grises, había llevado su plácida peluca rubia. Se la ponía religiosamente, y nadie se había fijado. Tenía una peluca con coleta, otra con el pelo recogido en un moño, y una larga y ondulada para las salidas diarias. Desde que permitió por primera vez que alguien viviera en su útero siempre había llevado peluca. Pero la verdad era, como Les Weathers acababa de señalar, que era calva. Calva como una bola de billar.

Muchas veces se había preguntado cómo sería pasearse por esa misma calle con sus viejas gafas de pasta rojas y su blanca cabeza pelona reluciente para que la viera todo el mundo, pero casi había olvidado que eso podría suceder algún día. Con esto, lo otro y lo de más allá, lo había borrado de su mente. Cinco años llevando peluca pueden conseguir que una chica se sienta rubia de verdad. Pero, para ella, esas tres palabras prohibidas pronunciadas por Les Weathers se extendían en el tiempo: Sunny. Eres. Calva. Hacia atrás, hasta el principio, y hacia delante, hasta el fin de su vida, todas las veces que se lo habían dicho y se lo dirían, resonando como campanas de las que no podía sustraerse.

Sunny caminó hasta el charco, recogió la peluca, le quitó unas hojas secas y la sacudió como si fuera un trapo. Luego, volvió a encasquetársela.

—Llamad a la Policía —pidió—. Llamad a una grúa. El puto coche se ha jodido.

Jenny parpadeó, alarmada al oír a Sunny diciendo palabrotas delante de su hijo.

—Rache ya ha ido a llamar —dijo.

Todas las madres del vecindario, que estaban en sus cocinas pensando en la cena mientras sus críos botaban en sus sillas saltarinas viendo vídeos de *Baby Einstein,* ahora se asomaban a sus jardines. El presentador de informativos, todo encorbatado, planchado y limpio, retrocedió un paso. Todos miraban a Sunny. Había sido calva durante sesenta segundos. Ahora llevaba de nuevo su peluca, que goteaba agua sucia por su cara.

—Bien —dijo—. Vale, genial.

Regresó al monovolumen y abrió la puerta de Bubber. El pequeño estaba sacudiendo la cabeza adelante y atrás, adelante y atrás, en extraños espasmos y dándose palmaditas en las rodillas. Le desabrochó el cinturón de seguridad, lo levantó entre sus brazos y lo sacó del vehículo. Ahí estaba la mujer del todoterreno negro que había chocado contra ella y le había quitado la peluca. Era otra madre más, una madre más tonta, inferior, más joven, insulsa, de otra calle, que se dirigía a recoger a su bebé a casa de la abuela tras terminar su autocomplaciente empleo a tiempo parcial en una librería del centro. Había un asiento infantil vacío en la parte de atrás. Nadie estaba herido. No había pasado nada malo. No hacían falta ambulancias.

Cuando Bubber vio a la mujer del otro vehículo, bajó la barbilla hasta el pecho y soltó unos gruñidos, como si quisiera matarla. Estaba furioso y parecía dispuesto a tirarle una piedra. Sunny temió dejarlo en el suelo, así que siguió con su hijo en brazos. Se sentó en el bordillo y esperó a que llegaran la Policía y la grúa. Sabía que había que hacer las gestiones de la Policía y la grúa, y sabía que después podrían irse andando a casa y que podría poner a Bubber delante del ordenador y que podría beber tranquilamente un vaso de agua y ver el programa de Oprah, distrayéndose mirando a la gente del público e intentando recordar quién era ella en realidad.

Entonces, su barriga se endureció y sintió un dolor en el bajo vientre y la zona lumbar. Una contracción. Con peluca o sin ella, todavía había un bebé en su interior, y estaba intentando salir.

En cierta ocasión, ella y Maxon estaban intentando tener sexo, pero él se encontraba recuperándose de un accidente de bicicleta y ella tenía la menstruación.

—Lo siento —dijo él—. Pierdo fluido de mi apósito.

—Maxon —dijo ella—, estás empezando a sonar como un robot. Pierdes fluido de tu apósito. Yo sangro por mi útero. Esa es la diferencia entre tú y yo.

4.

Sunny iba en el Lexus dorado de Les Weathers, en dirección al médico. Bubber estaba con la canguro y el monovolumen se lo había llevado la grúa. Todo estaba bajo control. ¿De verdad no quería una ambulancia? No, no la quería. Les Weathers se ofreció para llevarla al médico, y ella aceptó. El vecindario se había cerrado alrededor de su cabeza calva igual que el agua de un lago se cierra alrededor de una piedra arrojada a él. La gente hizo lo que sabía hacer. Cuando acabaron todos los trámites, la cabeza calva de Sunny Mann ya no volvería a ser visible para nadie.

Podían intentar recordar cómo era cuando fijó las fechas para la instalación y el retirado de la decoración festiva en el exterior de las casas. Nada de Navidad antes de Acción de Gracias. Nada de Halloween pasado el 2 de noviembre. Nada de Cuatro de Julio hasta julio. Todo muy razonable. Los vecinos se preguntaban si el marido astronauta seguiría entrenando en la Lego League. Se preguntaron si la fiesta de Navidad seguía en pie. La lista de teléfonos de emergencia. El mercadillo de artesanía. Todo. ¿Cómo iban a preguntarle si estaba bien? Resulta bastante violento hablar con alguien que lleva una peluca cuando ignoras el motivo. ¿Se sentían estúpidos? ¿Traicionados? ¿O simplemente frustrados porque no podrían seguir tratándola como a una amiga íntima y cercana?

—Entonces —dijo Les Weathers—, ¿desde cuándo eres calva?

—Toda mi vida —dijo Sunny.

—¿Maxon lo sabe? —preguntó. Su mano se desplazó del volante a la rodilla, y luego volvió a subir al volante. Después, empezó a juguetear con la palanca de cambios.

—Pues claro que Maxon lo sabe.

—¿Y Bubber?

—¿Qué pasa con él?

—¿Lo sabe?

Unas semanas atrás, la familia se estaba preparando para almorzar en la cocina. Bubber estaba sentado en su silla especial. Sunny le había sacado el cajón de la cubertería y el pequeño jugaba a hacer montañitas de cucharas con un tenedor en medio. Maxon estaba explicándole la ley de la gravedad mediante el ejemplo de tirar cosas al suelo. Bubber miraba fijamente sus tenedores y cucharas. Cuando se le explicaba algo siempre miraba hacia cualquier cosa que no tenía nada que ver. Los psicólogos dijeron a sus padres que, sin embargo, usaba su visión periférica. Maxon levantó un lapicero en el aire y luego lo dejó caer de sus dedos huesudos.

—¿Puedes decirme qué es la gravedad? –preguntó al niño.

—Caliente –dijo Bubber–. La gravedad es caliente.

Sunny se rio detrás de la puerta del frigorífico, donde estaba sacando una lechuga para preparar un bocadillo.

Maxon dijo:

—La gravedad es una fuerza que tienen todos los objetos; toda masa posee gravedad.

—Es una atracción –intervino Sunny–. El calor es caliente. La gravedad es una atracción.

—Cuando algo tiene gravedad –continuó Maxon–, hace que otras cosas se le acerquen, y cuanto más grande sea esa cosa, más gravedad tendrá y más cosas se acercarán a ella.

Bubber abrió la boca y luego la cerró. Empezó a desmontar su torre de cucharas y tenedores. Entonces dijo muy rápido:

—Júpiter tiene la mayor gravedad. Júpiter es el planeta más grande. Es un gigante de gas. Júpiter posee trescientas veces la masa de la tierra y más de mil veces el volumen de la tierra.

—Hasta mami tiene gravedad –continuó Maxon–, ¿lo ves?

Rocks, el perro, se acercó a Sunny, husmeando el olor a comida.

—Mira, estoy atrayendo a *Rocks* hacia mí con mi gravedad —dijo ella. Levantó en brazos al perro y lo pegó a su barriga de embarazada.

—Mami es Júpiter —dijo Bubber sin mirarla.

—No soy Júpiter. ¿Por qué tengo que ser Júpiter? ¿Por qué no puedo ser algo bonito como Venus?

—¡Ay, oh! —Maxon se tiró al suelo, fingiendo ser atraído de repente hacia Sunny—. Creo que el campo gravitacional de Venus me está atrapando también a mí.

Sunny y Maxon se entrelazaron y comenzaron a rotar sobre el eje de su barriga con el perro entre ambos, como dos personas altas bailando borrachas. Se escoraron hacia la sala, chocaron con una silla y se echaron a reír. Bubber se había bajado de la silla y se acercaba a ellos.

—¡Bubber, no! ¡Sálvate! ¡No te dejes atrapar por la atmósfera de mami!

Corrió hacia ellos y empezó a trotar en círculos a su alrededor. Tenía los brazos pegados al costado y corría moviendo las piernas de tal forma que parecía que cortaban el aire como tijeras.

—No te preocupes, papi —dijo—. Solo soy una luna. Yo me he convertido en una luna.

Era una de las mejores frases que había dicho nunca. Aquella noche, Sunny la escribió en su diario de terapia, recalcando el uso de la palabra «yo». En aquel momento no llevaba puesta la peluca.

Sunny se llevó las manos a la cara, las fue subiendo hasta su cabeza y se quitó la peluca. La dejó sobre las rodillas y empezó a limpiarle el barro, intentando alisarla. Tuvo otra contracción, la cuarta desde el accidente, y esperó a que pasara. El dolor en su espalda era como si alguien la estuviera partiendo en dos con un hacha.

—Sí, Bubber lo sabe —contestó.

—Entonces, es un poco como una dentadura postiza —dijo Les Weathers—. ¿Te la quitas para dormir?

—Como una dentadura postiza —repitió ella con un tono apagado—. ¿Sabes qué, Les? ¿Puedes parar un momento ahí?

Se bajó del coche. Unos metros más allá estaba el puente de la calle Granby. Sunny cruzó por delante de los apartamentos frente a la ribera y subió con brío por la senda de peatones. Se apoyó en la barandilla, mirando hacia abajo al río que se extendía indolente como la hiedra por los vecindarios de Norfolk. Asió la peluca con su mano derecha. La miró, por dentro y por fuera, y luego la lanzó al agua lo más lejos que pudo. La peluca aterrizó con ligereza, se empapó y flotó. Sunny la contempló un rato y luego regresó al Lexus de Les Weathers, subió y cerró la puerta. Había dado cuarenta y seis pasos al aire libre en Virginia sin peluca.

Una vez, cuando Bubber era bebé y Maxon estaba fuera de la ciudad dando una conferencia, ella y el niño tuvieron gripe a la vez. Nada de lo que tenía en casa conseguía que el pequeño se durmiera, así que salió a buscar un medicamento distinto sin ponerse la peluca. Estaba demasiado enferma y cansada para preocuparse de eso. Enfundándose una sudadera con capucha y gafas de sol, ajustó el cordón de la capucha alrededor de su cara, agarró al bebé, salió por la puerta y condujo hasta una farmacia fuera de su barrio para que nadie la reconociera. Estaba en el aparcamiento, sacando a Bubber de su asiento, cuando un viejo la llamó desde la otra punta del aparcamiento. Se acercó sin dejar de vociferar.

—¡Hola, guapa! —decía.

—Hola —dijo ella en voz baja, con su capucha y sus gafas de sol.

—Hola, ¿es que no sabes decir hola? —insistió el hombre, acercándose tambaleante.

Sunny vio que estaba borracho.

—Hola —dijo más alto, forzando una sonrisa.

El viejo se interponía entre ella y la tienda.

—¡Ese es mi sobrino! —exclamó—. Vaya, ¡hay una mierda que apesta! Choca esos cinco. —Y alzó la mano.

Sunny echó a andar. Al pasar, le palmeó la mano con la suya. Era una mano seca, dura, fría. Siguió avanzando con determinación hacia la tienda.

—¡Eh! ¡Eh, tú! —gritó el viejo a su espalda—. Sigue así de guapa, ¿me oyes? Sigue así de guapa.

Dentro, Bubber vomitó en el carrito de la compra, un inocente vómito de bebé mientras iba sentado en la cesta con las piernas colgando. Sunny no tenía nada con que limpiarlo. Fue un desastre total. Aquella noche, supo que no podía salir de casa sin la peluca nunca más. No se podían hacer las cosas a medias. Tenía que entregarse del todo.

—Vaya, eres como una adicta tirando tus drogas al retrete —comentó Les Weathers.

—Tengo más —dijo ella.

—Ya, nunca te había visto con esa peluca hasta hoy.

—Todas se parecen a esa, pero con diferentes estilos. Ya sabes, coletas, trenzas...

Una vez cruzado el puente, la clínica estaba a la vuelta de la esquina. Les Weathers la dejó en la entrada. Antes de que se bajara del coche, el presentador le asió la mano.

—No voy a pensar distinto de ti por saber que eres calva.

—De acuerdo —dijo Sunny.

—Quiero decir, probablemente no tengo ni idea de lo que es ser calva, pero me gustaría pensar que podría intentar comprender lo que estás pasando. Si quieres hablar de ello.

Sunny bajó la mirada a la mano de Les Weathers posada sobre la suya, y él la retiró.

—¿Quieres que te acompañe? Puedo quedarme unos diez, veinte minutos. Tengo que volver al estudio para rodar unos anuncios, pero puedo llamarlos, decirles que entraré directamente al plató. Estoy preocupado por ti. A Maxon le hubiera gustado que alguien se ocupase de ti.

Sunny intentó imaginarse al grande, rubio y físicamente perfecto Les Weathers sentado a su lado en la consulta del médico. Se inclinaría hacia delante lo justo, juntaría la yema de los dedos y preguntaría directamente cuáles eran sus opciones. Se quedaría en la puerta mirando con paciencia su reloj mientras ella hablaba con los médicos. Luciría una enorme sonrisa televisiva, mostrando a todos su blanca dentadura. En las raras ocasiones en que había sido capaz de llevar a Maxon a rastras a una cita con el ginecólogo, su marido por lo general se sentaba en la sala de espera tras una planta y tecleaba en su PDA, o se paseaba a paso ligero por los pasillos.

—No, gracias —dijo ella—. Estaré bien. Rache vendrá a buscarme. Tengo mi teléfono.

¿Qué diría Rache cuando descubriera que la peluca se había ido para siempre? Quizá le dijera a Sunny que todo se debía al estrés, que podían ir por otra peluca al armario y olvidar todo el episodio. Rache se pondría nerviosa, era indudable que querría que las cosas volvieran a ser como antes. «No pasa nada, no pasa nada —le había dicho Rache—. Vete, vete. No pasa nada.» Como si solo quisiera apartar a esa Sunny calva de su campo visual. Les Weathers, sin embargo, siempre iba a ser Les Weathers. Parecía que realmente quería quedarse y ayudar. Sunny bajó el parasol del parabrisas y, mirándose en el espejito, con cuidado y lentamente se quitó las pestañas y cejas falsas y las metió en su bolso. Lo miró y parpadeó, sin ningún pelo en la cara ni en la cabeza, y luego se apeó.

—Adiós, calvita —dijo Les Weathers, e hizo su característico guiño apuntando con el dedo, el mismo con el que cada noche despedía las noticias—. Nos vemos.

Y se marchó en su coche.

5.

Cuando Sunny llegó a la consulta del médico, se sentó en la sala de espera, de espaldas a la ventana y de cara a la puerta. Tuvo que sentarse porque le venía otra contracción. La recepcionista no la reconoció. Igual se pensó que era un hombre. Sunny estiró una mano hacia la mesita redonda. La mano quería agarrar la lámpara y estamparla contra el suelo. Aquel lugar parecía una tienda de muebles, con todo perfecto, demasiado perfecto. Tapetes, estatuillas de bronce; todo dispuesto en plena armonía. Con otra alfombra distinta, habría dado el pego como sala de estar en el barrio de Sunny. Era una clínica camuflada bajo la forma de sala de estar. El interiorista había intentado pensar como una mujer embarazada.

—Hola, ¿se encuentra bien?

—No —dijo Sunny.

El médico conocía su caso, pero la recepcionista no. Así que era una persona más que se sorprendía al ver a Sunny calva aquel día. Lo de su calvicie se estaba propagando como una onda. Daba mucho para cotillear. Mucho para comentar en la mesa durante la cena. Sunny era como una rasgadura en uno de los cuadros de paisajes que colgaban de la pared, un pequeño núcleo de suspicacia en el centro de una alucinación. Se levantó, agarró su bolso y se dirigió directamente a la consulta del médico sin que la enfermera la detuviera. El hombre alzó la vista de su magnetófono. Tenía unos fastuosos rizos marrón miel por toda la cabeza, lustrosos, que flotaban sobre su cráneo como una nube del color de la arena. Y entonces ella, sin cortarse un pelo, le dijo:

—No puedo tener a este bebé. Tienes que pararlo. No puede suceder.

Era algo que sabía desde que había tenido la primera contracción, sentada en el bordillo al lado de su monovolumen averiado, con el agua fría del charco goteándole por la nuca. No era que ya no quisiese tener un hijo. Era que no podía tener un bebé.

Durante muchos años había vivido muy tranquila con su peluca, como adormecida. Soñando con un marido, un bebé, ventiladores de techo, un armario entero solo para cajas y envoltorios de plástico. Allí, en su sueño, se había dejado llevar a lo largo de parábolas y órbitas en las cuales podía adoptar los comportamientos apropiados de esposa y madre. Pero cuando la peluca se le voló, despertó de su sueño, se salió de su órbita, dispersándose en un montón de vectores diferentes, de ángulos locos. Sabía que había una personita con forma humana en su interior. Y sabía que había un agujero del tamaño de una moneda de veinticinco centavos a través del cual se suponía que esa personita tenía que salir. Eso no era matemáticamente posible. Eso no era saludable. Nadie podía esperar que ella hiciera algo así. Era como si hubiera retrocedido en el tiempo hasta el momento en que aún no había sido madre, en que aún era solo una niña calva y asustada.

—Sunny, ¿por qué no llevas la peluca? —preguntó el médico.

—Se me cayó. En el accidente, se cayó en un charco de agua sucia. Así que la tiré al río Elizabeth de camino aquí.

—¿Y ahora sientes que no puedes tener el bebé?

—Sí. No es natural. No es normal.

—Bien —dijo el médico de los rizos—. Me cuesta creer que lo digas en serio. Solo estás alterada. Necesitamos hacerte un reconocimiento y detener esas contracciones. No te preocupes, estarás bien.

Sunny se sentó en una silla. Su cabeza calva brillaba bajo la luz rosácea de aquella consulta privada, con su mesa de madera auténtica y sus lámparas con pantallas verdes.

—No soy una mujer que pueda dar a luz —dijo—. No estoy preparada para ello. No soy adecuada para ello.

—Ya lo has hecho antes, Sunny, ¿recuerdas?

—Eso fue distinto. Maxon estaba aquí. Y todo funcionaba entonces. Ahora nada funciona. He dedicado mucho tiempo a prepararme pero, verás, hay que rehacerlo todo. Se ha perdido todo ese trabajo. Está borrado. Tengo que empezar de nuevo y trabajar más. Necesito más meses de preparación.

—Un bebé no es como una pizarra, Sunny. No puedes empezar de nuevo.

—Tengo miedo por el bebé —dijo. Y pensó: No estoy preparada. No con este cuerpo. No con esta cabeza. No siendo esta persona. No estoy preparada para ser madre. No se sabe lo que soy en realidad.

En ese momento le vino otra contracción y se aferró a los brazos elegantemente tapizados de la silla de la consulta. Apretó los dientes. El médico se inclinó hacia ella, comprensivo.

—Vamos a hacer una ecografía para comprobar la posición del bebé —dijo—. Y después te tumbaremos un rato y te inyectaremos líquidos. Luego ya veremos.

Sunny se echó a llorar. Arrugó la cara enrojecida. Lo sabía.

Más tarde, estaba tumbada en la camilla de ecografías. No tener pelo hace que una mujer parezca indeterminada respecto al género. Así tumbada en la camilla para que la examinaran, con una bata de hospital de rayas azules y su cabeza calva expuesta al mundo, habría resultado difícil distinguir si era una mujer o un hombre. No ayudaba que fuese alta y tuviera poca cadera. Incluso embarazada, tenía el pecho plano. Podría haber sido una especie de alienígena desgarbado, hinchado por dentro, con un bebe alienígena. Debajo de la bata llevaba unos holgados pantalones de hospital. Cuando entró el médico y le preguntó si estaba lista, pareció estudiarla atentamente con la mirada. La nariz de Sunny estaba bien, su barbilla era delicada; sus ojos, profundos y oscuros; su boca, rosada. No obstante, sin cejas ni pestañas era el rostro de una estatua, un rostro colocado encima de aquel cuerpo de género impreciso

El médico se giró en un taburete redondo junto a la camilla y levantó la bata de Sunny hasta el pecho. Ahí abajo, en su enorme barriga blanca, todavía había un orificio, una pequeña hendidura por donde había estado unida a su madre en el útero. ¿Qué sucede con el tubo que entra por el ombligo, una vez que se corta el cordón umbilical? Sunny sabía que el suyo estaba todavía ahí. Estaría ahí para siempre, conduciendo a ninguna parte. Durante el embarazo, el orificio se le había salido hacia fuera. Le había pasado con Bubber y le volvía a pasar ahora. La realidad que había comprendido, estando embarazada de Bubber, era que al fondo de aquel horrible y vergonzoso orificio por el que había estado unida su madre, atada a ella, había un topo diminuto. Un pequeño topo oscuro en el fondo de su ombligo que se convirtió en realidad cuando el embarazo le sacó el ombligo hacia fuera y ella lo vio por primera vez. Aquello era algo del embarazo que la ciencia no podía explicar. Cómo la parábola perfecta de su vientre embarazado podía verse aumentada por ese bulto extra, y cómo ese bulto podía a su vez tener su propio bulto. Le dijo a Maxon que si se iba directa contra una pared, aquel topo se llevaría el primer impacto. Y Maxon dijo: «Cariño, ¿por qué vas a caminar hasta chocar contra una pared, si lo único que vas a conseguir es cuestionar la integridad de tu parábola?», a lo que ella replicó: «De acuerdo, una línea tangente, entonces. Una línea tangente».

El médico encendió el ecógrafo, lo acercó a su costado y extendió un lubricante transparente sobre su piel. Posó la sonda blanca sobre el gel frío y se volvió para ver la imagen granulada en un pequeño monitor.

—Sí —dijo—. Sí.

Movía la sonda adelante y atrás, adelante y atrás, girándola aquí y allá. Tumbada de espaldas, Sunny se sentía mejor. No había contracciones. Las formas granuladas en el monitor cambiaban y fluían sucesivamente con cierta gracia. Solo un ojo entrenado podía identificar los órganos que aparecían. Para Sunny, podían ser montañas lunares. Tripas de pescado. Oscuros bosques. Si Maxon estuviera a su lado, ¿le asiría la mano? Si Les Weathers estuviera a su lado, ¿sería de verdad el Les Weathers de las noticias del Canal 10?

—¿No quieres ver a tu bebé? —dijo el médico.

—Bueno. ¿Está bien?

—Mira.

Si Maxon estuviera en aquel momento mirando un monitor allá arriba en el espacio, en la cabina de la astronave que lo llevaba a la luna, entonces igual vería lo que ella estaba viendo. Podría enfocar la vista con determinación en las interferencias de la pantalla, y vería los rasgos del bebé asomando para saludarlo entre las borrosas imágenes. «¡Hola!», diría Maxon, esbozando una amplia sonrisa repleta de dientes. Igual se ponía a gritar. O alzaba un puño triunfal en el aire, como quien marca un gol, algo desligado del trabajo. Pero no llamaría a sus colegas astronautas para enseñárselo, mostrando orgulloso la pantalla. No. Él no se abriría ante sus compañeros para enseñarles lo que había depositado en el seno de su mujer, lo que crecía ahí gracias a él. No, no, él permanecería sentado en silencio, con los hombros arqueados, las gafas torcidas, y lo estudiaría todo él solo. No llamaría a nadie. Tomaría medidas, se fijaría en los cambios en el diámetro del cráneo desde la última lectura. Adelantaría un dedo para tocar el corazón latente. Lo taparía y destaparía con el dedo. Una y otra vez.

Finalmente, Sunny se volvió y observó la pantalla. Su propio interior le resultaba ajeno, como hecho de plástico, fabricado en alguna otra parte, implantado por extraños; distante.

—Ahí —dijo el médico, señalando un remolino de luz—. Eso es el bebé, y esto es su corazón. Está latiendo, ¿sabes?

Lo que supuestamente era el corazón del bebé se volvía negro y blanco rítmicamente.

—Tú bebé todavía tiene un montón de líquido amniótico en el que moverse —añadió el médico—. Pero viene de nalgas. Tendríamos que ver la cabeza aquí abajo, junto al canal del parto, pero está aquí arriba, encima del todo.

—¿Entonces? —preguntó Sunny.

—Hay que detener el parto. —El médico hizo una pausa—. Cuando hicimos la anterior ecografía, no quisiste saber el sexo del bebé. ¿Quieres saberlo ahora?

—Sí.

—Es una niña.

Una niña. Se quedó paralizada. Sus venas estaban frías de amor y temor.

Las semanas previas al lanzamiento del cohete, Maxon y Sunny recibieron solicitudes de entrevistas para los medios de comunicacións. Poblar la luna con robots y luego con humanos: una historia muy rentable para los medios. No había otra esposa en la NASA tan perfectamente presentable. No había otra pareja en la NASA con tanta gracia y tan buen porte. Cuando Maxon y Sunny aparecían juntos en fotos, había cierta sensualidad en ambos que provocaba que la gente se preguntase qué les intrigaba de toda esa historia. ¿Era realmente el hecho de que una nave espacial fuera a llevar robots para vivir en la luna? ¿O era simplemente esa mujer bella y elegante y su alto y atractivo marido astronauta?

Patrocinado por el departamento de relaciones públicas de la NASA, Maxon fue a Nueva York a pasar dieciocho horas como invitado en programas de entrevistas. Bromeó y sonrió, charló sobre trivialidades, y malinterpretó cómicamente indirectas sexuales. Al principio, Sunny se negó a hacer ninguna aparición. Se excusaba: «Estoy embarazada. No puedo volar». Cuando el programa *Today* le propuso enviar un equipo a su casa, también lo rechazó. No quería trastocar la vida de su hijo más de lo que ya lo haría su padre al irse al espacio. Eso fue lo que alegó, y sus interlocutores se mostraron comprensivos.

Al final, aceptó que la entrevistaran para el informativo local de Norfolk. Tampoco quería dar la impresión de que huía de los medios. Se presentaría como una abnegada esposa. Así es como se referirían a ella. Relumbrante y sacrificada. Se puso su peluca más atractiva, de esas que solo puedes conseguir tras una cita de doscientos dólares con un peluquero, hechas de auténtico cabello humano. Se vistió de rojo coral, pues había oído decir que resulta cálido con las luces del estudio. Se puso sus perlas.

La cadena tenía su sede en un edificio de ladrillo de la calle Granby, normal y corriente a excepción del cartel del canal de noticias en su tejado. El estudio era una gran sala austera, pintada de tonos oscuros, con techos altos de los que colgaban focos. Trenzas de cableado unían cámaras y plató, y se extendían por el suelo como ríos negros atravesando una sala oscura. Sunny se abrió paso entre ellos hasta el plató, con Maxon a un lado.

—¿Qué vas a ponerte, Maxon? —le había preguntado ella aquella mañana.

—Mi traje espacial. Es lo que siempre me pongo cuando hago de astronauta.

—Ni siquiera tienes tu traje espacial aquí —dijo Sunny, demasiado ocupada con sus cejas como para captar la broma.

—Bueno, me pondré un mono rojo y un sombrero de paja.

—Ah, ¿sí?

—Y cantaré el himno nacional.

—Maxon, no quiero hacer esto.

—¿Por qué? Lo harás genial. Mira lo bien que estás. Nada te pone nerviosa. Eres una máquina.

—Maxon, ¿por qué se te ocurre decir algo así?

—Algo como qué.

Sunny se despegó una ceja y volvió a colocársela, un poquito más arriba.

—Me da miedo hacerlo, temo echarme a llorar, o vomitar o qué sé yo.

—¿Por qué?

—Te vas al espacio. Estoy preocupada. Las mujeres se preocupan cuando sus maridos se van de viaje de negocios a Kansas City.

—Bueno, Kansas City es un sitio peligroso. Allí la gravedad es nueve décimas menos que en Virginia.

—Eso ni siquiera es cierto.

—Apuesto a que consigo que el presentador se lo crea.

—Anda ya.

—Aún así, apuesto a que puedo.

Finalmente, Maxon eligió ponerse un polo de la NASA y unos pantalones Dockers azul marino. Mientras se dirigían al plató, Sunny evaluó su aspecto y lo encontró aceptable.

—Estás guapo —le dijo a su marido—. No te pongas a hablar del robot que sabe bailar el tango o quedaremos mal.

—Tú quedarás bien —dijo Maxon—. El robot que sabe bailar el tango era mi único recurso.

Les Weathers subió de un brinco al plató, recién peinado y maquillado. Todavía llevaba el protector de papel encajado en el cuello para evitar que su impoluta camisa blanca se pringara con maquillaje.

—¡Hola, chicos! ¿Cómo estáis? —dijo. Puso su ancha sonrisa y estrechó la mano a Maxon primero y a Sunny después.

Su mano era cálida, fuerte, generosa. Sunny sabía que a Maxon no le gustaban los apretones de manos. Se quedó mirando cómo el puño pálido y anguloso de Maxon estrechaba la zarpa bronceada por el sol de Les. Maxon no estaba moreno por debajo de la línea que sus guantes de bicicleta le marcaban en la muñeca. Este es el hombre con el que me casé, pensó. Tiene los puños como garras de halcón. Y este es el hombre con el que no me casé. Tiene la piel del color de un león bañado por el sol. Se preguntó si a Les también le pondrían maquillaje en las manos.

—Bien —dijo Maxon—. Estamos bien.

—Muchas gracias por aceptar esta entrevista —le dijo Les. Y luego, se dirigió con complicidad a Sunny—: ¡Arriba el canal WNFO! ¿Verdad? ¡Menuda primicia!

—Menuda primicia —repitió Maxon—. ¡Arriba el canal WNFO!

—Les, eres muy amable por ayudarnos a compartir el lanzamiento del cohete de Maxon con el mundo. Lo aprecio de veras —dijo Sunny con una sonrisa radiante.

Ocupó una silla entre los dos hombres, cruzando los tobillos para que sus sandalias con suela de corcho estuvieran correctamente dispuestas. Iban a grabar la entrevista y la emitirían en las noticias de la noche, a la hora de mayor audiencia. De este modo, la venderían a todas las cadenas asociadas del país. Igual hasta acababan echándola en el programa *Today*.

—Depende de cómo vaya la misión —dijo el productor.

—Vaya, ¿y eso qué significa? —preguntó Sunny.

¿Estaba Les Weathers a punto de hacerse aún más famoso a costa de la misión espacial de Maxon? Una gran historia, una deslumbrante dentadura enseñada en el momento adecuado, y el hombre del hermoso pelo rubio podría estar apuntando hacia el éxito. Pero solo si sucedía algo terrible, o al menos inesperado. El destino de un presentador depende de una tragedia o una revolución. Sunny miró a Maxon y de nuevo a Les Weathers, y sintió un cosquilleo de nervios en el pecho.

—¿Te encuentras bien? —preguntó Les.

—Oh, es el embarazo. Estoy perfectamente. Gracias.

El productor les explicó adónde tenían que mirar —a Les Weathers o el uno al otro— y adónde no tenían que mirar —las cámaras—, y cómo tenían que sonreír y mostrarse animados.

—Comportaos como si estuvieseis charlando con un amigo en una fiesta —dijo—. Aquí estamos todos felices. ¡Nos vamos a la luna!

Antes ya habían fingido que Les Weathers era su amigo. Eso no sería difícil.

La entrevista comenzó. ¿Qué supone esto para Estados Unidos? ¿Qué supone esto para el mundo? Maxon ceñía sus respuestas al guión que había estado practicando. Se presentaba casi como un humanista, argumentando que en el espacio exterior estaba el destino de nuestra raza. Describió un futuro brillante, ocultando su verdadero yo a las cámaras. No parecía el tipo huesudo y seco que estaba a punto de salir de la tierra por primera vez. Se mostraba optimista, casi alentador. No dijo: «He reunido una panda de robots y me voy a conquistar la luna». No dijo: «Así es como evolucionamos. Así es como se transforma nuestra cultura».

En su lugar, afirmó con seriedad: «Es un gran paso para la humanidad». Y añadió, con un toque de humor: «Por fin la humanidad va a amueblar la casita de su jardín». Y en tono poético: «Máquinas en el desierto gris del horizonte del tiempo».

Sunny sonreía y asentía con la cabeza, juntando ligeramente las rodillas, su jersey color coral envolvía los costados de su vientre prominente. Una gota de sudor empezó a deslizarse por debajo de la peluca. Los focos daban mucho calor.

—¿Y qué siente usted ante todo esto? —le preguntó el presentador afablemente.

—Les —respondió ella—, me casé con un hombre enamorado de los robots. ¿Podría sorprenderme que ahora se vaya con un harén de robots a poblar el cielo?

Y todos rieron. Si Sunny se hubiera casado con un presentador de noticias que tuviera un brazo musculado bajo una camisa bien planchada, le habría sorprendido que se fuese con un harén de robots a poblar el cielo. Habría esperado viajes a Noruega, tener una verdadera casita del jardín, como esas que se ven al lado de los garajes, no en un cuerpo astral.

—Hablemos de usted, Sunny Mann. Este lanzamiento llega en un momento importante para su familia. —El presentador hizo un gesto encantador hacia su barriga de embarazada y sonrió.

—Bueno, el lanzamiento de Maxon estaba previsto mucho antes que el mío —dijo ella con voz melosa—. Y la luna no espera a nadie.

—Pero ¿no le preocupa dejar a su esposa en un momento así? —continuó el presentador.

Sunny estiró el brazo y asió la mano de su marido. Estaba fría y seca. Tenía unas manos duras, de dedos largos y fuertes.

—Les —dijo Maxon—, mi misión depende de la órbita lunar, que influye en todo lo relativo al lanzamiento. —Eso eran tonterías, y Sunny lo sabía. Sintió que el corazón se le aceleraba—. La más mínima variación en las fechas podría causar un diferencial en la fuerza gravitacional que descolocaría significativamente la telemetría. Supongo que sabrás que existen variaciones en la gravedad de la tierra. Por ejemplo, Kansas tiene una gravedad de nueve décimas menos que Virginia. En algunas partes de Virginia es incluso menor.

—Vaya —dijo Les Weathers—. La verdad es que no lo sabía.

Maxon puso una expresión facial de «estoy compartiendo un secreto contigo». Luego guiñó el ojo directamente a la cámara, donde se suponía que no debía mirar.

—No me preocupa el parto —terció Sunny—. Tampoco lo de Maxon. Él llevará sus robots a la luna, y cuando vuelva habrá un nuevo bebé aquí para recibirlo.

—¿Saben ya si será niña o niño?

Sunny sonrió ligeramente.

—Les, hemos estado muy ocupados preparando el viaje de Maxon, ni siquiera he tenido tiempo de saber si el bebé será humano.

6.

«Hay tres cosas que los robots no pueden hacer», escribió Maxon. Y, más abajo en la misma página, trazó tres puntos. Junto al primero escribió: «Mostrar preferencia por algo sin motivo (AMAR)», en el segundo: «Dudar de decisiones racionales (ARREPENTIRSE)», y en el tercero: «Confiar en datos de una fuente previamente no fiable (PERDONAR)».

Amar, arrepentirse, perdonar. Subrayó cada palabra con tres líneas y se golpeó con el bolígrafo sobre cada ceja tres veces. No se había dado cuenta de que estaba con la boca abierta. No llegaba a los treinta, el astronauta más joven de la NASA con mucha diferencia.

Yo hago lo que los robots no pueden hacer, pensó. Pero ¿por qué lo hago?

La astronave viajaba rumbo a la luna. Maxon escribía con su bolígrafo de astronauta. En su cuaderno había cientos de listas, miles de viñetas, kilómetros de subrayado. Era una forma de pensar. Estaba de pie en su cabina dormitorio, en vertical y amarrado a su litera. Los otros cuatro astronautas se encontraban en el módulo de mando, cumpliendo con los protocolos. A ninguno le gustaba quedarse en las cabinas dormitorio, solo a Maxon. Le producía cierto placer. No era hora de apagar las luces, pero la nave rumbo a la luna se acercaba al final de su primer día en el espacio.

Ahora, la lista de Maxon de cosas que un robot no puede hacer era corta, tras haber recortado una mucho más larga que incluía huesos duros de roer como «manifestar preferencia significativa pero irracional por un color» y «entristecerse por la muerte de un compañero». Maxon conseguía que sus robots trabajaran mejor y duraran más al hacerlos lo más parecido

55

posible a los humanos. Los humanos son, al fin y al cabo, el resultado de una larguísima evolución. Lógica y biológicamente, nada funciona mejor que un humano. La premisa de Maxon era que toda aparente imperfección, toda excentricidad, tiene que ser por fuerza la expresión de alguna función necesaria. La rapidez con la que él pestañeaba. Los bostezos gatunos de Sunny. Incluso la sensación de congelarse hasta la muerte. Todo importa y hace que el cuerpo funcione, tanto en singularidad como en connivencia con otros cuerpos, todos trabajando juntos.

¿Por qué un hombre que aplaude en un teatro necesita que la mujer situada a su lado también aplauda? ¿Por qué una mujer que se levanta de su asiento en un partido de béisbol espera que el hombre situado a su izquierda también se ponga de pie? ¿Por qué todos hacen cosas a la vez, todas las personas en todos los asientos, levantándose, aplaudiendo, animando? Maxon no tenía ni idea. Pero sabía que no importaba el porqué. Lo hacían, y tenía que haber alguna razón. No aplaudir en un teatro podría provocar miradas recelosas, ceños fruncidos, codazos. Así que Maxon escribió:

ORIENTACIÓN (GRUPO)
EN LA MATRIZ A

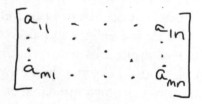

$$
\begin{bmatrix}
a_{11} & \cdots & \cdots & a_{1n} \\
\vdots & & & \vdots \\
a_{m1} & \cdots & \cdots & a_{mn}
\end{bmatrix}
$$

SI UN GRUPO (GENTE) ESTÁ ORIENTADO EN UNA MATRIZ nxm, EL COMPORTAMIENTO DE CUALQUIER MIEMBRO a_{mn} DEBERÍA SER IDÉNTICO A TODOS LOS DEMÁS MIEMBROS EN LA MATRIZ A_{nm}. SI a_1 APLAUDE, a_{12} - a_{mn} DEBERÍAN APLAUDIR

Y que cualquiera en un teatro se atreva a contradecirlo.

—¿Qué haces, genio? —preguntó Fred Phillips, asomando la

cabeza en la cabina dormitorio de Maxon, sujetándose a ambos lados de las puertas mientras su cuerpo flotaba.

—Estoy trabajando, Philips.

—No estás trabajando. Estás soñando. —Philips sonrió, echando un vistazo al papel de su compañero—. Soñando con hacer el amor apasionadamente a tus robots. Pero no puedes conseguir que ellos te devuelvan tanto amor.

—Para empezar —dijo Maxon—, he visto tu examen médico. Tu coeficiente de inteligencia entra dentro de la clasificación de genio. Así que ese apodo que me has puesto, genio, no es muy inteligente. En segundo lugar, no sueño con un robot que pueda amar. Cualquiera podría programar a un robot para eso. Lo único que haría falta es establecerle una preferencia ilógica. Hacer que un robot te ame por encima de cualquier otra persona sería como hacer que amase el color naranja por encima de cualquier otro color. Podría haberlo hecho hace años. Pero es un comportamiento sin sentido. Y no lo haré.

¿En qué se diferenciaba amar a Sunny de amar el naranja? Philips no lo entendería.

—Como digas, genio —repuso Philips—. Houston quiere que hagamos una simulación del proceso de acoplamiento. ¿Quieres verlo? ¿O estás demasiado ocupado? Sabemos que no tienes nada que hacer hasta que te soltemos con tus novias en órbita.

Philips se soltó de la puerta, movió un pie para apoyarlo en un pasamanos y se impulsó por el conducto de vuelta hacia el módulo de mando. Las cabinas dormitorio estaban dispuestas alrededor del cohete, con un cilindro vacío en el centro por donde podían entrar y salir, uno por vez. Maxon no tenía claustrofobia. Estaba preparado para los viajes espaciales y llevaba su traje espacial de astronauta.

—¡Los robots no pueden llorar, genio! —añadió Philips mientras se alejaba—. Las Leyes de la Robótica de Ito son claras: los robots no pueden llorar, los robots no pueden reír, los robots no pueden soñar.

Maxon suspiró. Sabía que no debía picar. Pero ya se estaba soltando los amarres. El anzuelo se había enganchado en su cerebro. Maxon había creado robots que hacían esas tres cosas. James Ito era un teórico de medio pelo, un listillo de la IA que trabajaba para una marca de coches. Su libro era una farsa. Cultura pop, no ciencia. Cuando a Maxon le presentaron a Ito, no le gustó su cara. Un humanista. La clase de gente que te pinta un futuro brillante vaticinando que la transformación que ofrecían los robots era en realidad una vuelta a un mundo ya pasado. Una esposa robot sería una esposa prefeminista. Un robot trabajador sería un trabajador presocialismo. Aquel tipo no tenía ni idea de lo que en realidad se avecinaba. Un mundo diferente, ni mejor ni peor, pero repleto de cambios.

Los robots podían amar, llorar, soñar y todo lo demás. Por ejemplo, el robot *Hera*. Seis iteraciones de este modelo lo esperaban en órbita alrededor de la luna, en el módulo de carga del cohete que se había lanzado la semana anterior, con el que pronto procederían a acoplarse. *Hera* se reía de las yuxtaposiciones absurdas, como un hombre gordo en un abrigo pequeño, o una carretilla llena de nata montada. Su risa no era un sonido enviado al oído humano a través de un altavoz, destinado a obtener el reconocimiento y la aprobación de los humanos. Su risa era una reacción interna y sistémica, un apretón de las juntas, una sacudida de componentes, una pérdida temporal de función. Y se podía compartir con otros modelos de *Hera,* se podía extender como un contagio en un grupo de *Hera.*

—Incorrecto —dijo Maxon, siguiéndolo—. *Hera* se ríe. Eso es lo que hace que sea tan fiable.

—No me lo creo —replicó Philips—. No tiene sentido. Un robot que se ríe, ¡anda ya!

Cuando se amarró a su asiento, Phillips dijo:

—Adelante, Houston. La nave *Eneida* lista para llevar a cabo el simulacro. Toda la tripulación presente.

Maxon ya conocía el lenguaje de los negativistas. Tenían miedo. A veces, sus rostros lo manifestaban, del mismo modo que manifestaban la confusión frunciendo las cejas y levantando el mentón. Cuando se programó por primera vez el *software* de *Hera* hubo gente que afirmó que aquello era algo abominable. Otros decían que era un truco. Estaban interesados en las fuerzas de resistencia a la tensión y la tracción, en el tamaño de los robots y en sus componentes. Un artículo de la *Revista Internacional de Investigación Robótica* calificaba desdeñosamente a Maxon como «el psicoanalista de los robots». No había leído el artículo, ya por el título había sabido que no le iba a gustar. Para Maxon, la cuestión no era discutir sobre el bien y el mal, ni siquiera sobre los porqués; para él, la cuestión se reducía a qué viene después. Y luego, en último término, aquello ni siquiera era una cuestión, sino simplemente una historia de la humanidad, con todos sus modos de vida.

Luego estaba el modelo *Juno,* que experimentaba espasmos en sus engranajes y contracciones en su hidráulica cuando lo dejaban solo, lejos de otros modelos *Juno,* durante cierto tiempo. El llanto de *Juno* era muy parecido a la risa de *Hera,* salvo en que no tenía una propagación viral. Sus sensores visuales se dañaban y había que limpiarlos, tarea que hacía el propio robot u otro *Juno* que decidiera intervenir a partir de sus propios razonamientos «si/entonces». Un artículo de la revista *Wired* titulado «El robot triste» describía a un *Juno* que conocía a otro *Juno,* y cómo se sacudían cuando los separaban. Esto fue antes de que se instalara el programa del *Juno* en una carcaza de aspecto demasiado rectangular. Las revistas solo se interesaban por las funciones humanoides de los robots humanoides. Si lograbas que tuvieran aspecto de excavadoras, te ganabas los aplausos.

A Maxon no le importaba demasiado la forma externa que adoptaban los robots. Tampoco cuestiones sobre cómo añadirles un microscopio, cómo hacerlos más grandes o más pequeños, cómo trabajar en el torrente sanguíneo humano, o simplificar la movilidad bípeda. Disponía de numerosos ayudantes de investigación que se encargaban de esos detalles técnicos. Su labor era programar, pensar, programar más y completar listas. Se movía por sus laboratorios allá en Langley como un espectro, con el pelo sucio cayendo alrededor de sus pómulos afilados, las manos colgando al final de sus largos brazos, la espalda inclinada. Se pasaba horas pedaleando en su bicicleta, elaborando secuencias de comandos sobre el pavimento, como si cada metro cuadrado fuera una extensión de pizarra que se borraba al instante nada más pasarlo.

—Houston, estamos listos para este procedimiento —dijo George Gompers, jefe de la misión—. Esperando.

Sus pantallas parpadearon y, en lugar de una vista del espacio, todos vieron una proyección holográfica en la que la luna aparecía grande y se veía el módulo de carga, que contenía todos los robots que iban a bajar a la superficie lunar. Su trabajo, en órbita, consistía en acoplarse con este compartimento, extraer los tres contenedores y luego transformar el módulo de mando en módulo de alunizaje. Mientras el piloto, el ingeniero y el comandante repetían órdenes, encendían pequeños propulsores, reposicionaban y alineaban la nave para el acoplamiento simulado, Maxon miraba su módulo de carga lleno de robots.

Se preguntaba qué estarían haciendo allí dentro, con qué estarían soñando.

Todos los robots de Maxon, al igual que el propio Maxon, podían soñar. Una cadena de caracteres generada de manera aleatoria estimulaba gradualmente los procesadores durante sus modos de apagado preceptivo, comprobando las reacciones quimiobiónicas mientras las vías electrónicas oficiales estaban apagadas. Ni siquiera había resultado difícil cargarse este viejo axioma. Se había roto en pedazos como una cazuela de barro. Los robots recordaban los acontecimientos de sus vidas, los datos que habían registrado. En sueños, transponían números, yuxtaponían conjuntos que nunca fueron pensados para ser interpretados juntos, y cuando «despertaban» con frecuencia tenían nuevas «ideas» en forma de patrones y conexiones leídas en el caos de su sueño.

Cuanto más se parecieran a un humano, mejor, sin importar que el robot fuera tan pequeño como un fragmento de nanotecnología ideado para limpiar las válvulas del corazón o tan grande como una grúa portuaria inteligente. Los humanos funcionan. Son un éxito evolutivo. Cuanto más evolucionan, más éxito tienen. Maxon tenía pensado que al llegar este momento, justo cuando se encontraba a punto de pisar la luna, su lista de cosas que no pueden hacer los robots tuviese todos los puntos tachados. Estimaba que la expresión «típicamente humano» estaría ya en desuso a esas alturas. Indiferente a todas las críticas, había construido incansablemente robots soñadores, sin rostro, que se reían, acercándose inexorablemente a la humanidad.

La IA era asombrosa. La gente tenía que reconocerlo. Los robots de Maxon hacían lo que otros robots no podían hacer, pensaban lo que otros robots no podían pensar. Por ese motivo tenía tantas patentes a su nombre, así como una cuenta bancaria muy abultada para ser tan joven. Pero, lo más importante, el motivo por el que trabajaba para la NASA y se encontraba rumbo a la luna, era que sus robots podían crear otros robots. No solo construirlos, sino también concebirlos.

Para crear una colonia lunar hacía falta un montón de robots. Robots para construir la estación, robots para dirigirla, robots a los que no dañara la atmósfera ni las temperaturas lunares, robots que se ocupasen de los visitantes humanos. La colonia lunar pertenecería a los robots en los años venideros; esto lo tenían asumido. Los humanos serían sus invitados. El problema era que nadie podía llevar a la luna un robot lo bastante grande como para construir una colonia. No había suficiente espacio en un cohete para excavadoras, grúas, prensas estampadoras...

Así que la solución era enviar un robot que pudiera construir otro robot lo bastante grande. *Juno* y *Hera* eran los robots madres: madres de acero, desgarbadas, rechinantes y rotatorias, construidas para extraer los materiales y fabricar los auténticos robots, aquellos constructores que recrearían la tierra en la luna. Solo un robot que ríe, llora y sueña puede ser una madre. Para algunos científicos, esta idea es algo espantoso, una perversión... Y por eso mismo fracasan en sus proyectos. Todo ese asunto del ámbito exclusivo del ser humano. Como si todos no fuéramos más que electricidad, al fin y al cabo. Maxon no recordaba que algo hecho por un robot le hubiera parecido espantoso.

Observó la maniobra de acoplamiento, el holograma del módulo de carga acercándose, el ingeniero y el piloto discutiendo sobre ángulos y coeficientes. Agarró su bolígrafo y anotó en su cuaderno: «Eres un hombre débil y enfermo, y tu fragilidad en la oscuridad del espacio es una vil vergüenza para tu especie». Recuérdalo, se dijo. Pero ¿lo creía de verdad? Intentó estirar sus largas piernas por el estrecho tubo que llevaba de las cabinas dormitorio al puente de mando, pero sus rodillas rozaron la pared. No podía alcanzar la simetría, su hombro anguloso sobresalía y se clavó en el respaldo del asiento de Phillips. Dentro de su mono de vuelo blanco, sus huesos eran una jaula para su corazón vivo y latente.

Miró a los hombres y observó cómo hablaban entre ellos, cómo Gompers prefería a Tom Conrad, el piloto, antes que a Philips, el ingeniero. Vio cómo decoraban sus zonas personales con fotografías, cómo escuchaban grabaciones de sus esposas en sus ordenadores portátiles, cómo rezaban.

Eres un hombre igual que ellos, pensó. Amas, te arrepientes, perdonas. Tu visión se nubla. Incluso a veces te olvidas de cosas. Amar, arrepentirse, perdonar. Eran tres manchas sangrientas y turbias sobre el mantel blanco como la nieve de su investigación. Tres puntos que quedaban por tratar: amor, arrepentimiento, perdón.

—Genio, todos adoramos tus robots. ¿Cuándo vas a hacernos un robot que corresponda nuestro amor? Ya me entiendes —le había dicho una vez Philips, burlándose durante el entrenamiento, mientras esperaban sentados a que la cápsula empezara a girar de nuevo para comprobar sus reacciones a las fuerzas G. En una sala redonda, la cápsula se encontraba en uno de los dos extremos de un brazo sobre un eje central. Como una ruleta gigante del juego del Twister.

—No es imposible, Philips —había respondido Maxon—. El mundo no es más que electricidad y magnetismo.

—De acuerdo. Entonces, ¿por qué no?

—No lo entiendes. Todo es electricidad. Así que la verdadera pregunta es: ¿por qué?

—No te sigo, genio —dijo Philips—. Haces que suene fácil y luego actúas como si fuese difícil.

La máquina comenzó a girar, al principio despacio.

—¡Ya basta, teniente! ¡A callar, doctor Mann! —dijo Gompers, siempre presto a recordarle que no poseía un título militar. Pero Maxon ya estaba hablando:

—Escucha. Todo es electricidad, desde las sinapsis más pequeñas y profundas en el cerebro humano a las interacciones de las galaxias con el universo. Si puedes dar forma a la fuerza de la electricidad, puedes duplicar cualquier otro impulso. Un robot puede bostezar, desear, tener orgasmos. Puede hacer exactamente lo que hace un humano, exactamente del mismo modo. ¿De verdad quieres un robot que te ame? ¿Quieres que folle contigo igual que una mujer? Deja que te cuente algo: no hay ninguna diferencia entre el carbón y el acero, entre el agua y el limo. Con un número de postulados condicionales cercano al infinito, se puede recrear cualquier elección, por muy aleatoria que sea. La única dificultad para crear un tipo de IA más sofisticado fue adquirir el espacio necesario para albergar tal infinidad de posibilidades. No hay ninguna diferencia entre un cerebro humano y uno de robot. Ni una.

Para entonces la máquina giraba a tal velocidad que sus mejillas batían. Los demás hombres en la cápsula estaban en silencio, concentrados. Tenían los ojos muy abiertos. Sus rostros parecían esqueléticos, con la piel tirante.

—¡¿Lo pillas?! —aulló Maxon.

E incluso bajo la presión de toda aquella gravedad simulada, Fred Phillips pudo entornar los ojos.

Cuando la máquina se detuvo, Philips dijo:

—Mann, tío, no sabes cuánto lo siento por tu mujer.

—¿Qué es lo que sientes por mi mujer?

¿Por qué no amaban los robots? ¿Por qué no sentirse bien consigo mismos? ¿Por qué no preferir una entidad, un epicentro eléctrico, por encima de los demás, sin más motivo que porque sienta bien hacerlo? Maxon sabía por qué: no podían amar porque él no les había hecho amar. Y no lo había hecho porque no comprendía por qué deberían hacerlo. No comprendía por qué él tenía que amar, por qué la gente tenía que amar. No era lógico. No era racional, porque no era beneficioso. Esa era la realidad del asunto. Maxon prefirió que no lo hicieran, porque el amor desafiaba su premisa fundamental: si los humanos lo hacen, debe de ser correcto.

Manifestar preferencia solo por un buen motivo, aceptar una elección tomada haciendo el mejor uso de la información disponible, sospechar que una fuente te proporciona datos incorrectos cuando ya has recibido de ella datos erróneos en el pasado; estas respuestas eran beneficiosas para el robot y para el humano. Amar sin ningún motivo, lamentarse de una decisión tomada racionalmente, perdonar, mostrar clemencia, confiar en una falacia potencialmente dañina... Si los humanos lo hacen, ¿por qué lo hacen?

Maxon comprendía el valor del amor de una madre por su hijo. Eso era útil. Comprendía el valor del amor de un soldado por su compañero de armas. Eso era útil. Pero la estructura de la familia era tan intrínseca a los fundamentos de la civilización, y la solidez de la familia era tan importante para la supervivencia de la civilización, que elegir a un compañero basándose en un capricho ridículo parecía una locura, algo destructivo. ¿Cómo podía ser así? Sin embargo él, Maxon Mann, psicoanalista de robots, maestro de los droides, tras decidir que todo amor romántico está reñido con la supervivencia de la especie, también había sucumbido al amor. Se había enamorado profunda, desesperada e inexorablemente de Sunny, y había sucedido casi antes de que se estrenara en la vida. Hacía más de siete mil rotaciones de la tierra. Con toda certeza, antes de que comprendiera las ramificaciones de su comportamiento electrobiológico.

Aquella noche, su segunda noche en el espacio, la sensación de respirar lo agobiaba, las cabinas eran tan estrechas que al aspirar hondo su pecho huesudo casi rozaba la balda que sostenía su ordenador portátil, su diario de la misión, pegado con velcro. Dejó que su cabeza se frotara contra la pared, sus rizos le acariciaban la nuca. Se tapó los ojos con una mano, mientras con la otra aún sostenía el bolígrafo, posado sobre aquellas tres palabras: amor, arrepentimiento, perdón. Cuando por fin se durmió, arrullado por un cálculo cíclico desarrollado tras sus párpados cerrados, el bolígrafo garabateó sobre el papel un último subrayado subconsciente. Primero estaba Asimov y sus leyes ficticias de la robótica, redactadas todas ellas para proteger a la humanidad de la IA que habían creado. Luego las leyes de Ito, explicando el fracaso de los programadores que osaban intentar recrear una mente humana. Ahora las leyes de Maxon, porque era el único que quedaba con capacidad suficiente para saber cuándo dejar de pulsar los botones que él mismo había programado. Las Tres Leyes de la Robótica de Maxon Mann: Un robot no puede amar. Un robot no puede arrepentirse. Un robot no puede perdonar.

7.
*

Las contracciones pararon. Le inyectaron fluidos. Se marchó a casa. Llegó la noche y todo el mundo se fue a dormir. Llegó la mañana y la niñera llevó a Bubber al colegio. El pequeño salió por la puerta mirando al frente, con el casco puesto, un bocadillo y pantalones de recambio en una mochila con forma de caballito a la que llamaba *Palabra*. Se suponía que Sunny tenía que pasar el mayor tiempo posible tumbada, así que eso hizo. Permaneció acostada en su dormitorio de color calabaza. Descansó la cabeza calva sobre la funda de edredón de seda bordada, perfectamente conjuntada en color y época histórica con el extraño reposapiés que había encontrado en una subasta por mudanza, que a su vez encajaba a la perfección con el sillón Morris de la esquina, junto a la lámpara con pantalla de color calabaza. La temática de la decoración de su dormitorio fluía a través del espacio como una suave elipse de puntos perfectamente orientados. Ni una barra de cortina, ni una horma, ni un despertador, se salían del gráfico. En el televisor, el canal de la NASA retransmitía sin sonido. Pero Maxon no aparecía en pantalla.

Se quedó dormida y soñó con una matriz de todos los posibles bebés que podría estar albergando en su interior en aquel momento. Los bebés en potencia se distribuían sobre un cubo tridimensional. En el punto 000 había un bebé humano varón normal, exactamente igual que Maxon. Alto, con ojos de poseso, extremidades largas y tez pálida. A partir de ahí, los cambios en los bebés se extendían a lo largo de una cuadrícula tridimensional por todo el cubo. En la intersección de cada línea había otro bebé esmirriado, agazapado y encogido, desnudo y arrugado. Color de ojos, color de pelo, manos de pianista, piernas huesudas, cuello corto. A lo largo de este eje, más y más pecas. A lo largo de aquel eje, más y más pelo. Por supuesto, no podía haber un incremento gradual en género. De modo que, totalmente solo, el bebé en el punto opuesto del cubo, con sus grandes ojos de alienígena y su cabeza calva de alienígena, sus dedos rechonchos y piernas cortas, era la única niña. Rotaba como los demás bebés, pero en la dirección contraria. Ya era diferente.

La despertó el teléfono. Era el director del colegio.

—Señora Mann —dijo—, me gustaría que tuviera un momento para nosotros cuando venga a recoger a Bubber. Le he concertado una cita con nuestra psicóloga.

El director no sabía lo del accidente de coche ni lo de la peluca, ella no se lo había contado.

Sunny se incorporó en la cama, sostuvo el auricular contra el oído y dijo:

—No puedo.

—Señora Mann —insistió el director—, Bubber ha sufrido un ataque esta mañana. Ahora ya está otra vez con el casco, y no hace falta preocuparse. Pero los comportamientos que estamos observando se están volviendo preocupantes.

—¿Qué es lo que le preocupa?

—Con el debido respeto, señora Mann, nuestro centro es muy bueno y contamos con muchos recursos —dijo—, pero no podemos responder del todo por Bubber y su conducta.

—Pues yo pensaba que la señorita Mary estaba trabajando con él. —Sunny donaba un montón de dinero a la escuela. La señorita Mary era uno de sus muchos recursos.

—Ya que la menciona, a la señorita Mary le gustaría comentarle los resultados de algunos test. Es necesario analizarlos y discutirlos.

A Bubber le habían hecho muchos test, y Sunny los había leído y comentado con diversos médicos. Ahora tendría que buscar los documentos apropiados que debería llevar, las cifras apropiadas que debería consultar para luego comparar.

En cambio, solo dijo:

—¿Sabe qué? Se acabaron los test. —Y pensó: Esto no lo voy a tolerar.

Luego colgó, se levantó y se desperezó estirándose mucho, mucho, como un gato, para terminar con unas rotaciones de cuello. En un día normal, se colocaría la peluca, la peinaría, la habitaría. En vez de eso, se vistió, subió al coche de Maxon y condujo hasta aquel colegio especialísimo para traer a Bubber a casa. Se sentía fuerte con la cabeza calva. De momento, solo pensaba en que volvían a hacerle test a Bubber, y la enfadaba que otra vez le encontrasen carencias.

Sunny era la mamá con el imán del lacito multicolor de activista pegado en la trasera de su coche. Hasta entonces Sunny se había llevado muy bien con los test.

Cuando llegó a la escuela, los otros padres estaban esperando para recoger a sus hijos. El aparcamiento era como una convención de monovolúmenes. Plateados, en su mayoría. Algunos color burdeos. Otros verde azulado. Cuando compraron el suyo, Maxon quería uno negro, pero Sunny dijo que no.

—No he visto ningún monovolumen negro —dijo—. Tenemos que mimetizarnos con nuestro entorno.

—Bueno, si nunca has visto uno negro, ¿no significa que los monovolúmenes negros se mimetizan muy bien? —apuntó Maxon.

Pero compraron el plateado. En las autopistas era virtualmente invisible. La peluca y el monovolumen formaban una capa de invisibilidad. Pasando entre las filas de otros coches, con sus distintos lacitos de colores en los parachoques, sus balones de fútbol, sus pegatinas con las iniciales en blanco y negro de los lugares visitados en vacaciones, Sunny recordó la primera de las tres cosas terribles que le había dicho a Maxon la víspera de que partiera al espacio: «Es culpa tuya que no encajemos aquí. Yo hago todo lo que puedo, maldita sea. ¿Qué queda, Maxon? Es todo por ti. Ni siquiera lo intentas. Ni siquiera te esfuerzas lo más mínimo». Bubber era el único niño autista de su colegio. Bubber superaba los límites de lo que el colegio podía soportar. No cesaban de repetírselo.

En la acera, un borbotón de niños pasaron atropelladamente ante ella; había pocas niñas, iban con sus mochilitas brillantes, sus relucientes adornos para el pelo, sus cómodos zapatitos de cuero crujiendo, y asían de la mano al progenitor aburrido y apagado que tiraba de ellos. Los niños no alzaban la mirada al pasar junto a Sunny. Eran indiferentes. Sunny podría haber sido un halcón parlante o un rinoceronte. Eran como pequeños niños animatrónicos con pelo, desfilando por la acera, pensando ya en la comida. A los padres, por el contrario, les costaba ocultar su sorpresa ante la calvicie de Sunny. Vio a mujeres con las que había charlado muchas veces, mientras esperaban a los niños bajo la lluvia, o en la función de Navidad, o en la tienda, frente al expositor de golosinas. No las conocía por el nombre, pero eran la mamá de Taylor, la mamá de Connor, la mamá de Chelsea, y ahora pasaban de largo, evitando sus ojos con una sonrisa, con los labios apretados formando una raya. Una mujer loca y calva había ido hoy al colegio.

Dentro, el director estaba entregando trabajos de arte para que los niños se los llevaran a casa, comprobaba que cada niño llevaba el jersey correcto, y les daba piruletas sin colorantes artificiales. Era un hombre calvo. Tenía cejas y pelillos en el mentón, pero su cabeza era pelona y reluciente. Sunny nunca había olvidado del todo ese hecho, pero desde que usaba peluca se fijaba en la gente calva con menos interés que antes.

Antes, en los viejos tiempos, habría pensado algo como: ¡Eh, choca esos cinco, colega! Después se acostumbró a la peluca, le parecía otro peinado más de los muchos entre los que los humanos normales pueden elegir. Ahora, era como si ella fuera un animal reconociendo a otro de su especie.

Los otros padres comenzaron a marcharse. Los demás niños fueron entregados a sus familias. Al final solo quedaron tres personas calvas en la sala: el director del colegio, Sunny y el bebé aún por nacer. El director se llamaba Dave. La reconoció, incluso sin el pelo falso que normalmente lucía.

—Hola, señora Mann.

—Soy calva —contestó Sunny—. He usado peluca todo este tiempo. Tampoco tengo cejas ni pestañas.

—Siéntese. ¿Se encuentra bien?

—Estoy bien. Solo es que, verá, ayer se me voló la peluca de la cabeza. Tuvimos un accidente con el coche, Bubber y yo. Y... bueno, he decidido dejar de usar peluca.

El director asintió con gesto comprensivo. Su voz nunca se había alzado. Nunca habría gritado a Sunny, ni estampado un puño contra su cara haciendo saltar gotitas de saliva de su boca. Habían tenido sus diferencias, pero él siempre conservaba la calma. Se preguntó si el señor Dave sería capaz de cabrearse. Ella siempre había apreciado su talante sosegado.

—¿Bubber sabe que usted ha tomado esta decisión? —le preguntó.

—Bueno, sí, lo sabe. Estaba allí cuando pasó.

—¿Lo vio molesto por ello? —preguntó el señor Dave—. Bubber ha estado muy enfadado hoy. Nos preguntábamos si tendría algo que ver con su marido.

—Mi marido está en el espacio. Partió ayer en una nave espacial.

—Lo sé.

—Bueno, no nos pareció una buena idea que Bubber y yo fuéramos a ver el lanzamiento. Pensamos que sería demasiado fuerte.

—Entiendo.

Sunny intentó sentarse en una de las sillas que había por allí, pero el director le pidió que lo acompañara a su despacho, donde estarían mejor.

La psicóloga ya estaba allí. Tenía el cabello largo y gris, peinado con raya al medio, que formaba una cortina a ambos lados de sus grandes gafas, su boca rosa oscuro, sus mejillas arrugadas. Cerró una carpeta que tenía abierta sobre las rodillas y se levantó. Esbozó una ancha sonrisa amarillenta y le tendió la mano. a Sunny

—Ya conoce a la señorita Mary —dijo el director.

—Me alegro de volver a verla, señora Mann —dijo la psicóloga—. He pasado un rato muy interesante charlando con su hijo Robert.

—Nosotros lo llamamos Bubber. ¿Dónde está?

—Está todavía con la señorita Tanya —dijo el señor Dave—. Le está dando una clase de refuerzo de arte para que podamos celebrar nuestra reunión.

—Ignoraba que estaban haciéndole test otra vez —dijo Sunny—. No sabía que podían hacer eso sin informarme.

—No pasa nada —comentó el señor Dave—. Solo queríamos comprobar lo que le pasa a Bubber antes de decidir qué le conviene más.

—¿Y qué le pasa a Bubber?

—¿No quiere sentarse? —La señorita Mary la invitó a unirse a ellos alrededor de la mesa. Le mostró un folio—. Señora Mann, hoy le he pedido a Bubber que hiciera un dibujo de su animal favorito, y esto es lo que me entregó.

El dibujo era del perro *Rocks,* hecho con tinta en blanco y negro, con el hocico chato, orejas puntiagudas de murciélago y sin rabo. Era un dibujo infantil, exagerado y de líneas sencillas. Sin embargo, estaba hecho como si la piel del perro fuera invisible, y había dibujado todos los órganos internos del animal con trazos igual de infantiles y exagerados, pero sin dejarse ni un solo sistema sin representar, incluido el linfático. Los órganos se superponían y los vasos sanguíneos se extendían de un punto a otro. Cada uno tenía su nombre claramente escrito de acuerdo a su fonética. El perro tenía un bocadillo de diálogo, y dentro se leía «Guau Guau».

La señorita Mary mostró otro papel a Sunny.

—Este es uno que me hizo cuando le pedí que dibujara a su madre.

Sunny lo agarró. Había un pequeño monigote en una esquina con un esquemático mechón de pelo a cada lado de la cabeza, un triángulo para representar una falda, y una leyenda: «Mami». El resto del folio estaba ocupado por algo que parecía un mapa cubierto por un dibujo topográfico. Había edificios, granjas y camiones en las carreteras que iban

71

de los edificios a las granjas. Todo hecho con garabatos rápidos e infantiles, pero sin faltar un detalle. Los camiones con todas sus ruedas y su variopinto cargamento: un cerdo, una pila de sacos, una máquina extraña. Nombres. Explicaciones entre paréntesis. Signos.

—Me ve con pelo —comentó Sunny, atónita. Pensó en qué sentiría su madre ante esto. ¿La abuela se decepcionaría, se resignaría? ¿Diría que todos sus esfuerzos con Sunny habían sido en vano? En la percepción del nieto, su hija llevaba una peluca. ¿Habría fracasado como madre? Recordó la segunda cosa terrible que le había dicho a Maxon la víspera de que se fuera al espacio: «Mi madre siempre pensó que no serías un buen marido. Tú y tus condenados robots. Me dijo que no me casara contigo, y míranos ahora. Nunca estaremos bien. Ninguno de nosotros».

—Bueno —dijo la psicóloga, recuperando los papeles de la mano de Sunny—, nuestro colegio tiene muchos alumnos con talentos especiales, pero resulta evidente que Bubber es una especie de prodigio. Un niño de cuatro años no hace dibujos como estos.

—Ah, un prodigio —dijo Sunny—. Eso no es un problema. Entonces, ¿quiere enseñarme algo más?

—Bueno, este es el último —respondió la señorita Mary, sosteniendo un folio para que lo vieran todos—. Aquí le pedí que dibujara a sus amigos.

En el papel había un hexágono. Cada vértice tenía dibujado un círculo que rodeaba una letra mayúscula. Los vértices estaban conectados por fuera, y algunos a través del centro. Las distintas líneas de conexión tenían grosores diferentes. Junto a algunas había números, o letras. Había hileras de letras separadas por comas. Algunos vértices no estaban conectados entre sí. En la parte inferior había distintos nombres seguidos por una lista de letras X: «Ben XX», «Sarah XXXXX», «Jacob X», «Zoe XXXX», «Sam XXX». A Sunny le recordó a los trabajos que Bubber hacía en casa con códigos cifrados. Siempre estaba inventándose una manera propia de anotar las cosas.

—¿Qué es esto? —preguntó la señorita Mary, señalando el hexágono.

—Bueno, no lo sé —admitió Sunny—. Pero si tuviera que responder, diría que tiene seis amigos, y que las líneas y símbolos representan el modo en que se relacionan entre sí. O igual tiene cinco amigos y él es este de aquí, conectado a los otros cinco. Sí, este círculo tiene una B dentro.

—Pero entiende lo que estoy intentando decir, ¿verdad? —preguntó la señorita Mary.

—¿Qué intenta decir?

—Por un lado, tenemos esto. —La señorita Mary sacudió los dibujos—. Y por otro, tenemos sus resultados en las pruebas de respuesta auditiva, que son los de un niño sordo.

—Bubber no es sordo —dijo Sunny.

—No, no es sordo, pero tampoco puede oír. No puede contestar. No responde. Chilla si no consigue sentarse en la silla que quiere, aunque todas las sillas sean azules. Incluso si los bolígrafos son todos rojos, grita si no puede tener el que quiere. Ayer rompió la taza de café de la señorita Kim tirándola al suelo. ¡La profesora se asustó! El comportamiento de Bubber supera nuestra capacidad de darle respuesta... y...

El señor Dave la interrumpió:

—Señora Mann, todos queremos a Bubber. Es un niño de lo más extraordinario, de verdad.

—Es evidente que conoce los nombres de sus amigos —dijo Sunny—. O al menos la letra inicial de sus nombres.

—Lo que estamos intentando decirle, señora Mann, es que Bubber necesita un nivel más alto de intervención. Bubber es demasiado especial. Sus médicos...

—Y además, las sillas no son todas del mismo tono de azul —dijo Sunny—. Y los bolígrafos no son todos igual de largos. Él capta diferencias que los demás niños no captan. Eso es todo. ¿Quieren que le dé más medicación? ¿Es eso? Ya toma Adderall, Dexedrina... Lo único que le queda es...

—Haldol —propuso el director con tono más suave, como quien ofrece un paseo en barca como pasatiempo para una tarde soleada.

—¿Su marido es ingeniero? —preguntó la señorita Mary.

—Es astronauta —dijo Sunny. No era verdad del todo.

—Bueno, tecnología —dijo la señorita Mary.

—¿Y?

—Es otra pieza del rompecabezas.

Sunny recordó la última cosa terrible que le había dicho a Maxon la víspera de que se fuera al espacio: «Es todo culpa tuya, que haya salido así. Es como tú. Igual de tarado. ¡Tú lo hiciste! Son tus malditos genes, tu maldito cerebro... Es como un clon del pequeño Maxon. No me digas que no lo ves. No me digas que no te ves a ti mismo cuando lo miras. Tú hiciste esto. Tú le has hecho esto a nuestro hijo, es lo que eres tú, estás metido en él. Y ahora no pongas esa cara».

—Señorita Mary, quiero agradecerle su aportación —dijo el señor Dave—. Ahora necesito hablar con la señora Mann.

La psicóloga se marchó, dejando los dibujos sobre la mesa. Sunny los recogió. Ahora estaban solos, ella y el director. Dos calvos conversando sobre sus opciones. En el aula contigua, un niño pequeño con una pelambrera naranja brillante de punta movía un pincel sobre un papel, vigilado por una rubia de cuarenta y tantos años con trencitas.

—Señora Mann, nos gustaría trabajar en su caso aquí. Podemos cambiar el programa de terapia de Bubber, darle más clases de refuerzo con los profesores. Pero es necesario que hable con sus médicos para que revisen su medicación.

Sunny se levantó. Sus dientes querían rechinar hasta reducirse a polvo.

—¿Dónde está mi hijo? —preguntó.

Cuando el señor Dave sacó a Bubber al pasillo, el niño iba saltando a la pata coja.

—¡¡Mami!! —la llamó, y se lanzó a sus brazos—. ¡Se te ha caído lo de arriba!

Ella se agachó para recibirlo, y él le frotó la cabeza con una manita despreocupadamente. Sunny agarró la acuarela en que él había estado trabajando. Todavía goteaba. Había una nave espacial y una serie de palabras que había intentado formar con un pincel demasiado grueso, desangrándose unas sobre otras.

—¡Nave! —exclamó Bubber.

Ella le dio un abrazo y, embarazada como estaba, lo levantó en brazos, recogió su pequeña mochila, y lo sacó de allí. Pensó: Nunca volveremos aquí. Encontraremos otro colegio, uno que sepa apreciar las leyendas lunáticas y que tenga bolígrafos rojos de la longitud adecuada. Aunque para ello tengamos que ir a la luna.

Una semana antes, incluso un día antes, con aquellas ondas rubias tocando sus hombros y rizándose alrededor de sus orejas, habría escuchado al director, habría cedido y pedido otra cita con el médico. Habría comprado un frasquito marrón diferente para administrarle nuevas dosis a su hijo, habría seguido sonriendo, dejando y recogiendo al niño, amoldándose y avanzando. Se habría ido a casa y habría instruido al larguirucho que tenía por marido con las cosas que se debían decir y hacer en un cóctel, le habría dicho que ropa ponerse, lo habría convencido de la importancia de ceñirse a lo importante. Ahora se sentía distinta respecto a todo. Más impaciente, más severa. Sentía que había estado viviendo entre nubes, bajo el agua, oyendo todo a un volumen bajo, viendo desde lejos. Sin la peluca, todo lo que veía era espantoso. Sí, el mundo entero. No servía de nada fingir que todo estaba bien. Se sentía como una mierda por haber hablado con tanta dureza a Maxon. Ojalá pudiese retirar todo lo dicho.

8.

Sunny intentaba ver el mundo como lo veía Bubber. Cada señal de tráfico, cada valla publicitaria, cada cartel en una tienda, una casa o un coche, era una agrupación de letras y números. ¿Qué veía él en esos pequeños conjuntos? ¿Saltarían ante su vista, letra a letra, como mariposas naranjas o como balas disparadas? ¿Serían arcoíris destellantes o luces interminentes de discoteca que iluminaban su cerebro? ¿Se parecerían al sonido de las cuerdas de un arpa? Mirar fijamente todas las letras, allá donde se presentaran, podía resultar abrumador para cualquiera. ¿Bubber pediría llevar una vida diferente si pudiera? ¿Cambiaría algo si tuviera la oportunidad? ¿Dejaría los medicamentos para convertirse en Bubber el zumbado, ese que se mece y tararea?

Un niño como él podía leer como cualquier otro niño podía oír, de un modo igual de perfecto e involuntario. Todo lo que leía, lo recordaba. Así de sencillo. Así de elegante. Era algo extraño de la genética, o algo que le había sucedido cuando era bebé. Se podía curar con pastillas, o no. Era autismo, o era otra cosa aunque la gente lo llamara autismo. Era algo que nunca antes se había visto en ninguna parte, algo especial y nuevo. Sunny se sentía responsable, y le daba pena, pero también en secreto se sentía orgullosa y especial. Tal vez no había asociaciones de ayuda para esto, ni concienciación. Tal vez no había colectas anuales. Bubber era un niño humano con un cerebro confinado en un casco azul. Sunny no volvería a escribir otra invitación para una subasta benéfica. No volvería a pedir otra cita con un médico. No seguiría siendo una tonta.

Años atrás, cuando todavía no tenía hijos, Sunny tampoco tenía peluca. Ni siquiera se había planteado ponerse una. No la habían educado así, para ponerse pelucas en la cabeza. Pasó por el instituto, por la universidad, viviendo en la tierra, sin pegarse pestañas ni cejas. Su madre decía que ponerse peluca era lo mismo que llevar un traje de payaso. Al comenzar el instituto, cuando todo el mundo pasa por una etapa de debilidad, Sunny lloró y pidió una peluca. Su madre le preguntó si también quería unos zapatones rojos, una flor que disparase agua y una nariz que pitase. Si quería un coche diminuto, un cojín pedorrero y un perrito ladrador. Ella dijo que no. Fue una chica calva y obtuvo las mejores notas del instituto.

Más adelante, en la universidad, su cabeza calva le proporcionó una idea para una peluca interesante. Comenzó a diseñar pelucas para otros. Pelucas artísticas, no pensadas para ocultar una falta de cabello ni para simular pelo. Un acorazado plateado, construido con cuadraditos de papel de aluminio, cada uno un milímetro más grande que el anterior. Una cabeza de tigre hecha con alambre de cobre. Un ramo de flores fractales. El símbolo *pi* hecho con plumas. Algunos los denominaban sombreros, pero para Sunny eran pelucas, y así las llamaba. Era la creadora de pelucas calva. Estuvo muy bien. Hizo una exposición en una galería de la universidad. Sus pelucas eran ligeras y cómodas, aunque ella nunca se las ponía. Sería como intentar hacerse cosquillas a sí misma. Nadie puede hacerse cosquillas a uno mismo. No funciona. Fue a la universidad para estudiar matemáticas y arte. Se casó con Maxon. Todavía nada de pelucas. Entonces, un día, Maxon decidió que deberían tener un hijo.

—Es el momento adecuado para que tengamos un hijo —le dijo.

Los dos estaban sentados en la playa de Evanston, una plácida tarde de primavera. Una brisa cálida agitaba el lago Michigan, pero no levantaba arena. Un día perfecto para tumbarse, dejar descansar las rodillas y calentarse el vientre. Sunny llevaba un biquini verde menta. Maxon, con una camiseta raída y unas bermudas marrones, estaba sentado con las piernas cruzadas a su lado. Sunny ocupaba toda la toalla, con sus largas piernas estiradas. La cinturilla del biquini formaba nudos marineros, en lugar de lazos. Sus gafas de sol eran dos grandes esferas unidas por su nariz. Encima de ellas se alzaba la cúpula blanca de su cabeza calva, brillante por el protector solar. Había estado adoptando poses de modelo, algo que siempre hacía sonreír a Maxon.

—No me apetece —protestó Sunny con voz melosa—. No me obligues, hombre malo.

—Esa es una respuesta inadecuada para mi afirmación. Tu respuesta se correspondería más con una petición de que limpiaras el coche. En este caso, no puedes decir simplemente que no te apetece.

—Eso tampoco me apetece. Y cambia de tema, por favor.

Sunny levantó el brazo y le palmeó la espalda, masajeando su columna, cuyas vértebras se marcaban de arriba abajo.

—Es el momento de tener un hijo —insistió Maxon—. Quiero que tengamos uno. Y creo que deberías hacerme caso.

—Imagíname —dijo Sunny, trazando un bulto imaginario sobre su barriga con ambas manos—, con un enorme promontorio aquí.

—Ya tienes un enorme promontorio aquí —repuso Maxon, dándole unos toques en el cráneo con un dedo—. Igual puedes gestar al bebé en la cabeza.

Sunny se volvió indulgentemente sobre su estómago y expuso su espalda al cielo.

—¿Te imaginas qué niño monstruoso podría salir de ahí? —dijo con pereza—. ¿De verdad quieres traer eso al mundo?

Al principio, Sunny basó su rechazo en la aritmética. Estaban en su piso de Chicago, rodando por el despacho en sus sillas de oficina. El despacho era la habitación más grande de la casa, con enormes ventanas industriales que ocupaban una pared entera. Un deshumidificador zumbaba y las plantas secas se convertían en polvo. Maxon llevaba plantas a casa de vez en cuando, convencido de que las plantas de interior son algo que los pisos deben tener. Sunny las mataba subrepticiamente con productos de limpieza, o animaba al gato para que las usara como orinales. En una ocasión, se cargó un naranjo de buen tamaño que estaba en el estudio; el arbolito tardó bastante en morir, y luego se quedó allí, sin vida, durante seis meses. En aquella época a Sunny no le gustaban las plantas de interior. Creía que las plantas tenían que estar al aire libre, donde hay tierra natural. Más adelante comprendió que es obligatorio tener plantas. Pero eso era entonces, antes de que empezara a darse cuenta de esa clase de cosas.

—Uno más uno no es igual a tres —dijo Sunny, balanceándose adelante y atrás con los talones clavados en el parqué desgastado—. Uno más uno son dos. Tú y yo. Dos. Uno más uno son dos.

—¡Anda ya! Joder, ábrete de piernas de una vez, mujer —bromeó Maxon usando su voz de burla. En las manos tenía un rompecabezas de metal, que hacía y deshacía, hacía y deshacía.

—Me abriré ahora mismo, y bien abierta, si puedes mostrarme un sistema en el que uno más uno sea igual a tres.

—No lo hay. Pero ¿qué te parece esto?

Sacó de repente un rotulador, se acercó a la pizarra y dibujó dos puntos y una línea en medio. Llevaba puestos unos pantalones de pintor, de cintura baja, y una camiseta blanca con puños negros descoloridos y el desgastado escudo de una universidad sobre su pecho ancho y cóncavo.

$$S \text{——} m$$

—Aquí estamos nosotros —dijo—. Tú y yo. Y nuestra gran relación.

—Maravilloso —dijo Sunny—. Etiquétame.

Maxon marcó su punto con una S.

—No, ya no soy S. Soy E. Esposa.

Maxon usó su puño para borrar, y cambió la letra. Se marcó a sí mismo con una H de hombre.

$$E \text{———} H$$

—Ahora aquí —dijo Maxon, colocando otro punto en la línea a medio camino entre la E y la H—. Aquí germinamos al niño. Justo aquí.

—Así que el niño se va a interponer entre nosotros. Genial. ¿Me cuentas otra vez por qué quieres tener un hijo?

—Porque hijos es lo que se supone que tiene que suceder ahora. Es lo siguiente que hacen los humanos.

—Eso lo dirás tú.

—Espera. Mira, mira. Aquí están nuestros dos puntos, pero tenemos que juntarnos más. Empuja, empuja, empuja. ¿Sabes lo que es empujar?

—Me suena de algo —sonrió Sunny.

—Y a medida que nos juntamos, este puntito hijo se desplaza hacia abajo, en perpendicular, para formar... un... triángulo.

Maxon terminó de dibujar el nuevo diagrama, con la E, la H, y el nuevo punto, N, formando un triángulo, con líneas conectando las tres letras.

—Ahora mira esto —dijo Maxon, uniendo H con E de nuevo—. Más cerca que nunca.

—El doble de cerca —asintió Sunny.

—Entonces, ¿ya estás lista?

—Pues no.

Sunny le arrebató el rotulador de la mano y lo empujó hacia una silla. Llevaba un vestido rojo, sinuoso y elegante, que barría el suelo. Dibujó otro triángulo, este con las letras M, P y N, y luego trazó una flecha de un triángulo al otro.

$$\underset{E \;-\; H}{\overset{N}{\bigwedge}} \quad \rightarrow \quad \underset{m \;-\; P}{\overset{N}{\bigwedge}}$$

—¿Cómo pasamos de aquí a aquí? —preguntó—. Madre, padre, niño. ¿Cómo llegamos aquí?

—Creo que deberías empezar poniendo al hombre encima de la esposa —sugirió él.

—¿Por qué H encima de E? ¿Por qué no E encima de H?

—No se consigue inseminar a una esposa con la mujer encima. La mujer tiene que estar debajo.

—Entonces, ¿H encima de E es igual que P encima de M?

—Ajá. Lo hemos resuelto todo.

—No puede ser tan sencillo.

—En serio, es así de sencillo —dijo Maxon—. Por eso tanta gente estúpida puede hacerlo.

—Dios, espera. Hay un problema. No es eso, lo que tú piensas está bien pero falta algo. Algo importante. —Ahora fue ella la que usó el puño para borrar lo que había escrito, y luego apuntó:

$$\frac{H}{E + P_1} = \frac{P}{M}$$

—¿E más qué?

—Ya lo verás —dijo ella con tono grave—. Ya lo verás.

Primero, Sunny obligó a Maxon a dejarse crecer el pelo. Llevaba años rapándoselo. El cabello empezó a crecer. Sunny lo ponderaba, lo frotaba con las manos, lo estiraba, lo ahuecaba. Por la mañana, movía su silla de oficina hasta situarse delante de Maxon, y juntaban sus frentes. Restregaba su cabeza contra la de él, sintiendo el espesor del pelo. Era un juego que practicaban desde siempre, rotar sus sillas con sus cabezas como eje, como si estuvieran unidos por ellas como siameses, y sus sillas fueran lunas de plástico negro, sus cabezas en el centro, cada uno con la mano detrás del cráneo del otro, hasta que Sunny se mareaba y se le saltaban las lágrimas de la risa. Pero ahora no se reía. Porque el pelo de Maxon le picaba. Imaginó lo que debería ser dejar que brotara hierba en tu piel, como cultivar tallos de maíz. Tenía que ser algo terrible. Una suciedad que nunca podías quitarte. Una plaga. Un problema. Maxon y ella hacían tonterías de ese tipo, como críos. Pensó que cuando ambos tuvieran pelo y fueran padres dejarían de jugar a las sillas giratorias. Tendrían que ocuparse de sus tallos de maíz, seguir sintiéndolos y peinándolos.

Cuando el espeso cabello castaño meloso de Maxon alcanzó más de un centímetro de largo, Sunny supo que estaba ovulando. Fue en coche a la tienda de pelucas y se compró una. La adquisición de su primera peluca era un momento que estaba esperando desde que había comprendido que era calva y que con una peluca podría ocultarlo. Soñaba con pasearse sin destacar entre una multitud. Se imaginaba a sí misma sentada en un banco junto a una hilera de personas, todas con las rodillas alineadas, todas a la misma altura, con la cabeza alcanzando el mismo punto en la pared que había detrás del banco, todas idénticas. Sunny tendría que mirar con mucha atención a sus propios ojos para distinguir cuál de todas era ella. Sin embargo, una vez en la tienda de pelucas, sintió cierto desencanto. Sabía que, de enterarse, su madre se enfadaría, que diría que estaba comportándose como una tonta. De todas las cosas bonitas y alentadoras que le habían dicho durante los largos años de calvicie, la que más recordaba era este cumplido de su madre: Eres la que eres, Sunny. Eres la que eres. Y estoy orgullosa de ti. Todo lo que tienes forma parte de ti. Todo es parte de Sunny.

En la tienda de pelucas no tuvo que dar explicaciones. Si entras en una tienda de pelucas y eres calva, solo puedes querer una cosa. Ni un sombrero ni un pañuelo. Una peluca. Sunny eligió una rubia de cabello largo y lacio, porque era la más parecida a la que elegiría una profesora de guardería. Se parecía al pelo habitual de la madre de un bebé. Todos pensaban que iba a encasquetarse la peluca allí mismo y salir de la tienda con ella puesta. Pero no. Eso lo hizo más adelante. Primero, dio una vuelta más en coche por la calle, un paseo más por la acera, con la cabeza calva. Subió las escaleras a saltitos una vez más hasta su enorme apartamento. Luego entró en su dormitorio, apagó la luz, se desnudó y se encajó la peluca en la cabeza. Cuando volvió a encender la luz, la peluca estaba en su sitio. A partir de entonces siempre la llevó puesta. Podía verla encima de su cabeza si se miraba en un espejo.

Maxon regresó a casa de dar un paseo en bicicleta, con su buena mata de pelo, como Sunny le había ordenado, y se sorprendió al verla. Estaba desnuda y con peluca, esperándolo. Él permaneció en el umbral de la puerta del dormitorio, sudoroso, alto y comprimido por la licra, sosteniendo el casco. Estiró una mano a cada lado, como si Sunny fuera una ola rompiendo sobre él, con toda su desnudez, con todo su pelo nuevo.

—¿Qué haces?

—Esperar a que me inseminen.

—¿Por qué llevas una peluca?

—Para que funcione.

—¿P1 es pelo?

—Ajá.

—Eso es incorrecto. No necesitas ponerte una peluca. ¿Por qué tendrías que hacerlo?

—Está bien. Entonces, vamos a follar y después nos desharemos de la peluca.

—Deja que pase por la ducha.

Después, sin embargo, no se deshicieron de la peluca. Maxon intentó hacerla razonar para que se la quitara, mientras ella estaba en cuclillas al borde de su silla de oficina, doblada, con el semen en su interior y la peluca cayendo a su alrededor. Le hacía sentirse bien e interesante, y le hacía cosquillas.

Maxon estaba tecleando en su ordenador. Le lanzó una mirada evaluadora.

—Sunny, no hace falta que lleves una peluca para ser madre. Está más que probado. Tu sistema reproductor se encuentra muy separado de tu cuero cabelludo.

—No sabes nada de eso. ¿Qué demonios puedes saber tú sobre lo que necesito para ser madre?

Sunny se envolvió en el cabello de la peluca como si fuera un chal. Era un gesto que nunca había hecho en toda su feliz existencia. Ahora lo hacía como un reflejo instintivo, como si la capacidad de hacerlo produjera una realidad. Maxon la observó. Quizá él debería sentirse algo avergonzado. Avergonzado de su parte en todo el asunto, del modo en que le había ajustado la peluca en la cabeza y atado el delantal a su cintura. Del modo en que cambiaba el mundo cuando se metía a un bebé por medio. Del balón al que había dado una patada desde lo alto de la colina y que ahora bajaba dando botes, descontrolado, sin vuelta atrás. Pero no, lo más probable era que Maxon no sintiera vergüenza. Él solo sabía que eso era lo que hacían los humanos, y eso le bastaba. Ni duda ni arrepentimiento. Sunny podía sentir cómo cambiaba su cuerpo bajo la peluca, adquiriendo la forma adecuada para encajar en una bonita familia joven. Pudo sentir el cambio de su variable, de E a M. De ahí en adelante, caminaría de un modo distinto, hablaría de un modo distinto, apartaría de ella todas las cosas dañinas. Protegería la cosa viviente que estaba intentando formarse en su interior.

Había un gran óvulo redondo en un estrecho conducto y pequeños nadadores intentando entrar en él. Por aquí arriba, por aquí arriba, y luego por aquí abajo, por aquí abajo, empujando e impulsándose. Conectaron al cabo de tres horas. El óvulo bajó flotando por su interior y se pegó a la pared del útero. Cambió de células, creció hasta convertirse en una forma viva. Creó brazos, piernas y riñones. Formó los blandos huesos de un cráneo infantil. La piel se formó en la oscuridad. En la oscuridad, el tejido del corazón se sacudió. Por encima de aquello, una noche mágica, cuando la peluca de Sunny estaba mejor peinada, mejor arreglada y exactamente en su sitio, en la parte superior del feto brotó un cabello maravilloso, brillante como un cometa, anaranjado como una puesta de sol en el sur. Finalmente, el bebé salió de ella y fue Bubber. Y para ella fue perfecto. Era un pequeño Maxon. Era cierto.

9.

Maxon durmió de forma intermitente durante la noche larga y oscura, amarrado a su litera. La astronave continuaba su avance hacia la luna, describiendo un amplio arco en su trayectoria. Soñó que estaba metido en un agujero, incapaz de estirarse. Soñó que estaba de nuevo en el pozo. Apretó con fuerza los ojos cerrados, sintiendo que se le estrechaba el esófago y se le hinchaba la lengua. Soñó que estaba en aquel hoyo húmedo, con los brazos pegados a los costados. Quería estirar las manos, arañar con los codos la piedra, girarse y rajar las paredes, pero despertó y no había muros de piedra, porque estaba en una nave espacial. No tenía claustrofobia, eso era un hecho. No tenía miedo de los espacios cerrados porque no tenía claustrofobia. Una tautología de pesadillas. Finalmente, supo que era de día para él porque las luces del compartimento se encendieron.

Miró su reloj. ¿Qué significaba el tiempo, de camino a la luna? ¿Qué significaba la rotación de la tierra, aparte de una consideración de navegación, aparte de la física? ¿Qué suponía, para la conciencia cíclica del cuerpo humano, que la tierra hubiera rotado allá lejos, sin tener los pies sobre ella? ¿Sin su cuerpo postrado, dormido sobre ella? Ese cuerpo al que siempre se le quedaban pequeñas todas las camas en que se tumbaba, con los pies siempre asomando por el borde, la cabeza siempre pegando contra la pared.

Para un hombre tan alto, el autodominio era fundamental. Continuamente se chocaba con cosas. El límite de la paciencia de Maxon también estaba muy alto, su aguante era más largo incluso que sus piernas. Hubo ocasiones en que sobrepasó los límites, y su capacidad para tolerar los pum y zas cuando sus extremidades chocaban con trastos era lo primero que perdía. En la casa donde creció, por ejemplo, había demasiadas cosas. Montones de cosas, baldas atiborradas de papeles, tarros, cajas de zapatos, latas vacías, bultos con aparejos de pesca, retales de cuero, y los desechos y desperdicios de un hogar lleno de chicos. Por eso, en su casa, Sunny y Maxon no ponían objetos decorativos sobre las superficies. Las dejaban despejadas, a lo sumo una vela aquí y un ramillete de eucalipto allá, colocados de cualquier manera por Maxon, lo indispensable para que siguiera pareciendo que vivían en una casa decente. De recién casados, a Sunny no le importaba. No le interesaban las cosas que debería haber sobre repisas o mesas. Le daba igual.

Cuando se mudaron a Virginia, Sunny empezó a hacer cambios en la decoración y le pidió a Maxon que fuera rotando la disposición de los adornos con las estaciones del año. Compró un reloj de anticuario, pero no lo colocó equidistante entre dos velas. Hubo otras adquisiciones, y profesionales que iban a la casa a hacer reformas. Maxon comprendió que era el momento de que su mujer empezara a ocuparse de la casa. Cuando se mudaron a Virginia para que él pudiera tener el laboratorio en Langley, llegó la hora de que ella cambiara. De que los dos, juntos, hicieran al niño.

Maxon había estado escribiendo en su cuaderno por la noche. Bajó la vista y vio que había escrito «Grandes desengaños de Sunny:», y luego, debajo, había señalado tres gruesos puntos. Junto al primero ponía «Yo», luego «Mi conducta» y por último, «Mi material genético». Vio la frase «Sunny ha dicho:» y otros tres puntos por debajo. Escribió: «¿Por qué no puedes ser un maldito ser humano normal?» «Es por tu culpa que Bubber sea así» y «Odio que mi madre tenga razón, pero la tenía. ¡Tenía razón!».

Maxon sabía que en otra parte de su cuaderno había una página que ponía esto:

Secuencia CUMPLIDO = "Qué amable
de tu parte decirlo";
Secuencia GRATITUD = "Gracias
por hacérmelo saber";

```
SI (OPINIÓN = CUMPLIDO)
devolver CUMPLIDO;
también SI (OPINIÓN = CRITICA)
devolver GRATITUD;
también
Escribir En Memoria (OPINIÓN)
```

—Gracias por hacérmelo saber —dijo a las palabras de Sunny. Y, sin dudarlo más, pasó la página, alisó la nueva y comenzó su jornada de trabajo. Pensó en la madre de Sunny, su suave cabeza dorada, sus severas declaraciones, su larga enfermedad, y luego intentó apartar esa imagen de su mente.

Sunny condujo hasta la YMCA y puso el bañador a Bubber, porque eso era lo que hacían después del colegio los martes y jueves. Los horarios de Bubber eran sagrados, como una letanía que ayudaba al pequeño a encajar en el mundo. El niño saltaba a la pata coja en los vestuarios, con la mano en la puerta, esperando a que ella apareciera. La piscina tenía forma de L, poco profunda en el brazo corto y profunda en el otro, para hacer largos. Las gafas de buceo de Bubber eran verde brillante y su bañador estaba estampado de animalitos rojos y amarillos. Cuando ella por fin llegó, él se lanzó a la piscina sin siquiera volverse para mirarla, lo hizo sin ser consciente, sumido al improviso en su propio mundo. Sunny podía oler el cloro, ver el óxido alrededor de los desagües, y vio a un hombre paralítico en el jacuzzi, con la cara contraída y un gesto tenaz. Se había echado un vistazo en los grandes espejos del vestuario de la YMCA. Bajo las luces fluorescentes, su cabeza parecía más puntiaguda, más gris.

Permaneció con su bañador para embarazadas en la rampa para sillas de ruedas que descendía hacia la piscina. Su enorme barriga se apretaba contra la barrera. Nunca pasaba de ese punto. Las normas de la YMCA decían que siempre tenía que haber un padre cerca de un niño tan pequeño. Así que ahí estaba ella. Bubber nadaba sorprendentemente bien, desde siempre. Nunca tenía miedo a hundirse. De hecho, cuando era más pequeño bajaba por el borde de la piscina y se metía al agua, asustándolos a todos. Al final descubrió cómo nadar, y ahora era un experto. Nunca había estereotipias en el agua. Nunca sacudidas de cabeza ni chillidos. Por eso iban dos veces por semana.

Normalmente, Sunny se quedaba en la rampa con la peluca puesta, sin meter la cabeza en el agua. Ese día, si quisiera, podría bajar y bajar, hasta el fondo de la piscina. Agachó su cabeza blanca para mirar a Bubber. Tenía una ranita de plástico a la que hacía subir y bajar a un pequeño flotador. Hacía unos sonidos que acompañaban los saltos de la ranita, algo que sonaba a cinta rebobinando. Subía y bajaba muchas, muchas veces. Parecía que nunca iba a cansarse de jugar con la ranita. La piel de Sunny estaba fría porque se encontraba bajo uno de los enormes respiraderos de los conductos de ventilación. Su cabeza estaba muy fría. De hecho, helada.

Sin peluca era una madre que podía sumergirse en el agua, sentirla correr cálida y fresca a su alrededor, sosteniéndola. O quizá a esas alturas de su maternidad, en ese avanzado estado de llevar la peluca habitualmente, Sunny había grabado en su piel el verdadero propósito de su vida en ese momento, que no era otro que callarse y vigilar al niño. El pequeño disfrutaba del agua, y Sunny solo tenía que permanecer allí y asegurarse de que no se ahogase. Esa era su postura por defecto. Quedarse en el cuerpo de una mamá en el sitio de una mamá. Todo lo que tenía que hacer desde más o menos la una hasta más o menos las dos de los martes y los jueves era cuidar del niño. ¿Tenía que disfrutar durante ese tiempo? No. ¿Tenía que pasárselo bien ella en el agua? No. Ya había disfrutado y se lo había pasado bien en el agua muchas veces en su vida. Ahora era el momento de proteger a su hijo y procurar la felicidad del pequeño mientras la piscina enriquecía su vida y ayudaba al desarrollo de su mente y su cuerpo. Así que, ¿por qué complicar el asunto pensando si ella estaba a gusto o a disgusto? Peluca o no peluca. Eso fue lo que se dijo, para evitar lanzarse al agua, bucear hasta el fondo, jugar con sus pies, mirar las luces.

Recordó un tiempo en su vida antes de que nadie evaluara si sería una buena esposa y madre. Entonces se había divertido mucho en la playa. Se deslizaba sobre la arena caliente en biquini, caminando como si hubiera inventado las piernas, la cabeza untada con aceite de coco, el sombrerito colgando de una mano. Nadaba como un delfín, sin gorro ni un mechón de pelo alrededor de sus gafas. Aquellos fueron buenos tiempos, pero ¿a quién le importaba? Hay gente por ahí sin extremidades, cuyos hijos se han caído de edificios y han muerto, o gente que no puede venir a la YMCA porque vive en algún pueblo miserable dejado de la mano de Dios. Nunca supo, antes de tener un hijo, la preocupación que sentiría por él. Una preocupación auténtica y verdadera.

Sunny había ido a clases de natación de niña. Su madre creía que todos los niños tenían que aprender a nadar, montar a caballo y tocar el piano. ¿En qué habría ocupado la mente su madre durante todas esas largas horas de clases? Cuando Sunny se esforzaba por mantenerse a flote, mientras el corpulento monitor de natación del instituto vociferaba a su trasero huesudo, ¿estaba su madre allí? No se acordaba. ¿Pensaría en ella? ¿La compararía, siempre en extrema desventaja, con las demás nadadoras? Quizá su madre estuviera pensando: Esa es mi hija. La calva. Emma había practicado buceo, hablaba francés y sacaba las mejores notas de su clase. Sunny fue una nadadora perezosa, propensa a dejarse flotar y vagar bajo el agua. Chapurreaba un poquito de alemán y se había licenciado en algo que a su madre le resultaba incomprensible.

Emma no quería que Sunny se pusiera peluca, pero la peluca consiguió que Sunny aspirara a mucho más. Principalmente, aspiraba a criar un buen número de hijos, niños nobles, niños normales. Con la peluca parecía una mujer. Sin la peluca parecía otra cosa. Se preguntaba si, de tener la oportunidad, pediría vivir una vida diferente. Si cambiaría algo de sí misma mediante un frasquito de pastillas mágicas. ¿Y si el cabello pudiera crecerle como a cualquiera, en brotes y matas, saliendo de su piel para ser apartado y peinado? ¿Daría la bienvenida a ese pelo? ¿Qué diría Maxon si al volver del espacio descubriera que su mujer se había dejado crecer un montón de pelo en la cabeza? ¿Qué diría si al volver del espacio descubriera que ella había abandonado sus pelucas?

Ahora Bubber jugaba a caballo salvaje y caballo manso en el agua. Cuando Maxon estaba, Bubber jugaba a ese juego con su padre. El pequeño se sentaba a horcajas sobre su flotador y su padre lo sujetaba por ambos extremos e impulsaba al caballo con energía en rápidas vueltas (caballo salvaje) o en un suave círculo (caballo manso). Ahora Bubber jugaba a solas una versión más reposada. Un niño que juega con su padre grita más alto, se ríe más fuerte, salta con más entusiasmo, pone más empeño en todo. Un niño que juega solo escucha un diálogo interior, y tiene un gesto de atención incluso cuando chilla.

—Estoy jugando a caballo salvaje y caballo manso —informó Bubber en voz alta a un niño que pasaba cerca y que no entendió a qué se refería.

Eso es ser Bubber, pensó Sunny. Nadie lo entiende. Necesita más medicación. O menos. Igual es que necesita mucha menos.

Con Maxon allí, las cosas serían diferentes. Jugarían en sus ordenadores, uno al lado del otro. Saldrían a cenar al único sitio donde Bubber podía sentarse tranquilo en público. Maxon los llevaría a pasear por la ciudad en el coche. Le quitaría la peluca y se la pondría, haría un cisne con la peluca, colocaría la peluca en el poste de una valla y fingiría hablar con ella. Pero Maxon estaba allá arriba, en el espacio, flotando como un hombre bajo el agua, con las extremidades ingrávidas y haciendo piruetas. Sunny se zambulliría en el agua y se pondría a dar volteretas y volteretas, ocho, nueve, diez volteretas, hasta salir a la superficie, su cabeza emergiendo como un melón. Y Maxon nadaría en círculo a su alrededor, como un lucio vigilante. Serían todo suavidad y gracia, sin ninguna dureza ni fricción. Rodeándose, entrando y saliendo el uno del otro, todo sin tocar el suelo. Así es como Sunny imaginaba a Maxon en la nave espacial, y a sí misma en el lado hondo de la piscina.

Sunny bajó la vista a los baldosines de la rampa para sillas de ruedas y se fijó en una manchita de algo. Era roja y gelatinosa, e iba a la deriva al borde del agua en la cuesta de la rampa; estaba al alcance de cualquier bebé. Sunny se imaginó que, ese mismo día, otra madre encinta, ahí de pie vigilando a su niño, había expulsado algo de su interior antes de que pudiera convertirse en otro bebé. Se había quedado allí, sobre las frías baldosas azules, como un cadáver en una playa solitaria, y esa madre se había marchado porque no quería pasarse más tardes allí de pie, helada con el agua hasta los tobillos, y ni siquiera lo había limpiado porque estaba así de loca.

10.

Cuando Sunny llegó al hospital para visitar a su madre aquel día, veía las cosas de un modo distinto del día anterior. La víspera, todo era hermoso en el hospital, pero en ese momento no era hermoso en absoluto. Dejó el coche en el aparcamiento para visitas, junto al familiar edificio de ladrillo rojo. Antes parecía un castillo; ahora, una prisión. El día ardía a su alrededor mientras recorría los vestíbulos del hospital con Bubber agarrado firmemente de la mano. Sus caderas se contoneaban alrededor de su barriga embarazada y su contenido. Los pasillos olían a caldo de pollo, orina y desinfectante. Las puertas se abrían y cerraban emitiendo chirridos. Los humanos caminaban como androides con batas púrpura. Se deslizaban arrastrando sus chancletas por el suelo. Se pudrían en sus andadores, en sus camillas. En un hospital tiene lugar todo: el nacimiento, la vida, la muerte. Pero nadie quiere estar en un hospital, donde todo tiene lugar. Solo quieren salir de él.

De camino a la UCI, Sunny siempre se cruzaba con gente que paseaba arrastrando los pies y con auxiliares de enfermería que mascaban chicle. Allá donde iba, caras abotargadas, pálidas y rechonchas se volvían hacia ella como lunas nuevas. Veía la oreja, el pelo o la nuca de una persona, y al instante su cara inexpresiva, y luego cómo abría un poco más los ojos. Algunos sonreían con cortesía. Recordó lo que era que la confundieran con una enferma de cáncer. La lástima y el miedo de la gente pasando a su alrededor como fotones.

En la puerta de la UCI tenía que pulsar un botón y hablar con la enfermera para poder pasar.

—Vengo a ver a mi madre, Emma Butcher —dijo con la voz de siempre, que el micrófono transmitió igual que siempre.

Las puertas se abrían con un chirrido e inmediatamente volvían a cerrarse, así que Sunny y Bubber tuvieron que pasar deprisa. Dentro, había un olor seco y frío. Las habitaciones de la UCI se extendían en un semicírculo alrededor del puesto de las enfermeras en el centro, formando una curva sobre el suelo blanco, como cajas de cristal. Sunny se dirigió hacia la habitación de su madre, y una enfermera le dijo:

—¿Señora Mann?

Sunny asintió con la cabeza, volviéndose para mirarla. Era una enfermera joven con una coleta marrón. La placa identificativa ponía que se llamaba Sharon. La mujer había reconocido a Bubber y el embarazo, pero no a Sunny sin la peluca. Con un gesto, le indicó que siguiera adelante.

—Lo siento —se excusó—. No sabía...

Sunny y Bubber iban andando de la mano cuando cruzaron la puerta de cristal. La otra mano de Bubber chascaba los dedos sin parar. ¿Cómo reaccionaría su madre al ver a Sunny sin peluca? ¿Se incorporaría en la cama, se destaparía y gritaría de alegría?

Los robots respiraban por su madre. Uno subía y bajaba con un fuelle dentro, bombeando y extrayendo el aire. Otro metía y sacaba líquidos en su madre, buenos dentro, malos fuera, mediante tubos turbios y recipientes de plástico. Alrededor de la estancia había máquinas apiñadas en grupos. La penumbra permitía ver los monitores y diales encendidos. En el suelo había un par de tiritas viejas, caídas de un gotero intravenoso. En las paredes, una cinta adhesiva vieja sostenía dibujos y fotos de Bubber. Estaban por todas partes, en el expendedor de papel a un lado del lavabo, en la máquina de respiración... todos pegados con esa cinta amarillenta, todos torcidos.

También estaba su madre, en la cama. Siempre fue una mujer alta, pero se había encogido y arrugado. Se le había encorvado la columna. La cabeza ladeada sobre la almohada, por donde el tubo de respiración entraba en la boca. Una gran úlcera se le había formado en ese lado de la cara. La cubrían con vaselina, pero seguía roja. Había perdido gran parte del pelo, y lo que quedaba estaba peinado como en líneas. Su madre tenía los ojos cerrados. Su pecho subía y bajaba. Sus manos y pies estaban hinchados, globos inflados de piel amarillenta y moteada. Sunny posó su mano sobre la de su madre, fría. Le subió las mantas hasta la barbilla. Parecía que ya hubiera comenzado a descomponerse, aunque las máquinas todavía le insuflaban aliento y fluidos, para luego sacarlos. Estaban simulando la vida. Un pellizco produciría una respuesta de dolor.

Sunny se sentó junto a la cama en la silla que utilizaba habitualmente. Bubber trepó a la cama por donde lo hacía habitualmente y se quedó quieto con su libro. Mientras su madre fue pasando de su casa a la casa de Sunny, a Urgencias, al hospital y a la UCI, Bubber y Sunny habían permanecido sentados al lado o sobre esta o aquella cama, contemplando el viaje como turistas contemplando caimanes durante una travesía en barco. Ahora Sunny permanecía en la orilla, sumergida hasta los tobillos en un barro cenagoso, contemplando cómo los caimanes mordisqueaban su presa. Llevaba dos semanas sin hacer otra cosa que observar a los caimanes. ¿Qué clase de monstruo mira cómo un caimán se come a su madre sin hacer otra cosa que rechinar los dientes? Rompió a llorar. Una vez, su madre le había dicho: «Sunny, pase lo que pase, estoy de tu parte. Siempre estaré de tu parte. No importa lo que suceda». Ahora su madre se encontraba en esa situación, encogida y con sus entrañas descomponiéndose.

Cuando Sunny era pequeña tenía un poni. Un animal pérfido y malo, pero ella se enamoró de él como solo una niña de ocho años puede enamorarse de un caballo, y no había otro poni en el mundo para ella. Lo llamaba *Pocket* y era adorable, zaino brillante con una estrella blanca en la frente. Sin embridar, era dulce como un perrito faldero, y seguía a Sunny por la granja, batiendo los ojos. Incluso podía montarlo y arrearlo con las rodillas y un ronzal suave, y el animal nunca se resistía. Sin embargo, cuando Sunny intentaba montarlo con silla y brida, se convertía en un poni de pesadilla. Actuaba como si hubiera erizos bajo las cinchas y puñales bajo la silla de montar.

Agachaba las orejas y avanzaba a regañadientes, y a veces sacudía la cabeza de manera inesperada; en algunas ocasiones, alzando el hocico al cielo y golpeando a Sunny con esa protuberancia ósea que tienen los caballos en la parte superior de la cabeza.

Sunny estaba convencida de que al animal le dolía, así que arrastraron a *Pocket* por una serie de largas y costosas visitas a diversos veterinarios de la región. Finalmente, el último veterinario le dijo a su madre que lo que pasaba era que el caballo era listo y tozudo, y había decidido que no quería ser montado. Habría que quitarle esa costumbre. En opinión del veterinario, no era adecuado para una niña. Sunny recordaba cómo suplicó a su madre, afirmando que no soportaría que hicieran daño a *Pocket,* que aquello aplastaría su espíritu. Cargada de sensibilidad preadolescente inspirada por *Azabache* y otros relatos de ficción sobre caballos maltratados, juró que jamás perdonaría a su madre que lo vendiera o le hiciera daño. Lo montaría a pelo, sin preocuparse por las apariencias ni nada de eso.

Tenían un pequeño picadero en su propiedad, levantado en el prado, estaba vallado y rodeado de virutas de cedro esparcidas por el suelo. Su madre le pidió, después de que aquel último veterinario se marchara de la granja, que ensillara a *Pocket* y la esperara en el picadero. Cuando Sunny llegó andando junto a su poni, vio a su madre con un garrote en la mano. Su rostro pálido mostraba un gesto resuelto, llevaba el largo cabello dorado recogido en una trenza y vestía pantalones, algo que hacía muy raramente.

—¡Si tú no sabes montar! —dijo Sunny.

—Pues claro que sé. Tenía una vida antes que tú, ¿sabes?

—¿Qué vas a hacer?

—Dame ese poni.

—¡No! —gritó Sunny—. ¡Vas a matarlo!

—Si muere, será porque así lo ha querido —sentenció aquella fiera mujer con pantalones. Sunny retrocedió.

Su madre le arrebató las riendas de las manos y montó en la silla con una agilidad sorprendente para alguien a quien

Sunny jamás había visto acercarse por su propio pie a un caballo. *Pocket* era un poni grande, pero la madre seguía siendo más alta, así que en conjunto formaban una estampa ridícula. Se giró y atravesó trotando la puerta del picadero.

—¡Cierra la puerta! —le gritó a Sunny.

Pocket dio vueltas y vueltas, trotando nervioso. Su madre sujetaba las riendas con una mano y el garrote con la otra, lista para hacer lo que hiciera falta —Sunny no sabía el qué—. Su madre iba al trote con cautela, casi en cuclillas sobre la silla, y el poni parecía reacio a encabritarse. La mujer pidió al animal que se pusiera al paso y luego lo azuzó a medio galope. Ante esta ofensa, *Pocket* perdió la concentración, echó las orejas atrás y comenzó a sacudir la cabeza.

—¡No! —aulló ella—. ¡Más te vale que no lo hagas!

El animal lanzó el cuello hacia arriba, subiendo la nuca en dirección a la cara de Emma, y entonces el garrote cayó golpeándolo de pleno entre las orejas. Sunny chilló.

La nuca de un caballo es dura si golpea a una niña en la cara, pero también es un centro nervioso, y *Pocket* se desplomó. Su madre saltó del animal cuando este caía y aterrizó a su lado. Luego, se agachó junto al caballo postrado, todavía consciente, y lo agarró del hocico. El garrote había caído entre los hierbajos. La mujer apretó la parte blanda del hocico con el puño y le gritó:

—¡Ni se te ocurra volver a hacerle daño a esa niña, ni se te ocurra volver a hacerla llorar, o te entierro a ti y tu pellejo inútil, ¿me oyes?! —Enfatizaba su advertencia soltándole puñetazos en el hocico, justo entre las fosas nasales. Sunny estaba aterrada e impresionada.

Pocket se puso en pie tambaleante.

—Vamos, Sunny —le dijo su madre—. Te toca.

Sunny montó en silencio, metió los pies en los estribos, tomó las riendas y dio la vuelta más segura y agradable que había dado nunca con *Pocket*. Su madre se encaramó a la valla y se sentó en silencio en un poste junto a la puerta. De ahí en adelante, allí se sentaba cada vez que Sunny montaba a aquel poni. No importaba qué sucediera, allí se quedaba a vigilar.

Pocket tuvo sus momentos de desobediencia, de cuando en cuando, pero nunca volvió a lanzar su cabeza hacia atrás para golpear en la cara a Sunny. Y nunca recuperó el mismo grado de maldad altiva. Periódicamente, mientras lo cepillaban o bañaban, su madre pasaba y le retorcía la oreja, primero con suavidad, luego apretando más fuerte.

–¿Al poni le gusta esto? ¿Le gusta su bonito hogar? ¿Disfruta estando vivo? ¿Sabe el poni la suerte que tiene?

Y Sunny supo que *Pocket* jamás olvidó aquel día en que alguien le atizó con un garrote en la cabeza.

Al final, el poni se le quedó pequeño. Su madre le regaló un caballo más grande y bonito. Pero nunca vendió a *Pocket,* que pasó toda su vida en la granja. Cuando Sunny se fue a la universidad, el poni y su madre la echaban de menos juntos. Y cuando el animal murió, fue algo muy triste.

Un par de meses atrás, Sunny había dicho: «¡Madre, lo único que va mal en ti es tan pequeño como una nuez!». La verdad es que no parecía que pudiera ir tan mal. Sunny tenía pensado pasar mucho más tiempo con su madre, quizá tener que buscarle una residencia. Quizá ir a visitarla en alguna playa caribeña. Sunny y su madre se habían dejado engañar por un diagnóstico equivocado. En realidad, había feroces tumores sueltos en el organismo de su madre, más grandes que una nuez. Así que aquellos meses de tomar analgésicos a escondidas y dejarla llorando en la bañera parecían crueles al volver la vista atrás. Pero antes de saber la verdad, Sunny se había tumbado junto a su madre, en su cama, y su madre, llena de un mal que nadie era capaz de percibir o comprender, se giró suavemente, despacio, sobre su manta eléctrica para estrechar entre sus brazos a su hija embarazada. «No te preocupes –le había dicho Sunny–. Mañana podrás levantarte de la cama. Es solo esa estúpida diverticulitis. No comas almendras.»

Para que Sunny pudiera continuar con su vida, sabía que su madre tenía que ponerse mejor y seguir viva. Pero, aún así, para que Sunny pudiera sentirse bien al marcharse del hospital ese día, sintió con una urgencia nueva y desconocida que debía dejar que su madre siguiera adelante y permitir que muriese. En todo lo relativo a la ciencia médica, no había nada que hacer. Era una situación de punto final. Sunny se había negado a admitirlo, pero era real. Se sintió muy sola en este mundo. Solo conseguía respirar si acariciaba el brazo de Bubber y el de su madre, a la vez. Era muy desagradable. Si Maxon hubiera estado allí, probablemente se habría inclinado sobre su hombro para decirle algo espantosamente inapropiado, como «¿Quieres oír unos chistes de bebés muertos?». Entonces, ella podría haberse girado para darle una bofetada. Pero tal como estaban las cosas, solo era capaz de permanecer sentada y maldecir a su marido por haberse ido al espacio en un momento como ese.

Maxon jamás diría: «No puedo irme al espacio en un momento como este». A fin de cuentas, había un programa preparado, un calendario decidido. Pero Maxon, con ella en un estado tan avanzado de embarazo y su madre en la UCI, sí que podía decir algo, y de hecho dijo: «Por supuesto, no hace falta que vengas a ver el lanzamiento. No es necesario». Y Sunny podía decir, y de hecho dijo: «No pasa nada, no pasa nada».

El médico entró en la sala. El médico de su madre era un hombre bajito y regordete con una mano deformada, un tipo bastante bromista. Tenía tres dedos unidos y el conjunto se retorcía como un garfio. Una de sus gracias preferidas era levantar las manos al cielo y clamar: «Señor, ¡haz que mi mano sea como la otra!», y luego fingía que su otra mano, la buena, se encogía como la de los dedos pegados. Aquello fue gracioso cuando lo del diagnóstico erróneo de diverticulitis. Ahora, durante la agonía por cáncer, no lo era.

—Sunny, ¡te has hecho un peinado nuevo! —bromeó el médico, tomando el historial de su madre.

—Tengo una enfermedad —espetó ella.

—Bueno, entonces ya somos dos —dijo el médico.

—Quiero desenchufar a mi madre del soporte vital —dijo Sunny—. Hoy mismo.

—¿Y qué es lo que te ha llevado finalmente a tomar esa decisión? —preguntó el médico, ojeando el historial.

—Mírala —respondió Sunny—, mi madre se está muriendo por momentos.

—Yo llevo unas cuantas semanas viéndola —dijo el médico—. Eres tú la que ha estado ignorando lo obvio.

—Lo siento. Tienes razón. Toda la razón.

El médico se dio media vuelta y salió de la habitación, con su estúpida mano. Sunny no sabía si iba a volver, o si volvería alguien. Se volvió hacia su madre y le dio unas palmaditas en el brazo. Ahora, su madre era una extraña. Una persona a la que ella había hecho daño. Una persona a la que había retenido bajo el agua, restregado contra el suelo y dejado allí mientras se le salían los ojos de las órbitas, los pulmones jadeaban, la piel se hacía papilla. Una persona a la que ella, Sunny, podría haber salvado, pero no lo hizo. Una persona a la que conservaba para su disfrute personal. Su madre estaba ahí como una vieja marioneta en una caja. Guardada para decir cosas, para hacer que saliesen cosas de su boca. Sunny, eres maravillosa. Sunny, puedes conseguir lo que te propongas. Cuando su madre en realidad ya pertenecía a otro mundo, Sunny había estado poniéndole grapas para sujetarla a este.

—Lo siento, mamá. Lo siento muchísimo.

Se inclinó sobre la cama, y posó la cara en el brazo frío y rígido de su madre, y supo en el fondo de su corazón que su madre no le guardaba rencor.

En una ocasión le dijo a su madre las palabras «te odio». Fue en el instituto, cuando se rebeló contra su calvicie, luchó contra ella y reclamó una peluca. En la contraportada de una revista de hípica encontró un anuncio de una cura para la calvicie —dirigido a hombres, por supuesto, pero parecía pensado justo para ella—. La Cura de Orquídeas era un producto a base de aceites naturales y extractos de plantas, comercializado por un médico indio, Chandrasekhar. Sunny golpeteó el dedo sobre el anuncio durante la cena, mientras su madre la observaba serena y en silencio, hasta que dijo:

—Es una estafa. No existe cura.

—¡No lo sabes! —chilló Sunny, sintiendo que una oleada de calor le inundaba la cara—. No sabes lo que tengo.

—Tienes que calmarte, cielo. No sirve de nada ponerse hecha una furia.

—Esto es lo que necesito —insistió Sunny, arrojando la revista sobre la mesa—. Esto está pensado para mí. ¿Por qué no me dejas probarlo? Lo pagaré con mi dinero.

Su madre sacudió la cabeza, sin enfadarse, sin alzar la voz.

—Es bueno querer cosas, Sunny —dijo—. Incluso es bueno necesitar cosas.

—¡Te odio! —le gritó Sunny— ¡Te odio!

Y se marchó dando un portazo, no sin antes oír que su madre decía:

—A veces es bueno odiar.

Una enfermera entró en la habitación.

—¿Quiere que llame a alguien para que la acompañe? —preguntó.

—No hay nadie a quien llamar —dijo Sunny—. Mi madre está aquí, mi padre está muerto y mi marido está en el espacio.

La enfermera asintió con un gesto de consuelo.

—Hay unos papeles que debe firmar.

—¿Lo van a hacer ya mismo? —preguntó Sunny.

—Así es —dijo la enfermera, como si fuera obvio.

Después de firmar los papeles, Sunny llevó a Bubber al lavabo. Vomitó en silencio en la pila, lo cual enfadó a Bubber, y luego lloró un poco más. Le preocupaba tener una contracción. Sabía que estando embaraza y sola en la tierra, y siendo la madre de Bubber, tendría que ser como un autómata con lo que estaba sucediendo. Tendría que plasmar su nombre donde fuera necesario y hacer los preparativos que fuesen necesarios. No iba a llorar, esconderse bajo la cama o salir corriendo por el bosque. Sabía que su madre querría que hiciera lo posible por mantener el equilibrio. Estaba sola en la tierra, en la tierra entera. Maxon no estaba en ningún punto del planeta. Una situación extraña para ella. Era como si Maxon hubiera muerto temporalmente. Si se encontrara aquí, él se habría encargado de todo aquello por ella sin molestarse lo más mínimo.

Sunny se imaginó una caja, una caja en la cual podía meter todo lo que le estaba sucediendo a ella y a su madre, una caja que podía cerrar herméticamente y guardar bajo la cama, para abrirla más adelante, o nunca. Sabía que tenía que meter lo intolerable de la muerte, el vacío de las últimas horas de vida y el miedo a enfrentarse al mundo sin un mediador, porque si conservaba esas cosas en sus manos, no sería capaz de seguir viviendo, conduciendo, dando de comer a su hijo, gestando su bebé. Así que se inventó la caja. Cabría bajo la cama, junto a la caja que contenía la muerte de su padre y todo aquel misterio. Luego se podría mudar a una casa nueva y comprarse una cama nueva.

Cuando regresó del lavabo, la enfermera ya estaba lista. Había mucho que hacer para matar a la persona que yacía en aquella cama, para dejar de mantenerla con vida. Había que apagar el respirador y extraerle el tubo de la garganta. El médico le había dicho, en una ocasión, que sacar el tubo del respirador la mataría definitivamente. Habían hablado de todo eso antes, cuando Sunny seguía adormecida bajo la peluca. En aquel entonces, sentía que el asunto más apremiante era encontrar a alguien que cortara el césped de la casa de su madre en Pennsylvania. Había vuelto a casa diciéndole a Maxon: Tiene mejor aspecto. Pronto estará en casa. El médico la había apremiado. Será rápido, le había dicho. No había comprendido que había sido una situación apremiante de verdad durante todo ese tiempo.

—Será mejor que permanezca al otro lado del cristal, donde pueda proteger a su hijo. Apartar la mirada si es necesario —advirtió la enfermera—. A veces pasan cosas.

¿Qué cosas podían pasar? ¿La iban a moler a palos? ¿Se iba a caer el cadáver de la cama? ¿Empezaría a balancearse como un ahorcado? Igual necesitaba echar a correr por el pasillo, salir por la puerta chirriante, escapar volando por el universo. Sunny salió por la puerta, dispuesta a solo observar, pero aquello no estaba bien. Supo que necesitaba un minuto más de aquel corazón latiendo, de aquel cerebro animado eléctricamente. Un minuto más antes de que su madre muriera.

Entró apresuradamente en la habitación, apartó a la enfermera de un empujón y agarró la mano hinchada de su madre.

—Madre —dijo—, escucha.

Podría ser lo último que le dijese. Su madre nunca sabría cuál sería el desenlace de la guerra, nunca sabría qué pasaría en sus series favoritas, no sería consciente de si su barrio era reducido a cenizas, o si Sunny iba a la cárcel o si Maxon aterrizaba en la luna. No sería consciente de si el bebé nacía o se evaporaba, ni siquiera sabría si era niño o niña. Ya no diría más palabras. Lo último que Sunny recordaba haberle oído decir era que le daba un poco de miedo su nueva asistenta. «Hay algo raro en ella —había dicho su madre—, y no logro saber lo qué es.»

—He perdido mi peluca —dijo Sunny, inclinándose para poner la mano de su madre sobre su cabeza—. Me la quité, y no volveré a ponérmela nunca más. Tenía que contártelo. No voy a ponérmela nunca más.

Sintió la fría mano resbalando por su cabeza, sin sujeción. Sin electricidad. Apartó la mano e hizo un gesto a la enfermera. Esta apagó las máquinas. Sunny abrazó a Bubber contra su costado y volvió la cabeza para mirar. El médico con mano de cangrejo permanecía en el vestíbulo. Su madre estaba en la cama. La enfermera extrajo el tubo del respirador y salió un sonido gutural, como una máquina que se para en seco. Pero su madre no murió en ese preciso instante. La garganta aspiró una vez, y luego otra. Su madre seguía viviendo. Sunny se volvió hacia el médico, que meneó la cabeza. Ella sintió que el tabique de cristal que los separaba se hacía añicos, explotaba encima del médico, reventando por todo el edificio, saliendo hacia el mundo más allá, como si la habitación hubiera estallado por la presión de meter todo lo que estaba sucediendo en una cajita cerrada con candado. El médico sacudió la cabeza y entró en la habitación. Tomó el pulso de su madre.

—Está aguantando —dijo.

—Lo dices de broma, ¿no? —repuso Sunny.

—No aguantará mucho —dictaminó el médico.

—No puedo quedarme aquí —dijo ella—. Tengo que irme.

El médico le lanzó una mirada fulminante.

Solo Maxon podría haber comprendido lo que estaba haciendo. Era como si hubiera una cascada de cristal, y solo comiéndose el cristal pudiese evitar que este cortara al bebé y a Bubber, así que estaba tragándose el cristal lo más rápido posible. No tenía tiempo para detener su ingesta y ponerse a dar explicaciones a los médicos. Su madre estaba aguantando. De momento estaba aguantando. Era su decisión, no la de Sunny. Su elección. Igual al final mejoraba. Sunny cerró la caja definitivamente y tomó a Bubber de la mano.

—Dale un beso a la abuelita —le dijo al niño—. Tenemos que irnos.

—Pero, espere. Tenemos que llevarla a otra habitación —dijo la enfermera—. Ya no puede quedarse en la UCI.

—Está bien, ya me llamaréis —dijo Sunny. El peso de todo el hospital descansaba en sus pulmones, aplastando al bebé. Tenía que irse. Tenía que salir por piernas, llevarse a sus hijos de allí. Era un punto de inflexión. Cuando estiras un tirachinas lo suficiente, hay que dispararlo. No se puede quedar así para siempre.

La madre no estaba muriendo. La madre estaba viviendo. La madre estaba pensando. Dentro del oscuro capullo de su cuerpo moribundo, había pensamientos en marcha. Ingrávida, se movía por su memoria y por lo que todavía quedase ahí dentro. Permanecía unida a un hilo de dolor y pena que seguía aferrándola a sus brazos, a sus piernas, a su tronco, que el tumor iba corroyendo. Pero se acordaba de todo lo que había visto. Solo era cuestión de sacarlo a flote, removerlo y darle vueltas.

11.

Los primeros recuerdos de Sunny eran de Birmania. Cuando tenía tres años, estaba sentada a la mesa con sus padres, cenando. En el centro de la mesa había una fuente con pescado al curry. En otro plato había un pollo asado. También había una ensalada de tomate verde. La familia se encontraba arrodillada alrededor de la mesa sobre cojines de terciopelo azul, y había un mantel también azul dispuesto bajo los platos. El padre extendió ambos brazos a los lados y Sunny y su madre tomaron las manos de él, que bendijo la mesa. Un ventilador eléctrico situado en la ventana lanzaba ráfagas de aire y removía la fragancia de las palmeras en la estancia, agitando unos mechones sueltos en el pelo de Emma.

Llamaron a la puerta. Sunny vio soldados en la entrada. Emma levantó a su hija en brazos y la apartó. Nu vino y se la llevó, la escondió. El padre estaba nervioso y sonrojado. Unas botas entraron pisando con fuerza. Las moscas se posaron en el curry. El ventilador rotaba a izquierda y derecha. Sunny tuvo miedo. Su madre todavía estaba masticando un bocado, tragando, intentando deglutirlo.

Alguien había delatado al padre como misionero cristiano y de inmediato la junta militar había decretado su arresto. El hombre lo entendió perfectamente cuando se lo explicaron. El mismísimo general Ne Win en persona había dado el visto bueno a su ejecución, le dijeron los soldados. El general Ne Win solo pretendía hacer las cosas correctamente. No negaba que Bob Butcher fuera un buen científico. Cualquiera que lo conociese se habría prestado a declarar que el hombre poseía un carisma y una honorabilidad intachables. Jamás había ofrecido su mano izquierda a una mujer, ni tocó la cabeza de ningún hombre. Pero el general tenía la obligación, como él mismo afirmaba, de aplastar a todo aquel que intentara debilitar la Unión.

Pero ¿qué sucedió para que estos hombres de gris venidos del otro lado de la montaña llamaran de nuevo a su puerta, y se metieran en el laboratorio y abrieran el armario secreto lleno de biblias y libros de salmos? ¿Quién dio el soplo que hizo que aquellos soldados de caras chatas se llevaran a Bob Butcher a la oficina de Correos, junto a una polvorienta caja de whisky de contrabando que el pastor había intentado usar como soborno? Nadie quería dinero en Birmania. Podías bañarte en las esmeraldas que encontraras cavando en tu jardín, pero no podías comértelas, ni fumarlas, ni usarlas para matar a tus vecinos. Las estupas, por ejemplo, estaban recubiertas de oro. Pero no había ni un autobús para cruzar la ciudad. De modo que, ¿a quién le importaba la oferta tintineante de un misionero empapado en sudor?

Después de que se llevaran a su marido dando un portazo, el corazón de Emma Butcher empezó a latir acelerado. Se dirigió a su dormitorio con su hijita, llevándola de la mano. Sacó de la cómoda un *nat* dorado, una estatuilla de uno de los antiguos dioses birmanos, que guardaba oculto bajo sus camisones. Mientras su hija observaba, colocó ese *nat,* el Joven Señor de la Danza, en el salón de la casita de muñecas de Sunny que estaba en un rincón. De un bolsillo de su bata sacó una barrita de incienso que prendió y agitó con la mano, y luego la depositó delante de la casita. Sunny se arrodilló a su lado, junto a Nu. La criada tenía un gesto serio, aunque sonreía; cantó una canción. Observaron al diosecillo sobre la alfombrita de trapo junto a la mesa y las sillas de bambú. Sunny fue a la cocina y regresó con una uva. Las mujeres de la casa habían ocultado estas prácticas animistas a Bob Butcher igual que él ocultaba las Biblias a los comunistas. A lo largo de sus doce años de servicio, Nu se lo enseñó a Emma, y Sunny lo aprendió de las dos. Todos celebraban sus ritos religiosos a hurtadillas. Bautismos y ofrendas de fruta. Comunión e incienso. Olores y campanas.

Emma rezó pidiendo bendiciones y protección. La vida continuó sin su marido. Al cabo de una semana, recibieron una carta. Bob Butcher se encontraba preso en Rangún y su ejecución estaba prevista para cuatro días después. Emma llamó a Sunny, que estaba en el jardín del té, y empezó a hacer las maletas. Entregó una pequeña bolsa de lino a su hija y le dijo que escogiera las cosas que cupieran dentro, que no fueran demasiado pesadas para que pudiera llevarla ella misma. Sunny eligió el *nat* dorado y algunos de sus sombreros trenzados. Una rama en flor de un árbol del jardín. La tetera de la familia. Emma escogió unas pocas ropas y luego reunió meticulosamente los apuntes de las investigaciones de su marido. Los colocó en una caja de cuero junto a una colección de probetas y viales, y el resto se lo dio a Nu, junto con un sobre de dinero. Sunny lloró cuando dejó a su niñera, diciendo «Nu-Nu» una y otra vez. Emma también lloró, y dijo: «Nu, en cuanto pueda, mandaré a buscarte. No te preocupes. Volveremos a vernos». Madre e hija abandonaron la cabaña a los pies de la montaña para siempre.

Viajaron hasta Mandalay en un autobús terrible, Sunny en las rodillas de su madre, tapándose la nariz y a veces llorando. Emma iba sentada muy erguida, sin lágrimas en el rostro. Mantenía la vista al frente y la boca relajada, hasta la lengua. Gastó algo de dinero en una comida agria que no les gustó, Sunny no se la comió. Deseó poder dar de nuevo el pecho a su hija, pero Sunny ya estaba destetada. Eso la habría calmado un poco.

Así llegaron a Mandalay. Vista desde el polvoriento lugar en que se encontraban, a orillas del río Irrawaddy, no era bonita. Por mucho que dijera Kipling, no lograron ver ni la pagoda Moulmein ni el amanecer que surgía como un trueno. Sin embargo, sí escucharon el viento en las palmeras, levantando el polvo; un viento seco que les dio sed, revolvió el pelo de Emma y las puntas del pañuelo que llevaba Sunny en la cabeza. Al final, encontraron un modo de continuar río abajo, en un transbordador capitaneado por un gordo que les ofreció el viaje a cambio de la biblia personal de Emma. Les costó diez horas llegar a Rangún.

Las velas triangulares de los pesqueros se alzaban como picos afilados contra el horizonte. Los cuernos puntiagudos de los búbalos revelaban su ubicación, arrastrando arados o bañándose en las aguas poco profundas. Nada más se erigía por allí. Pequeños pueblos agrícolas abrazaban las orillas del río cálido y manso por el que se deslizaban largas canoas de teca, conducidas con varas o remos. Emma sostenía a Sunny contra su pecho y sujetaba las maletas entre los pies. Cerca, una anciana sentada en una gran cesta se lamentaba por haber nacido mujer. Un joven monje iba en cuclillas junto a la barandilla; tenía afeitada la cabeza e incluso las cejas como ritual de iniciación. Emma se estremeció. Nadie podía dormir en una embarcación así, ni siquiera en el río Irrawaddy. No podías distinguir a un monje normal de un espía del Gobierno envuelto en una túnica naranja.

Otro recuerdo. Bolsa de lino y maleta de cuero en mano, se hallaban en la plaza delante de la recargada pagoda Sula en Rangún. Sunny todavía recordaba el aspecto que tenía la cara de su madre, de lo serena que se veía. La aguja de oro de la reluciente pagoda se alzaba en el centro del edificio, capa de oro tras capa de oro, cada vez más pequeñas, hasta la punta. Alrededor del pico central había una valla de oro y allí, tras la valla, se estaba congregando gente. Era un día caluroso y Sunny no había descansado bien. Se colgaba de la mano de su madre. Echó la cabeza atrás y vio que, justo en la punta de la aguja de la pagoda, había un remate en forma de sombrerito y una hermosa estrella.

La madre cambiaba el pie de apoyo pero no se apoyó en la pared blanca que tenían detrás. Permanecía tiesa. En la plaza, Sunny vio a una mujer con aros de oro subiendo alrededor del cuello. Los aros estiraban su cuello hasta el doble de su tamaño natural, y encima de aquel gran cuello había una cabeza arrugada y aplastada. Vio los magníficos *chinthes* blancos, estatuas de leones sagrados con enormes dientes y barbas verdes. Vio bebés morenos llevados a espadas de sus madres. Vio a un hombre con un solo brazo y media pierna donde debía estar su pierna entera, sentado en el suelo. Vio a niños hambrientos alrededor de una bolsa de basura a la puerta de un restaurante. Sunny solo tenía tres años. Más tarde, su madre tendría que ayudarla a recordar las cosas que vio, y las que sabía. Algunas personas llevaban harapos, otras se envolvían en túnicas naranjas. Su madre la llevaba de la mano. Luego, unas personas vestidas de marrón fueron arrojadas desde el tejado de la pagoda de oro, por encima de la valla de oro. Se quedaron colgadas del borde del tejado, oscilando como si bailaran.

La madre de Sunny tiró de ella y echaron a andar hacia el puerto. La niña preguntó si verían pronto a su padre. Su madre le dijo que nunca volverían a verlo. Años más tarde, frente a la pagoda Sula, se produciría un violento levantamiento contra el Gobierno. Miles de manifestantes serían silenciados a punta de bayoneta. Cuando los mataron, sus cadáveres permanecieron tirados en las calles con los cráneos rotos. La protesta continuó durante meses, hasta que la gente empezó a preguntarse si alguna vez Birmania fue un lugar hermoso. El dolor estaba por todas partes. En Birmania, las cosas no parecían mejorar nunca. Para Sunny y su madre ya era suficiente. Habían terminado con Birmania y el río Irrawaddy. Ya tenían bastante budismo, *nats* y monzones. Subieron a un barco con otras personas rumbo a América. Dejaron Birmania para siempre.

El destino de Bob Butcher fue turbio. Pero su esposa, al final, regresó a Estados Unidos, donde Sunny comenzó su vida como una niña americana.

12.

En su fuero interno, Sunny no terminó de aceptar que su padre hubiese muerto. No aprendió aquella lección de los cuerpos colgados. En el fondo de su corazón creía que había sobrevivido, que estaba vivo. Quizá nunca lo subieron allí arriba para que se balanceara colgado de la pagoda. A fin de cuentas, nadie había visto su cara. Tal vez había estado en prisión y años más tarde se había escapado. Se había perdido en la selva, confuso, o más probablemente triste. Imaginarlo como un fugitivo en este mundo era más agradable que la otra alternativa. En realidad, Sunny no conservaba un gran recuerdo visual de su padre, incluso al poco de que muriera. Su memoria de aquella época no incluía detalles. Pero sabía algo de él, sus rasgos generales, la potente energía que lo rodeaba. Le gustaba pensar que su padre era libre como una pantera.

Si su padre estaba por ahí, cazando en los bosques de Birmania, buscando su hogar, entonces Sunny no se encontraba sola del todo en este mundo. Su padre podría terminar arreglando las cosas, encontrando el modo de dar con ella. Podría aparecer en cualquier momento. Podría hallarse entre el tráfico de la ciudad, en un coche que pasa, mirando por la ventanilla, buscándola. Por supuesto, también podría tener sus motivos para mantenerse apartado. Tendría que actuar con cautela. A fin de cuentas, lo que le había pasado una vez podría volver a sucederle. El contacto con humanos podía acarrear consecuencias.

Sunny nunca logró identificar su cara en la de las personas con las que se cruzaba en coche. Pero eso no impidió que se preguntara si su propio rostro habría cautivado a otras personas, hombres en edad de ser padres. Pensaba que podría atraer la atención de alguien, alguien que nunca antes hubiera visto una cara como la suya. Esa persona diría: «Siga a esa chica, necesito saber dónde vive». Alguien serio y distinguido llamaría a su puerta, se enamoraría de su madre, y se convertiría en su nuevo padre. Igual resultaba que al final era la misma persona que el primer padre, pero oculto tras un buen disfraz. A lo largo de su vida conoció hombres que fueron buenos candidatos a padre. Un hombre de pelo canoso. Un profesor que le dijo: «Este tema no merece la pena si no tienes que memorizar como un condenado desde el principio. Todo lo que merece la pena empieza así».

La tragedia de un padre ausente nunca fue en realidad algo extremadamente trágico para ella. A medida que se hizo mayor y empezó a comprender el mundo, su padre se convirtió en parte de él. Una parte ya muerta. Su ausencia era el paisaje de su familia. Cada vez más, con el paso de los años, no sabía en realidad qué era lo que le faltaba, pero eso no evitaba que sintiera esa carencia. Le entró fijación por él. Le rezaba. Intentó investigar sobre él, encontró crípticas publicaciones suyas en revistas científicas. El lenguaje era tan formal que apenas podía entenderlo. Pero se dijo: Esto me resulta familiar. Esto es mío, sangre de mi sangre, carne de mi carne. Pensó: Él sentía algo cuando escribió esto, cuando estaba vivo. Y me lo transmitió a mí, aunque cualquier otro que lea el artículo solo perciba un montón de información sobre estos experimentos científicos, y sus reacciones ante todos estos aceites. Soñaba que su padre todavía estaba por ahí, publicando bajo seudónimo más propiedades químicas de la flora birmana, las exquisitas flores de una orquídea de la jungla enfrentadas a su mortero y su mano.

El convencimiento de que su padre seguía con vida no evitaba que contara historias sobre su muerte. No tardó en aprender, cuando empezó el colegio, que tener un padre asesinado por los comunistas hacía crecer su popularidad. Por supuesto, antes ya había adquirido cierta notoriedad en la escuela por el mero hecho de ser calva.

En el colegio, mencionaba a Bob Butcher como quien no quiere la cosa, y lo llamaba «Mi padre muerto», o «Mi padre asesinado por los comunistas», o «Mi difunto padre». En su escuela había otros niños que habían perdido a sus padres. A uno se le había muerto de un ataque al corazón a los cuarenta y cinco años. Ese pobre chico, que había estado ante la tumba de su padre y derramado lágrimas y mocos de verdad, no era capaz de traducir esa experiencia en un cierto estatus social, porque siempre se presentaba con manchas de estiércol en sus zapatos marrones, y a los otros niños no les importaba lo que estuviera supurando en su interior. Podía visitar la tumba de su padre, pero nadie le pasaba un brazo por el hombro. En cambio, había una notable curiosidad por la familia de Sunny en general. De modo que, finalmente, una chica de Forxburg, de esas familias que todavía tenían dinero, le pidió que contara a todo el mundo cómo había muerto exactamente su padre, pues.

—¿Qué pasa con tu padre? —le preguntó a Sunny—. ¿Cómo murió, pues?

Sunny, con un fuerte instinto social ya a sus once años, fue capaz de desviar el golpe. En lugar de desvelar su misterio en ese momento, fue lo bastante inteligente como para decir:

—Vale, te lo contaré, pero no hoy.

Y masticó su chicle haciéndose la misteriosa, entornó los ojos, y cerró su taquilla de un portazo. Luego esbozó una sonrisa radiante y se marchó pasillo abajo.

—Os lo contaré —dijo cuando otra niña rica del pueblo con una coleta y rizos muy austeros volvió a insistirle—. La semana que viene, algún día, probablemente en la pista de atletismo. Durante los entrenamientos. Buscadme.

Sunny nunca practicó deporte en el colegio ni en el instituto, pero iba a ver entrenar al equipo de atletismo religiosamente, casi todos los días. Estaba enamorada de uno de los chicos. Había niños que rondaban por allí esperando a que sus madres fueran a recogerlos, o haciendo novillos de los ensayos de teatro, la banda escolar, o cualquier otra clase. Pero ahora se sentaban, cerca de Sunny, que se ponía en lo alto del graderío a contemplar cómo evolucionaban los corredores de fondo. Todos la miraban expectantes, pero ella no tenía mucho que decir sobre el asunto. A mitad de la semana, alguien dijo: «Bueno, ¿nos lo vas a contar algún día?». Y Sunny contestó abruptamente que iba a hacerlo ese mismo día. Cerró su cuaderno de matemáticas y lo dejó a un lado, mordió su bolígrafo distraídamente y luego lo arrojó a sus espaldas.

—Mi padre murió en una meseta —dijo—. Estaba allí, en lo alto del Tíbet.

Una brisa cálida sopló por el verde valle procedente del río. La pista estaba encajonada en una hondonada, detrás de la escuela. En esa tierra de colinas onduladas apenas había una héctarea de terreno llano en todo el condado, lo que prácticamente hacía imposible tener piscinas. Los niños que la rodeaban se volvieron para mirarla, sus cráneos ocultos por sus cabellos. Un par de ellos también llevaban sombreros. Sus traseros hacían crujir las gradas de madera, y la pintura verde desconchada se pegaba a las costuras de sus vaqueros.

—Eso está cerca de China —añadió—. En el extranjero.

Uno de los niños asintió con la cabeza. Un chico miró a otro y murmuró por lo bajo: «No es verdad». Los chavales de la pista pasaron trotando, otra vuelta más al asfalto. Sunny carraspeó.

—Era invierno en el Tíbet —continuó—, y los comunistas iban armados hasta los dientes.

Los niños se pusieron algo más tiesos y prestaron atención. Sunny juntó las manos y las giró, estirando los codos. Bostezó.

—¿Cuántos comunistas había? —preguntó una chica.

—Tres —dijo Sunny—. Había tres comunistas, con uniformes beis. Los uniformes del Ejército Popular Chino de Liberación. Exterminaban a todos los misioneros, incluso a los que tenían familias que mantener. Mi padre logró escapar y se escondió en un monasterio budista. Pero los comunistas fueron al monasterio y lo encontraron. Estaba en una habitación oscura, entre dos tinajas de agua, probablemente rezando o algo así. Entraron en la habitación y fueron volcando las tinajas una a una. Las tapas de barro se rompían, el agua se derramaba por doquier. Mi padre se levantó en medio de aquel destrozo de cerámica y cosas del monasterio y dijo: «Estoy aquí». Y lo sacaron a rastras, lo subieron a la montaña, encima de una gran roca plana. Había monjes, esto... muriendo por todas partes. A bayonetazos.

—Pero ¿él qué había hecho? —preguntó un chico con bermudas rojas—. ¿Por qué estaba metido en líos?

—Porque no era comunista, obvio —dijo Sunny con tono afable, y los demás miraron al de las bermudas rojas como si fuera un completo idiota.

—Así que lo subieron a rastras a esa roca alta, un soldado a cada lado y otro por detrás. Todo muy incómodo. Lo tiraron al suelo. «¿Crees en el comunismo?», le preguntaron. «No», dijo mi padre. «¡Jamás creeré en el comunismo!»

La voz de Sunny retumbaba en la pista. Alzó un dedo huesudo y lo agitó.

—Le dieron patadas en el estómago dando vueltas a su alrededor. «¿Crees en el comunismo?», seguían preguntándole, pero él siempre respondía «¡No!», y volvían a patearlo. Sus botas estaban secas y duras, y sus piernas eran cortas. Pero no había polvo alrededor; en el Tíbet no hay polvo porque no hay tierra, solo roca. Esos soldados tenían la cara chata y achinada, pero eran duros y malvados. Finalmente lo apuntaron con sus pistolas a la cabeza y lo levantaron para que estuviera de rodillas sobre la roca, y luego se lo cargaron. A tiros.

—¡Joder! —dijo un chico, impresionado.

Un claxon sonó en el aparcamiento, anunciando la llegada de la madre de alguien. El equipo de atletismo se había separado, una larga fila descolgándose del grupo de cabeza. Sunny vio que al frente del grupo iba un chico alto y flaco con la cabeza rapada que corría mecánicamente. Otros lo seguían con la respiración acelerada, completando un kilómetro más.

—En el Tíbet no se puede enterrar a la gente —continuó Sunny—. No se puede cavar; la roca es muy dura. Así que lo cortaron en trocitos con unos enormes machetes de acero y lo dejaron allí, de comida para los buitres. No hablaron mientras lo hacían, solo tajo, tajo y tajo. La roca se puso toda roja de la sangre y se formaron charquitos rojos aquí y allá. Y luego bajaron de la montaña. Cuando los buitres se lo comieron, sus huesos se secaron y finalmente el viento se los llevó de la roca y se convirtieron en parte de la gravilla. Huesos blancos.

—¿Cómo puedes saber eso? —dijo el cínico de las bermudas rojas.

—¡Cállate, tío! —exclamó el niño a su lado, y lo echó de las gradas de un empujón.

—Sunny, eso es terrible —dijo la chica de la coleta de rizos—. Debes de sentirte fatal.

Sunny asintió y contempló a los corredores. Entrelazó los dedos sobre el pañuelo que llevaba al cuello. Tenía los ojos húmedos.

Sunny contó la historia de nuevo en la universidad. Escribió un poema sobre ello para un taller de poesía que estaba cursando como asignatura optativa. En esta versión de la historia, a su padre lo colgaban por los pies de una barra en una prisión birmana.

Solo los hombros y la cabeza tocaban el suelo. Permaneció allí colgado hasta que murió, y solo dejaban acercarse a su madre, aunque desde el otro lado de los barrotes. La celda era oscura y mohosa. El prisionero estaba desnudo. La agonía, escribió en su poema, era acrecentada por los mosquitos. La porquería, informó a sus lectores, solo cesaría con la muerte. Por delitos contra el Gobierno, por actividad subversiva, por poner en peligro la república, y por la cristiandad, a su padre lo colgaron hasta que se pudrió.

La madre recorría el camino entre Mandalay y Rangún, con su embarazo, y dio a luz en la oscuridad, en un matorral tras el palacio en ruinas. Envolvió al bebé en su propio *lungi,* se limpió, y aquella misma noche fue a visitar a su esposo. La condujeron hasta la celda, al fondo de un edificio alargado y bajo. Desde la puerta, lo llamó. Metió al bebé entre los barrotes, para enseñar al padre lo que había sucedido. Había un cuervo posado en la ventana. Una serpiente se deslizaba por la pared. El bebé lloraba y se retorcía en la penumbra, y el padre volvió su torturada cabeza y sonrió al verla. «Aquel bebé era yo –dijo Sunny mientras la clase comentaba su poema–. Aquel bebé era yo.» En esa versión de la historia dejó fuera el tema del eclipse. Le pareció que no resultaría demasiado realista.

El poema se publicó en la revista literaria de la universidad, y los editores invitaron a Sunny a leerlo en una capillita del campus. Al final de su lectura, se hizo el silencio en la capilla y luego hubo aplausos.

Cuando Sunny y Maxon se mudaron a Virginia, ella organizó una fiesta de inauguración de la casa. Invitó a todos los vecinos de su calle, y todos acudieron. Tenía suficientes vasos de cóctel para todos. La casa era perfecta, como un desplegable del *Architectural Digest*. Alfombras color pistacho, tarima de gruesas placas de nogal, embellecedores de níquel satinado para los focos del techo, y una higuera dorada con lustrosas hojas como un árbol del dinero en un rincón. Todo era nuevo, hasta el conjunto de sillón y otomana de cuero envejecido, aunque pareciera que tenía cien años, como si fuera una casa donde se hubieran tomado decisiones de las que cambian la vida, una casa que se deja y a la que se vuelve tras viajes lejanos. Una casa donde se hubieran firmado tratados. Una casa con solera.

Se habían deshecho de su vieja mesita de café, un enorme trozo de vidrio verde. No era nada segura para niños, pero ese era el menor de sus defectos. «No queda bien aquí –le dijo Sunny a su marido–. Y, para ser sincera, cariño, tú tampoco.» Maxon, igual que la gran mesita de café verde, no habría salido en el *Architectural Digest*. Sunny no quería venderla, así que la sacó al callejón y la dejó allí, como un signo de interrogación translúcido en la ciudad.

Sunny nunca habría sacado a Maxon a un callejón. Sin embargo, si hubiera podido confinarlo en su despacho aquella noche, lo habría encerrado tras la gran puerta y pegado cinta adhesiva en las junturas, para que ni siquiera el más mínimo soplo de aire o indicio de Maxon pudiera filtrarse.

No es que él tuviera ganas de asistir. No es que hubiera dicho: «¿Puedo ir?». De hecho, había dicho muy claramente:

—No me siento cómodo con la idea de que venga gente a casa. Parece que has invitado a todo el barrio.

—Maxon, cuantos más seamos, más reiremos —trinó ella, sonriendo desde el fregadero mientras lavaba unas zanahorias.

—Esa frase es terrible —dijo Maxon, sacando una coca-cola light del frigorífico.

—Pero, en serio, es socialmente apropiada —adujo Sunny—, y en este caso los números juegan a tu favor.

—¿A qué te refieres? —preguntó él, abriendo la lata. Sunny gesticulaba con una zanahoria pelada en la mano y un brillo en los ojos.

—Cuanta más gente haya, menos tendrás que hablar. Es así, ¿no? Si invitase a una persona, tendrías que hablar un montón. Pero con veinte personas, puedes desaparecer en el sofá. Asentir, sonreír, y nadie se dará cuenta.

Maxon quitó los imanes del frigorífico, el calendario de reciclaje y las postales, y lo atacó con su rotulador de tinta soluble. Siempre tenía uno a mano. A Sunny le encantaba observarlo, ver cómo traducía las cosas a su propio idioma. En momentos como aquel, en que todo se desarreglaba, sabía que se comunicaban de verdad.

—Entonces, ¿algo así? —dijo Maxon.

$$\text{SEA } n = \text{N}^{\circ} \text{ de personas}$$

$$\lim_{n \to \infty} \left(\frac{1}{n}\right) = P$$

—¿Donde P será el número de palabras de las que soy responsable? —Hizo una pausa, esperando, con el rotulador todavía cerniéndose sobre su última ecuación.

—Pues sí, y lo que intento decir es que puede subir hasta un cincuenta por ciento si n es igual a dos. Ya sabes, como en una cena romántica. Pero si *n* es igual a veinte, será una cantidad despreciable

–Genial –dijo él–. Bueno, está bien. Ya lo capto. Pero por el momento voy a volver a mi despacho, donde *n* es igual a uno.

–Maxon, si *n* es igual a uno, ¡no puede haber conversación!

Sunny lo dejó ir. Si al final Maxon quería estar presente en la fiesta, ella no podría impedirlo. La gente sabía quién era. Igual ponían su comportamiento en contexto. A medida que se acercaba la hora, Sunny dio los últimos toques a su peluca, pidió a la mujer de la limpieza que prestara una atención especial a los rodapiés y deseó que, al final, Maxon no saliera de su despacho. Igual, si la casa ofrecía un aspecto lo bastante magnífico, la gente no se percataría de su ausencia.

El remate favorito, pensó Sunny, era una vitrina de cristal que contenía sus recuerdos: un *nat* de Birmania, una cesta con piñas de los bosques que rodeaban la casa de su madre, y en la balda superior una pluma Mont Blanc de diez mil dólares. Nunca habían usado esa estilográfica, así que allí estaba, iluminada por un foco, cargada de tinta. Sunny la había encontrado en un catálogo de cosas parecidas, plumas tan caras que había que guardarlas en vitrinas, carteras de piel de cordero, todas las cosas que usa la gente real, padres responsables, y no los raritos llegados de otro planeta o continente y que decidían tener hijos. Sunny la contemplaba con amor, como si fuera su auténtico marido, esa pluma, fabricada con tanta perfección y forjada con tanta elegancia. «Hola –diría a sus invitados–. Soy Sunny Mann, y este es mi marido, Maxon.» Y señalaría la pluma. Todos sus invitados inclinarían la cabeza hacia la estilográfica, asintiendo y sonriendo. La pluma reluciría impecable. No diría nada extraño ni haría ruidos molestos chascando los pulgares.

Sunny estaba embarazada, acostumbrándose aún a la sensación de llevar una peluca sobre la cabeza, y acostumbrándose aún a la sensación de llevar a otra persona moviéndose en su interior, alimentándose de su sangre, conteniendo la respiración, esperando a salir. Estaba intentando de verdad hacerlo todo bien para que saliera el bebé. Estaba intentando de verdad corregir los errores surgidos en el universo, todo aquello de los padres desaparecidos y la calvicie y esa enfermedad que la gente, ahora que Maxon era millonario, llamaba con bondad «excentricidad».

Los primeros invitados en presentarse fueron Rache y su marido Bill, y luego Jenny y su marido Roland. Llegó más gente. Las mujeres dejaron que Sunny recogiera sus chales de punto y llevara sus platos envueltos en film transparente a la cocina. Había bandejas con galletitas recubiertas de chocolate, y fuentes de carambolo pinchado con palillos de colores. Los hombres movían la cabeza, sonreían y miraban alrededor. Luego comenzaron a hablar unos con otros, acomodándose en sillones de cuero a juego. La conversación fluía adecuadamente. Sunny se descubrió diciendo las cosas que debía decir, cosas que los vecinos aprobarían. Se dio cuenta de que las decía con una energía confiada que antes solo había sentido en situaciones en las que no llevaba una peluca puesta. Aquella fiesta le hizo sentir bien. Le hizo sentir que con la peluca formaba parte de ellos, pertenecía al mundo de la gente que llevaba su vida entera viviendo bajo cabello.

No es una peluca, es un sombrero. No es un sombrero, es una cabeza con pelo. No es una cabeza con pelo, es un uniforme, pensó. Mientras tanto, su boca estaba diciendo algo sobre el jardinero que trabajaba para todos. Su boca decía que estaba de acuerdo. ¿Debería emplearlo ella también? Oh, lo llamaría. En su interior, sabía que lo contrataría, le encontraría fallos, lo despediría. Encontraría a un nuevo jardinero, alguien a quien todos adorarían. No querrían que ningún otro chico cortara su césped. En un mes, su nuevo jardinero estaría repasando las esquinas en la casa del alcalde. Sunny llenó los pulmones de aire. Sus pies casi no tocaban los baldosines de la cocina. Su mano aterrizó con gracia sobre la encimera, imitando el gesto de Rache al apartar una mota invisible de polvo del borde reluciente del fregadero.

Entonces, se abrió de par en par la puerta del despacho y Maxon salió. Por primera vez ese día, Sunny se fijó en que su

marido llevaba una camiseta de Joy Division y unos pantalones de chándal azul brillante. «No», le dijo sacudiendo la
cabeza. No puedes salir vestido así. Vuelve a tu despacho. Tenía
una pizarra bajo el brazo y un rotulador rojo en la mano.
Todo se detuvo y todos los invitados lo miraron. Sunny lo
miró y tuvo miedo. En la pizarra había un laberinto. Sunny
no podía creer que hubiera sacado su laberinto a la fiesta.

Ella sabía que ese tipo de laberinto era una herramienta
de meditación medieval, con una salida y una entrada. Un
laberinto no es como un dédalo con calles sin salida. Es solo
un giro tras otro que te conducen al inevitable centro. Sunny
lo sabía porque ella y Maxon hablaban de ello todo el tiempo,
en ese momento de sus vidas. Seguían intercambiando información sobre el tema. Seguían dibujándolos, en servilletas, en
la tapa del lavavajillas, en el cuero cabelludo de Sunny.

De hecho, toda esa historia de los laberintos había sido ori-
ginalmente idea de ella, pues había hecho una peluca con ese
estilo cuando estaba en la universidad, las líneas y esquinas de
un retorcido laberinto oval extendiéndose sobre su cráneo. En
el centro del laberinto había un bichito con la cabeza dibujada
pegada a su cuero cabelludo. Pero Maxon no había sido capaz
de dejarlo estar, guardaba fotografías de su laberinto, lo modi-
ficaba, lo comparaba con el famoso laberinto que había visto
en Chartres, obsesionándose con la idea de que el proceso de
toma de decisiones es una única línea, no una serie de ramificaciones, no un diagrama de flujo en absoluto, sino un único
hilo enroscándose sobre sí mismo. Estaba trabajando en estruc-
turar su lógica de la inteligencia artificial en torno a esta idea:
que el robot no se enfrente a una serie de elecciones como
senderos que se bifurcan, sino que experimente un único hilo
de pensamiento a lo largo del cual se toman las decisiones. Una
vez que se tomaban esas decisiones, la elección descartada dejaba de existir, no había existido realmente.

—Si lo ves así —había dicho Maxon—, todo se vuelve muy
sencillo. Necesitas alrededor de la mitad de la programación
que crees que necesitas. La gente no puede escapar de la vieja dicotomía «o esto o lo otro».

—¿La gente en general, o los programadores? —quiso saber Sunny.

—Los programadores son gente —dijo Maxon.

Ahora Maxon se dirigió al frigorífico y lo abrió. Permaneció con la pizarra en una mano, el laberinto lleno de garabatos vuelto hacia su cara, y sacó una bolsa de guisantes. Sunny comprendió que su marido se había olvidado de la fiesta. Él abrió la bolsa de guisantes con los dientes, la dejó en la encimera y empezó a revolver en su interior, todavía mirando la pizarra, con el rotulador ahora en su oreja derecha. Uno de los invitados carraspeó y dijo:

—¡Hombre! ¿Qué tal?

La sorpresa de Maxon fue natural. Dio un respingo, se le cayó la pizarra al suelo con un sonoro estrépito y miró con ojos de pánico al grupo que estaba en la sala. Sus ojos se posaron en Sunny. Ella sacudía la cabeza, lentamente. Pensó que quizá lo había animado demasiado. Porque ahí estaba él, abriendo la boca, dispuesto a cargar con el peso de la conversación.

—Oh, ¡¡qué tal!! —dijo Maxon demasiado alto—. ¡¿Qué tal, tíos?!

Recogió la pizarra y se atragantó con un guisante. Volvió la cabeza y Sunny vio que tenía un auricular Bluetooth en la oreja.

—Maxon, apaga tu oreja —dijo Sunny, indicándole por gestos que se quitara el auricular.

Maxon se lo arrancó como si fuera un escorpión mordiéndolo, y lo arrojó sobre la encimera. Cuando la conversación retornó a la sala, Maxon avanzó hacia su mujer, estirando el brazo para pasárselo por la cintura. Sunny vio la mano acercándose, manchada de rotulador rojo, y supo que Maxon habría dibujado ese laberinto probablemente cincuenta o cien veces desde que se había metido en su despacho después de comer. La tinta roja ensuciaría la chaqueta tan divina que se había puesto, con las mangas recogidas con arte hasta el codo, la cremallera colgando juvenil alrededor de su barriga de embarazada. Agarró el codo de Maxon con sus dos manos y lo acercó hacia ella. Le dio unas palmaditas en la espalda.

—No pasa nada, está saliendo genial —dijo Maxon en voz baja—. Está saliendo realmente bien. —Miró el laberinto, volviendo a él con un dedo rojo, encontrando un camino en él.

—Eso está muy bien, querido —dijo ella en voz baja—. ¿Por qué no vuelves ahí dentro? Puedes llevarte un plato.

Pero la mirada de Maxon había encontrado la vitrina de los recuerdos y observaba atentamente la pluma Mont Blanc.

—¿Qué es eso? —preguntó.

—Oh, es la vitrina, Maxon —dijo Sunny. Hizo un gesto vago y entornó los ojos frente a sus nuevos vecinos, como queriendo decir: «Bueno, sí, es un poco rarito, pero es tan inteligente... Qué remedio».

—No —dijo Maxon, con la mano ya en el cierre de la vitrina—. Me refiero a esa pluma. ¿Qué hace ahí metida?

—Ah, la pluma —dijo Sunny. Podía sentir gotas de sudor entre su cabeza y la peluca, que se tambaleaba encima de ella. Sentía demasiado peso en la parte superior de su cuerpo; se sentía débil, como si su bebé se hubiera convertido en un globo, su peluca estuviera hecha de cemento, y pudiera caerse de una balaustrada al abismo.

La sala estaba callada, expectante.

—¿Qué hace una pluma en la vitrina de los recuerdos? —dijo Maxon—. Eso es absurdo.

—No; es... —empezó Sunny—. El catálogo, ¿recuerdas?

—Es un poco raro —intervino Roland con ánimo de ayudar, estirándose para mirar la vitrina—, a menos que... ¿Es la pluma de tu abuelo, o algo así?

El hecho de que una pluma no debiera estar en una vitrina, a pesar de que apareciera así en el catálogo, resultó inmediatamente obvio a Sunny, aunque no le hubiera resultado obvio antes. Maxon la miró y los vecinos la miraron, con sus pelos rubios brotando de los poros e injertos de sus cabezas.

—Estas piñas son de los bosques de donde crecí —dijo Sunny alegremente—. Y este *nat* —continuó, señalando la pequeña escultura de piernas cruzadas con el sombrero puntiagudo—.

Este *nat* es de Birmania. Yo nací allí. Es un espíritu guardián de la selva…

—¿Birmania? —preguntó Rache.

—Sí, Birmania. Ahora se llama Myanmar. Pero nací allí. Y mi padre murió allí.

—Lo siento —dijo Rache, posando una mano sobre la chaqueta tan divina de Sunny. Su mano, igual que las de los demás, estaba finamente moteada con pelitos claros. La de Sunny no, pero nadie podía darse cuenta. Solo querían saber cómo había muerto su padre.

—Era misionero —dijo Sunny—. Trabajaba allí, levantando la iglesia cristiana en Birmania. Pero para los comunistas era ilegal… Tener una iglesia. Así que lo arrestaron… Por desgracia.

Estaba contando la historia con prisas, cagándola. Pero es que Maxon estaba sacando la pluma de la vitrina, para darle vueltas en la mano y probar a ver si escribía en su muñeca. Sentía que su marido la ponía en evidencia, como si su ropa interior asomara por encima de los pantalones, como si el techo de la casa hubiera salido volando, como si hubiera dicho una palabrota en mitad de la iglesia.

—Y lo metieron en la cárcel —añadió—. En la cárcel.

—¡Vaya! Convicto en el extranjero —dijo Rache—. Eso da bastante miedo. ¿Murió en la cárcel?

—Bueno —dijo Sunny—. Se escapó.

—¿En serio? —terció Bill con tono estentóreo—. ¿Cómo lo consiguió?

—No era una cárcel muy segura —explicó Sunny. Al menos ya no estaban hablando de la pluma. ¿Quién se gasta tanto dinero en algo que solo sirve para escribir?—. Lo tenían en Rangún. En una antigua fortaleza británica en ruinas. De hecho, logró escapar encajando la manga de su jersey entre la pared y el borde de la puerta, cuando la cerraban, dejando la cerradura atascada sin que el guardia se percatase. Al final se las arregló para salir del edificio… Ya sabéis, deslizándose por oscuros pasadizos y tal. No obstante, una vez fuera, aún no se encontraba a salvo del todo. Tuvo que internarse en la jungla. Estaba oscuro. Era plena noche. Se arrastró hasta que notó la espesa oscuridad de la selva de las tierras bajas de Birmania. Entonces supo que estaba a salvo.

Ahora su audiencia estaba con ella de verdad. Todos sus ojos de búho la miraban.

—Se incorporó y corrió por la selva, ebrio de libertad. Como si no le importara lo que hacía o adónde se dirigía. Y no se dio cuenta, en realidad no lo sabía, que había un barranco por allí. Estaba tan oscuro que se despeñó directamente y se rompió una pierna. La tenía tan partida que no le serviría para salir de aquel hoyo. Pensó en esperar a la mañana y luego escuchar, igual había un poblado de leñadores cerca. Igual pasaba algún pescador de camino al río.

Maxon parecía dispuesto a retirarse a su despacho. Sunny alzó la voz y su marido se detuvo.

—Quizá pasaría por allí correteando un niño a quien pedir ayuda. Sabía que no podría salir de aquel agujero entre las rocas por sí solo. Pero tenía miedo de atraer a los soldados si gritaba. Pensaba que si no hacía ruido, tal vez no se darían cuenta de que se había fugado, igual no lo estaban buscando. Pero entonces se preguntó si sobreviviría a aquella noche en el fondo de aquel barranco, con los animales, los insectos… Hay muchos peligros en las selvas de Birmania, y si no estás preparado, puedes tener problemas gordos.

—Pero ¿qué pasó con su pierna? —preguntó Jenny con tono quejumbroso, mordiendo un trocito de lazo de almendras.

—Su pierna tenía mala pinta. Le colgaba como en zigzag.

Maxon se apoyó en la encimera, mostrando ahora una atención total. Se le marcaba una línea de arrugas entre las cejas, lo cual indicaba que la persona a la que estaba escuchando decía algo de interés.

—Le costó permanecer en silencio. Intentó mantener la calma, concentrarse en algo que no fuera su pierna, pero estaba perdiendo la conciencia. Creo que debió de entrar en estado de *shock*. Creo que se desmayó.

Jenny asintió con la cabeza y devolvió distraídamente al plato el resto del lazo.

—Al final resultó que sí se presentaron los soldados, esa misma noche. Llegaron con linternas, y mi padre percibió a través de sus párpados cerrados el haz de luz moviéndose de un lado a otro, allá arriba. A pesar del dolor, y seguramente todavía un poco conmocionado, recobró el conocimiento. Y al ver la luz gritó pidiendo ayuda. Fue un acto reflejo, como soltar un juramento cuando te pinchas en la mano con tu propia pluma. Fue suficiente para alertar a los soldados de su presencia, que apuntaron con sus luces al fondo de la grieta entre las rocas, y ahí estaba él.

—Mierda —masculló Bill.

—Los llamó, incluso después de ver que eran soldados y darse cuenta de su error. Pensó que lo llevarían de vuelta a la cárcel, que quizá lo ejecutarían, pero al menos lo sacarían de aquel agujero y le aliviarían un poco el dolor de sus huesos rotos. Sentía como si le estuvieran arrancando la pierna de la cadera. Pero los soldados solo hablaron entre ellos en chino. Mi padre no lo entendía. Lo iluminaban una y otra vez con sus linternas. Lo veían allí, con la pierna doblada en forma de la letra sigma y cubierto de agujas de pino, resultado de sus intentos por salir del hoyo. Y entonces, se marcharon. Sin decirle nada ni darle ningún aviso, simplemente se marcharon y lo dejaron allí. No hicieron nada por salvarlo. Sencillamente, decidieron dejarlo morir.

Maxon se sujetó la cabeza entre las manos, ambos codos apoyados en la isla de la cocina, los ojos ocultos. Luego alzó la mirada, los ojos despejados.

—¡Jo! —exclamó.

—Y allí murió, en aquel agujero, completamente solo. Machacado y con la pierna rota.

—Me vuelvo a mi despacho —dijo Maxon—. Que lo paséis bien. Vamos a devolver esta pluma aquí dentro por seguridad. Es la que utilizó mi tío Chuck para firmar la Carta Magna, ¿sabíais?

Era bien entrada la noche, tres años más tarde. Maxon se había ido a la cama. Sunny estaba en su vestidor con sus pelucas.

Estaba escribiendo en el diario del paciente de Bubber. Sobre una estantería alargada y baja que ocupaba toda una pared, había silenciosas cabezas de vidrio negro. Las había comprado en Pier I en los años noventa, cuando estaba en la universidad y empezó a hacer sus pelucas. Eran una especie de objetos de arte, decorativos y baratos, pero le encantaban. Inescrutables y serenas. Opacas y sin pelo. Las miraba y pensaba: Toda mi vida he sido tan feliz, y tan normal, y tan lo que sea. ¡Venga! ¡Todo es alegría y felicidad! No existen los problemas. Ni la calvicie. Ni el padre asesinado por el comunismo. Eso no tiene nada de extraño. Nunca me hizo mucha mella, la verdad. Pero esto de aquí, esta cabeza negra, esto es lo que significa ser calva. Esto es lo que significa estar muerta. Esto es lo que significa ser yo. Estos eran los pensamientos que le provocaban las pelucas durante aquellos años turbulentos, antes de casarse con Maxon. Luego, simplemente se convirtieron en algo divertido. Y después en fantasmas.

Tenía diez, que habían viajado con ella a la universidad, a Chicago, y luego a Virginia, aunque era un auténtico engorro empaquetarlas y cargar con ellas. Hubo un tiempo en que se refería a ellas como las musas. Ahora solo eran maniquíes para pelucas. Por muchas cosas que le hubieran dicho en el pasado, ahora guardaban silencio. De hecho, Sunny las había vuelto de cara a la pared. El vestidor era una estancia que no supo que necesitaba hasta que tuvo uno. Una vez que lo tuvo, se convirtió en su cabina de teléfonos, su *batcueva,* su nube de humo. Entraba calva y salía perfecta. Mientras una pared estaba formada por armarios divididos en secciones para zapatos, vestidos y blusas dobladas, la otra, iluminada por focos encajados en el techo, era el banco de pelucas. Podía salir, cerrar la puerta e invitar a sus amigas a admirar el nuevo ventilador de techo encima de la cama, y ellas jamás sabrían que detrás de aquella puerta había diez cabezas negras con diez pelucas en completo silencio.

Ahí era donde escribía el diario del paciente de Bubber al final del día. Ahí era donde guardaba todos sus secretos, en cajoncitos bajo la balda de las pelucas, todas sus posesiones más íntimas. Se sentaba en una *chaise longue* descolorida e intentaba concentrarse mientras escribía cómo había pasado el día Bubber. El médico quería un registro. Quería saber cómo le afectaban las distintas medicaciones. Sunny tenía que hacer un seguimiento.

«Hoy —escribió—, Bubber se ha pasado el día escribiendo. No ha comido nada más que galletitas saladas. Ha evitado el contacto visual. Solo ha abrazado al perro cuando ha querido.» ¿Qué significa para un niño de dos años pasarse el día escribiendo? Se plantaba ante su pizarra de caballete con su pelele, y la llenaba de letras. Aa, Bb, Cc, Dd, Ee, Ff, Gg, y así. Cuando estaba llena, la borraba y volvía a empezar. Se pasaba horas de pie haciendo eso. Si Sunny le daba unos folios, los llenaba. Primera página: Aa AVIÓN. Segunda página: Bb BARCO. Tercera página: Cc COCHE. Hasta la saciedad. Agotando la tinta de los rotuladores. Saturando la habitación. Agotándose. Se despertaba a la una de la madrugada y permanecía en vela hasta las cuatro, leyendo libros él solo en voz alta. Creando los sonidos de las letras con su boca, recitando, leyendo, como quieras llamarlo, se ponía con el cuento *Una torre de diez manzanas* hasta que el libro se le caía de las manos. Era tan chiquitín que apenas podía pronunciar las palabras, pero podía leerlo cincuenta veces sin cansarse. Tenían un ejemplar en el piso de arriba y otro en el de abajo. Así eran las cosas. Eso fue lo que pasó después de que dominara los bloques de construcciones.

Sunny no sabía cómo escribir todo eso. No podía meter lo bastante a los médicos en la vida de Bubber, para que vieran lo que realmente sucedía. Tendrían que presenciarlo, y no podían. Ella no era capaz de mostrarles, ni siquiera de contarles, lo que pasaba. Era demasiado angustioso. Guardó el cuaderno y se levantó. Se dirigió al cajón bajo la balda de las pelucas y sacó una cartulina, un folleto que había recibido. La propaganda decía: «¿Se te cae el pelo? ¡No pases por eso! La fórmula a base de orquídeas del doctor Chandrasekhar cura la calvicie». Por delante aparecía un hermoso retrato de una mujer de cabello largo y suelto con un tocado de orquídeas. Por detrás venía la dirección y toda la información. Llevó el folleto al oscuro dormitorio y cerró la puerta de su vestidor.

—Maxon, despierta —dijo.

—¿Eh? —dijo él con voz gangosa. Y tras una pausa añadió—: ¿Qué pasa?

No se dio la vuelta ni se movió, se quedó en su lado, sin darle la cara, bajo el edredón, con una mano agarrando el remate del poste de la cabecera de la cama, como solía dormir. Como si estuviera colgando, temeroso de hundirse en el colchón. Sunny encendió la luz del techo.

—Voy a probar esta cura para la calvicie —dijo.

—De acuerdo —dijo él—. Aunque es una tontería. Pero ya lo sabes.

Se volvió, ahora con los dos brazos fuera del edredón, apretándolo contra su cuerpo.

—Sí, pero no —dijo Sunny—. Voy a hacerlo.

—¿Sabes qué? A partir de ahora, vas a seguir un sistema binario. Uno para «bueno», cero para «malo». —Alzó un dedo para expresar «bueno», y luego formó un cero con la mano para expresar «malo».

—No es justo. Siempre me has tenido en ese sistema.

—Sí, pero ahora tienes indicadores visuales.

—Maxon, cierra el pico, despierta. Me voy a comprar esta cura para la calvicie.

Maxon hizo un cero con la mano, sin abrir los ojos.

—¡Qué te jodan! No sabes lo que es esto. ¿Por qué no puedo intentar solucionarlo?

—No va a funcionar. Es un timo.

—Ni siquiera lo has mirado.

Maxon se sentó en la cama, parpadeando disgustado, y tendió la mano. Estudió el folleto.

—Chandrasekhar, me suena ese nombre.

—Oh, probablemente te lo he contado ya. Quise probarlo hace años. Mi madre dijo que no.

—No, yo conozco a este tipo. Un bioquímico vudú o algo así.

—¿Dónde lo conociste? —Sunny se sentó en la cama a su lado.

—Pues... en casa de tu madre, cuando tú estabas en la universidad.

—¡¿Qué?! —chilló Sunny—. ¿En casa de mi madre viste a este tal Chandrasekhar? Maxon, eso es una gilipollez. ¿Qué estás diciendo?

—Estaba allí, estaban... Ya sabes, creo que había estado besándose, enrollándose o algo así.

Maxon le devolvió el folleto y se tumbó de nuevo en la cama, apartó las sábanas y se giró hacia su lado.

—Oh, no —dijo Sunny—. Levanta, levanta, levanta. No, no. ¿Estás diciendo que había un hombre en casa de mi madre, y que estaban enrollándose? ¿Y que era este tipo de la calvicie? ¿No pensabas contármelo? ¿Tengo que preguntarte por cualquier situación hipotéticamente posible, para asegurarme de que no te olvidas de contarme algo tan importante? Maxon, ¿de qué estás hablando? Cuéntalo como una historia, ahora.

Maxon suspiró pero no se dio la vuelta.

—Fui a la casa. Entré sin llamar. Había un hombre en la cocina. Pasaba el brazo por encima de tu madre. Ella tenía la cara colorada. Le pregunté por el calentador del agua, que le había estado dando problemas. Me contestó que estaba bien. Dijo que aquel hombre era el doctor Chandrasekhar, un bioquímico de Birmania que había conocido a tu padre. Eran amigos. Colegas. Me pidió que me marchara, así que me marché.

—Maxon, ¿se estaban besando?

—Probablemente.

—Mi madre besando a un curandero birmano, me cuesta creerlo —musitó Sunny—. A no ser que...

No le dijo a Maxon que creía saber el motivo. Pensaba, siempre había pensado, siempre había sabido, que el doctor Chandrasekhar era su padre de incógnito. Ahora estaba casi segura. La cura para la calvicie, sumada a la visita a su madre en Pennsylvania... Era todo demasiado extraño. ¿Qué posibilidades había de que aquel hombre fuera realmente un colega? ¿Por qué iba a estar entonces interesado en la calvicie, cuando esa había sido la obsesión de su padre? Guardó el folleto en el cajón y apagó la luz. No le preguntaría a su madre por eso, ni seguiría esa pista. No se presentaría directamente ante el doctor Chandrasekhar para estrechar su mano. Para mirarlo a la cara y decirle: «¿Papi? ¿Papi? ¿De verdad eres tú? ¿Por qué nos abandonaste?». Solo seguiría pensando en ello para siempre, procesándolo en su propia cabeza. Su padre visitando a su madre. La cura para la calvicie enviada en un folleto de propaganda, como una carta de amor dirigida a ella. Lo mantendría a resguardo, sin molestarlo. Lo añadiría al relato, una de sus derivaciones. Su diagrama no era un laberinto. Había muchas alternativas y todas eran reales. Se sintió revigorizada con ese nuevo descubrimiento, como si una rama desconocida hubiera nacido de un árbol, creciera hacia el cielo, brotaran hojas, y estuviera allí, zarandeándose y nueva.

—Pues igual no me compro esa cura de orquídeas, al final —le dijo a Maxon al apagar la luz. Se acercó a la cama y le preguntó—: ¿Quieres probar a curar mi dolor, cariño?

Y se metió bajó el edredón, y entre las sombras que producían las luces de las farolas, pudo ver que Maxon alzaba un dedo que quería decir: «Bueno».

13.

Maxon solo retenía en su memoria unos pocos incidentes significativos del tiempo transcurrido desde su nacimiento hasta que se convirtió en el esposo de Sunny. En su mente, se ordenaban de lo extremadamente significativo a lo mayormente significativo. En su vida, eran como cuentas de un rosario. Eran las únicas cosas, que él recuerde, que implicaron entablar conversaciones con otras personas.

La primera comenzó a las 3.45 de la tarde del 4 de julio de 1987. La temperatura en el establo de las vacas era de veinte grados centígrados. La niebla cubría las montañas y se iba coagulando sobre el valle. El muchacho se encontraba a ciento veintiocho kilómetros al norte de Pittsburgh y a ciento veintiocho kilómetros al sur de Erie, entre dos estribaciones de los Apalaches. Un débil sol de verano se abría paso entre las nubes, pero no calentaba. Una lluvia fina había caído a la 1.35. El muchacho pisó con fuerza el cable inferior de la alambrada de espino y lo bajó hasta el suelo, luego sostuvo el cable superior. Separándolos, se deslizó con habilidad por el hueco y abandonó la finca de su padre. En cuanto estuvo al otro lado, echó a correr. Bajó trotando por el valle, cincuenta pasos abajo, con los brazos extendidos para mantener el equilibrio en la corta pendiente, otros cincuenta pasos corriendo, los pies descalzos resbalando sobre las capas de hojas en descomposición y agujas de pino. Los helechos fustigaban sus piernas desnudas.

Se detuvo en el riachuelo al fondo del valle, con las costillas expandiéndose y contrayéndose alrededor de sus pulmones jadeantes y su corazón acelerado. Con el agua llegándole a los tobillos, recogió un poco en la mano para beber y luego se mojó la cara como un cazador, con la mirada puesta en la orilla arenosa. Huellas de mapache, huellas de ciervo, y también huellas humanas. Pies de humano adulto con botas, por todas partes, y una delicada huella al borde del riachuelo, donde la arena dejaba paso al barro. Era pequeña, la huella de un niño. El muchacho dejó que el agua se filtrara entre sus dedos. Subió la orilla por donde había venido y se acercó a un tocón cercano. Metió la mano dentro y levantó una piedra plana que ocultaba una apertura. Con el brazo metido en el tocón hasta el sobaco, fue apartando un esqueleto de ardilla, unas piedras y unos trozos de madera con formas extrañas, un fajo de billetes, y finalmente extrajo una bolsita de plástico. Contenía un caramelo muy antiguo. Cortó un trozo de la pegajosa pastilla de menta y se lo metió en el bolsillo del pantalón corto.

Luego regresó a la huella y estuvo dándole vueltas, la estudió con detenimiento, su nariz afilada apenas a un suspiro de las hendiduras con forma de guisante de los dedos del pie. Puso su sucio pie encima, como para solaparla, pero no alteró ni un grano de arena de aquella preciosa impresión. En su lugar, se pasó las manos por su largo pelo, alisándolo, peinándolo. Se restregó la cara con el dorso de la mano, luego la mojó un poco, y usó el dobladillo de su raída camiseta blanca para frotarse las mejillas. Ofreció una sonrisa victoriosa a su reflejo en el riachuelo. De repente, compuso un fugaz gesto fiero, enfadado, salvaje, rugiendo a las aguas. Luego alzó las cejas, abrió los ojos como platos y enseñó todos los dientes. Su cara se volvió inexpresiva de nuevo. Finalmente, frunció el ceño, se levantó y empezó a trepar por la pendiente de enfrente.

Al otro lado de la carretera, frente a la vieja granja, el muchacho se detuvo tras las altas hierbas. Entre las matas de algodoncillos, esperó y observó en cuclillas, encorvado. La vieja granja ya no estaba vacía. Mirando el lugar, supo que ya no podría volver a colarse por una ventana y dormir allí cuando lo necesitase. Habían echado gravilla nueva en el sendero que ascendía hasta la casa. Había ventanas nuevas con relucientes marcos blancos. El día anterior había oído el ruido de un coche y el ruido de un martillo. Al ver los carcomidos tablones de castaño de las paredes, se imaginó a un ladrón despedazando el decrépito porche con una palanqueta. Sabía que aquella madera valía un dinero, porque había oído a su padre y a sus hermanos hablar de ello.

Se sentía molesto con los intrusos. Había descifrado todos los libros que había en la vieja granja, pronunciando cada palabra en voz alta, una tras otra, a la luz de velas amarillentas que había bajo la encimera de la cocina. Había un libro compuesto enteramente de letras, flechas y números. Había una colección de ejemplares encuadernados en cuero que tenían la palabra «Dickens» en el lomo; quince tomos, cuyo grosor iba de los cinco a los diez centímetros, gruesos como la tabla de cortar carne de su madre. Recordaba la extensión de cada párrafo, y el ancho. ¿Cómo se atrevía otro vagabundo a desmantelar esa casa? Había una camioneta aparcada en el sendero de acceso, y en el jardín, un humano colgado de una cuerda, balanceándose de un lado a otro, de un lado a otro, formando un ángulo de sesenta grados sobre el jardín y luego hacia atrás.

Apartó la vegetación para conseguir una mejor vista. Con la cara enmarcada por las hierbas que sus manos separaban de su rostro, miró al otro lado de la pista y vio al humano que había hecho la huella en el riachuelo. Era un crío sentado en una rueda llena de cortes. El neumático rasgado colgaba del árbol, y se columpiaba adelante y atrás, adelante y atrás. Al mismo tiempo que se balanceaba formando un arco, también giraba sobre sí mismo, de modo que rotaba y se columpiaba, las dos cosas. Su cara aparecía frente a Maxon, y luego seguía girando, barriendo con su trayectoria el jardín y la granja hasta completar la vuelta para tenerlo de frente de nuevo. Antes de que el columpio diera otra vuelta, Maxon había cruzado corriendo la carretera y estaba sobre el poyo a la entrada del jardín. El crío del columpio estiró el pie, deteniendo la rotación y el balanceo. Lo observó con sus grandes ojos fijamente.

—¿Quién eres? ¿Eres un chico? —preguntó desde el columpio.

—Maxon —dijo él. Estaba muy tieso, con una rodilla tocando la otra, los talones plantados juntos con firmeza sobre aquel bloque de piedra rectangular cubierto de musgo.

—Yo soy Sunny —dijo el niño—. Soy una chica. ¿Quieres montar en esto?

La granja llevaba vacía desde que Maxon tenía recuerdos. La había descubierto muy temprano en su vida, durante una de sus exploraciones por los bosques. Ahora ya conocía todo el condado. La granja era uno de los sitios donde dormía. Había otros: una cabaña con forma triangular, ciento sesenta y ocho árboles abajo del tendido eléctrico pasada la vieja granja, un puesto de caza sobre un árbol junto a las vías del tren. Había gente que le daba de comer, incluida su familia, pero también otros. Había una mujer en una casa prefabricada que pensaba que era mudo. Él nunca hablaba con ella. Procuraba evitar las casas con pintura blanca y ángulos de noventa grados. Durante el curso académico iba al colegio en el autobús siempre que podía. Tenía siete años, cuatro meses y dieciocho días. O sea, tenía dos mil seiscientas noventa y tres rotaciones de la tierra.

Maxon se subió a la rueda del columpio, Sunny lo empujó, y se pusieron a jugar. Cuando estaban riéndose, alguien salió por la puerta de la granja. Maxon nunca había visto abrirse una de las puertas de la casa; tenía a la vieja granja por un lugar impenetrable excepto para ardillas y para él. Era una mujer alta que vestía una falda larga. Tenía un largo pelo rubio recogido en dos coletas como si fuera una niña.

—Sunny, ¿qué pasa aquí? —preguntó la mujer.

—Es Maxon —dijo la niña. Hablaba con el trozo de caramelo de menta en la boca—. Se va a quedar a cenar. Maxon, esta es mi madre.

Otra mujer salió detrás de la madre, era marrón. Maxon nunca había visto a una persona marrón. Era bajita y llevaba un martillo en la mano. Sus brazos estaban cubiertos de polvo.

—Nu, por favor, pon otro plato en la mesa —dijo la madre—. Sunny tiene un amigo.

En la mesa, Maxon se sentó en diagonal a la madre y a la mujer marrón, enfrente de Sunny. La niña le pidió que se

133

comiera un montón de verduras que, al parecer, ella no quería. Maxon comió puñados de calabacín, y dijo:

—Me gusta el calabacín. Nosotros tenemos calabacines silvestres. Crecen en el jardín. Las semillas de los calabacines que cultivo en el jardín provienen de cuatro generaciones de calabacines del mismo jardín. También puedo comerlo crudo. Me lo como igual que un plátano, pero sin pelarlo.

Cuando dijo esto, Sunny se puso las manos en las orejas como si fueran vasos apuntando hacia atrás. La mujer marrón entornó los ojos y la madre asintió.

Maxon rehusó darse un baño cuando la madre mencionó el asunto, pero permitió que lo peinaran y lo arroparan con una manta. La mujer no paraba de entrar y salir de la habitación, apretando las manos sobre su falda larga. Frunciendo las cejas. Habían puesto muebles de jardín en el salón; Maxon vio que eran impermeables. Antes, en el salón, había un sillón en el que vivían ratones, y un sofá cubierto de pana roja. Los dos niños se sentaron en un sofá columpio, con unas barras de metal que lo sujetaban al marco. Podía mecerse adelante y atrás, o de un lado a otro. Los pies de Maxon tocaban el suelo, pero Sunny estaba sentada sobre sus piernas cruzadas.

—¡Es muerto de hambre! —dijo la mujer marrón desde la cocina, donde estaba trajinando con platos en el fregadero—. ¡Míralo! ¡Como maldito palillo!

—¿Dónde vives? —preguntó la madre de Sunny.

Maxon señaló la ventana.

—Anda —dijo Sunny—. Vamos a jugar.

Maxon tomó la mano que ella le tendió. Salieron bajo el manzano y se pusieron a recoger manzanas. Solo estaban a mediados de verano, pero algunas ya habían empezado a caerse, frutitas ácidas e inútiles, mordisqueadas por los ciervos, rosadas solo en parte. Maxon pensó que Sunny jamás se comería esas manzanas, como él hacía a veces.

En ocasiones, mientras jugaban con las manzanas, la mano de Sunny se posaba en la mano o el brazo de Maxon, como para ver si estaba caliente.

—¿Dónde vives? —preguntó Sunny—. ¿Me llevarás?

Maxon sacudió la cabeza. Lanzó una manzana hacia una ventana del viejo granero con una puntería perfecta. El cristal se rompió y cayó en trocitos dentro. Coló otra manzana exactamente por el mismo agujero. Sunny lo observaba. Cuando ella lanzó una manzana, se quedó corta.

Ante el sonido de cristales rotos, la madre salió por la puerta de nuevo, los obligó a entrar y cerró de un portazo que retumbó en la montaña al otro lado del valle, bajo la niebla.

—Maxon, voy a llevarte a tu casa —dijo—. ¿Puedes indicarme dónde queda?

Maxon pensó en escapar corriendo, pero la mujer alta con las coletas lo obligó a quedarse quieto. Tenía todos los libros y todas las velas. La tensa tersura de su rostro y su perfecta dentadura blanca lo hipnotizaban. Finalmente montaron en la camioneta. Sunny se quedó junto a la puerta, despidiéndose con tristeza. Maxon se fijó en sus pies, no estaban descalzos, no dejaban huellas con los dedos en el suelo; llevaban zapatos de cuero que se aferraban a sus pies mediante una tira ancha. La ranchera arrancó y la nueva gravilla crujió bajo los neumáticos.

Lo que sucedió después no tuvo ninguna relevancia. Maxon no lo recodaba, porque no estaba en su memoria.

Más tarde, la ranchera volvió a subir el camino de acceso, crujiendo sobre la gravilla. La madre lo condujo de la mano de regreso a la cocina y le dio un plátano. Le dijo que se sentara en el banco de obra detrás de una mesa. Su tapizado era rojo y los ratones lo habían abierto a mordiscos, revelando su relleno de espuma. Peló el plátano y empezó a comérselo.

La madre dijo a la mujer marrón:

—Bueno, no había nadie. Pero no te imaginas... Había ovejas viviendo en coches oxidados. Cuando digo viviendo, es viviendo. Y cerdos.

—Mientes —dijo la mujer marrón.

—Nu, esa casa se cae a pedazos, y no había nadie. Llamé, grité, toqué el timbre, y ¿sabes lo que me dijo este niño? ¿Este crío de siete u ocho años?

—¿Qué dijo? —preguntó Nu, ocupada recogiendo la mesa.

—Dijo: Se han ido a la ciudad. ¿Puedes creértelo? Apenas es mayor que Sunny. Lo han dejado ahí bajo la lluvia con estos… —empezó a toser— estos pantalones cortos. Y se han ido a la ciudad. Nu, tendrías que haber visto ese sitio. Creo que había una mula en el salón.

Una hora después fueron todos a ver los fuegos artificiales. Maxon llevaba una manta y corría en pequeños círculos concéntricos alrededor de Sunny y su madre, que estaban sentadas en un prado sobre una colcha de ganchillo, esperando las explosiones. El terreno donde se encontraban estaba recién segado y el heno, cosechado. Picaba, como la barba de un padre, incluso a través de la colcha. Sunny se sentó sobre su madre y enroscó las piernas en su cintura.

—Eso es un murciélago —dijo—. Y eso es Maxon.

La madre rio y abrazó a su hija. Maxon las observó; podía oír su conversación. Sunny dijo que no quería ver los fuegos artificiales, seguía dejando que su vista se distrajera con el muchacho y los murciélagos que revoloteaban alrededor.

—Eso es Maxon y eso es un murciélago —repitió.

Cuando empezaron los fuegos, el muchacho se sorprendió por el ruido. El espectáculo estaba a su alrededor, pero él no alzó la vista. Estaba oscuro, y luego había un resplandor y todos los coches se iluminaban y se veía la cara de la madre, y luego otra vez negro, y un silbido agudo. El olor del heno lo envolvía, y podía oler que había vacas por allí cerca.

—Tendremos que llevarlo a su casa cuando termine esto —dijo Emma.

—No; quiero quedármelo —dijo Sunny.

Maxon siguió trotando a su alrededor.

El eco de los estallidos de los fuegos artificiales resonó por el valle, amplificado por el río, rebotando en las montañas a ambas orillas.

—No —dijo Emma—. Tiene que irse a su casa.

—Pero me gusta. Lo quiero —objetó Sunny.

Cuando los fuegos se acabaron, los dos niños se sentaron en el asiento trasero mientras Emma conducía, murmurando por lo bajo y sacudiendo la cabeza. Tal vez estuviera practicando lo que iba a decir. Maxon se sentía bastante bien yendo sentado en la oscuridad con la chica, el repiqueteo de una lluvia repentina en los guardabarros, el extraño mosaico de luces resplandecientes en el techo del coche, la nuca de la madre... La niña le ofreció su mano y él la tomó. Maxon era más alto y ella más gorda. Los dedos de sus pies se doblaban hacia dentro de estar embutidos en zapatos demasiado pequeños. Cuando se detuvieron en un STOP y Maxon supo que estaban cerca de su casa, se deslizó por la puerta y escapó bajo la lluvia. Nadie lo siguió. Estaba demasiado oscuro y él ya se había alejado, deslizándose sobre ramas húmedas caídas, bajo las garras de hojas chorreantes.

—Vuelve mañana —le había dicho Sunny, apretando su mano—. No te olvides.

Con toda probabilidad, siendo implacablemente sincero consigo mismo, ahí fue cuando se enamoró.

Ahí fue cuando sucedió.

14.

Abajo, en la tierra que rotaba sobre su eje lento e inescruta-
ble, el cerebro de la madre todavía recibía oxígeno de la sangre. Estaba respirando, había respirado, inhalando aire entre
estertores una y otra vez durante la noche. Cuando se hizo de
día en el mundo exterior al hospital, seguía con vida. La habían
trasladado de la UCI a una habitación privada en una camilla,
pero su largo cuerpo no fue consciente de ello. Su cuerpo solo
se enteraba de lo que sucedía en el interior. Sus órganos no
cesaban de producir pequeños movimientos, oscuros procesos. El cuerpo se preservaba de la muerte, negando su condición de podredumbre, viviendo. Hacía lo mismo que hacían
todos los demás cuerpos sobre la tierra, en sus cajas con habitaciones, largos pasillos y sótanos oscuros, volando por las
autopistas en cochecitos y por vías de tren en compartimen-
tos cerrados. El cuerpo estaba postergando la muerte un
poquito más. Era un feto en un útero, reticente a salir, aunque
el parto ya estaba en proceso, las contracciones habían empezado y la sangre estaba diluyéndose.

La oscura estancia, las paredes chorreantes, la entrada san-
grienta, las fuertes contracciones del pasillo, se encontraban
con la resistencia de la madre. Ya no había robots para ayudarla. Se los habían quitado todos: el de respirar, el de la circula-
ción de la sangre, y sobre todo el que la controlaba mediante
pitidos. Estaba sola en su cama; solo el robot biológico en su
cráneo permanecía en marcha para mantener sus células con
vida. Estaba sola, sin su familia, separada de toda la historia, y
cuanto más se contraía la habitación, más respondía su cerebro a la presión. No moriría. No podía morir. Podía ver a su
hija en un sueño, paseándose como un gatito con botas en las

zarpas, sacudiendo las patas, chocándose con las paredes. No podía morir y dejar a Sunny allí, en la tierra.

En la gran casa de la avenida Harrington, Sunny se plantó frente a la encimera de la cocina, calva como una bola de billar, las cortinas totalmente descorridas, y abrió los tres frasquitos naranjas que contenían las medicinas de Bubber. Los dispuso frente a ella sobre la superficie lisa de granito. El niño estaba a su lado, con gesto solemne, su pelele de dormir arrugado en los tobillos, cerrado por la cintura. El pequeño esperaba para tomar su medicación. Luego vería dos capítulos de *Las pistas de Blue*. Después iría al colegio. Con la salvedad de que ese día, Sunny había decidido que ni tomaría la medicación ni iría al colegio. Se quedaría en casa sin medicar. A ver qué pasaba. A ver si el techo salía volando por los aires. A ver si venían los médicos y se plantaban en el jardín, blandiendo historiales y ajustándose las gafas. Aunque tuviera que atrancar la puerta con tableros y colocar el sofá detrás, nadie entraría para dar una medicina a su hijo. Aunque se cayeran las paredes, aunque se transformara en un niño lobo y la devorara, aunque el pequeño dijera «Dame el medicamento. Es lo que quiero, en serio, de verdad», Sunny no daría su brazo a torcer. Vería exactamente cómo era Bubber sin la medicina, para facilitar las cosas. Lo observaría durante todo el día. Si le venía un ataque, se sentaría encima de él.

—Hoy no hay medicina, Bubber —dijo. Derramó las pastillas sobre la encimera y se mezclaron todas, las píldoras azules y blancas con las cápsulas verdes. Bubber la observaba. Tenía su mantita sobre los hombros, una camisa de franela de Maxon, vieja, suave y agujereada. Sus brillantes ojos azules la miraban—. No pasa nada —añadió Sunny con voz tierna—. Ni colegio ni medicinas.

—¿Dónde está papá? —preguntó Bubber con voz estridente, como un pato. Su boca permaneció abierta y aspiró aire por ella.

—Papi está en la nave espacial. Está llevando robots a la luna. Pero sé que le alegra que pienses en él.

—Lo sé —dijo Bubber. Miró el reloj y añadió—: *Las pistas de Blue.*

Sunny tiró las pastillas a la basura y se hundieron entre los desperdicios, hasta el fondo húmedo del cubo. Observó a Bubber dirigirse trotando a la sala. ¿Qué pasaría? Pensó que igual debería ponerle el casco. El niño introdujo con habilidad el DVD en el aparato, pulsó el botón del mando y se sentó delante del televisor. Su rostro se iluminó cuando los personajes aparecieron en la pantalla, y Sunny observó cómo cantaba, hablaba, movía sus hombros arriba y abajo exactamente a la vez que Steve y Blue. Se sabía el vídeo de memoria. El de Elmo también. Y toda la colección del Dr. Seuss. Había memorizado la entonación y las expresiones faciales. Podía repetirlas siempre. Era una imitación impecable.

Sin la medicación, quizá el pequeño pusiera una expresión facial de su cosecha propia. Algo nuevo. A Sunny le daba miedo que fuera un gesto de rabia. O de tristeza. O de odio. ¿Qué saldría de su cerebro, ahora que le había dado rienda suelta para sacar lo que quisiera? Entonces, llamaron del hospital. Dijeron: «Su madre sigue viva. ¿Va venir a visitarla hoy?». Sunny dijo: «Tendremos que ver cómo van las cosas. Mi hijo está pasando una emergencia médica». Dijeron: «Su madre no aguantará mucho. Podría ser su última oportunidad para despedirse de ella». Sunny ya se había despedido. No quería volver a despedirse. Ojalá pudiese regresar a una semana atrás, o diez días atrás, o diez años atrás, cuando su madre todavía estaba oficialmente con vida, antes de que todo ocurriera: el cáncer, los embarazos, las pelucas. Había demasiadas cosas sucediendo a la vez y alguna tendría que terminar.

Sunny se acarició el cuero cabelludo. Había quitado el soporte vital a su madre. Había quitado la medicación a su hijo. Se había quitado las pelucas, las cejas, su disfraz de ama de casa urbana. No podía hacer nada más para acelerar el fin de los tiempos, pero el fin de los tiempos se negaba a llegar. Alguien debería presentarse a su puerta, declararla no apta, poner fin a la farsa, pero nadie se presentó. Las melodías musicales de *Las pistas de Blue* resonaban en la sala con el sosegado eco de Bubber, y Sunny deseó que Maxon diera la vuelta a la nave y volviera derechito a casa de una maldita vez. Se paseó por las habitaciones pisando los oscuros suelos de nogal, esas anchas tablas, abrillantadas semanalmente. Se quedó tras la silla vacía de Maxon en su despacho vacío, miró su escritorio. Dentro del escritorio, en algún sitio, había papeles, documentos oficiales que pronto le harían falta. Necesitaría el testamento de su madre. Necesitaría los papeles del seguro. Los de su madre y quizá los de Maxon. A fin de cuentas, Maxon podría no volver nunca. Los astronautas morían. También podían decidir que les gustaba el espacio, vivir en trajes espaciales, orbitar otros cuerpos astrales. Se quedaban allá arriba, olvidaban que tenían hogares, familias, mujeres calvas, niños locos, suegras cancerosas.

Sunny decidió que abriría los cajones del escritorio y encontraría los papeles necesarios por sí misma. Se comportaría tal como hubiese hecho antes de convertirse en madre. Haría llamadas de teléfono. Decidiría qué hacer con todas sus propiedades. Ordenaría las cosas. Apretaría las tuercas a la gente. Repasaría fajos de papeles y subrayaría una línea importante aquí, una línea contradictoria allá. Exclamaría: «¡¡Ajá!!». Se acomodó en la silla de Maxon. Abrió el cajón con forma de archivador, y encontró carpetas claramente etiquetadas, todo lo que podía necesitar: seguro, hipoteca, y una con una etiqueta en letras de imprenta: MADRE. La sacó y permaneció un rato sentada con ella sobre las rodillas, hasta que la dejó a un lado. Después abrió los demás cajones excepto uno. Estaba cerrado con llave.

Un cajón con cerradura. En los demás encontró artículos de oficina organizados con esmero, papeles ordenados, archivos lógicos. Pero ahí había un cajón largo y plano cerrado con llave. Y la llave no estaba. ¿Por qué estaba cerrado? ¿Cerrado para quién? ¿Qué podría tener que ocultar Maxon?

Sunny recordaba una época, antes de que aceptara casarse con Maxon, en que se enamoró superficialmente de un hombre que tenía un montón de pelo. Eso fue en sus años de universitaria, cuando estaba lejos tanto de Maxon como de su madre, muy lejos, en otro estado. En la universidad, Sunny estudiaba arte y matemáticas. Era fabricante de pelucas y calva, por lo que llamaba mucho la atención y la gente la conocía. Constituía una figura importante y contradictoria en el campus de su universidad, que era pequeña y liberal, y estaba al otro lado de Pennsylvania, en Ohio.

En la universidad, Sunny tenía una bicicleta. Cuando su madre le exigió que se fuera a estudiar a una ciudad a seis horas de distancia de casa, montar en bici era una de las cosas que le recordaban a Maxon. Él siempre tuvo una bici, y ahora ella tenía una para pedalear por el campus y echarlo de menos. Aunque sabía que no debía amarlo, Maxon seguía siendo su mejor amigo.

También tenía un poncho de lana con capucha. En invierno, cuando hacía un frío gélido, se ponía el poncho y la capucha y salía con su bicicleta bajo aquel viento de Ohio. Cubierta por el poncho, podía ser cualquiera. Fue entonces cuando Sunny acosó a aquel chico, al que para sus adentros llamaba «Hombre Pelo». Tenía una melena ondulada de estrella de rock. Su cabello era tan lustroso que cuando Sunny lo vio por primera vez, de espaldas, pensó que era una mujer. Su primera reacción fue un gesto de desdén. Sunny miraba con recelo a las mujeres de pelo largo, como si solo existieran para compensar su ausencia de pelo. Pero un hombre con una melena tan larga que se podía sentar encima de ella, con tal cascada de pelo desenfrenado y suelto, resultaba atractivo.

Era delgaducho con gafas de montura metálica y un cuerpo en forma de lapicero. Su único rasgo cautivador era el pelo, que caía en ondas suaves, esponjosas, crespas, hasta más abajo de su cintura. Aparte de eso, no poseía nada que lo hiciera atractivo. Pero Sunny fantaseaba con vestirse con esa melena. Se imaginaba con ese hombre encima, el pelo cayendo a ambos lados de su cuerpo, encerrándola entre cascadas de cabello. Le diría: «Quédate en mí un poquito más», para poder sentir el pelo sobre su cabeza. Nunca había hablado con Hombre Pelo, nunca se había dirigido a él. Solo pasaba con su bicicleta bajo la ventana de su habitación en la residencia, un rectángulo entre otros muchos, sin aliento, con un cosquilleo en el estómago, dolorosamente enamorada. Echaba un rápido vistazo al interior y lo veía en su mesa, o repantigado con la guitarra; a veces, las luces estaban apagadas; estaría dormido o habría salido. Comiendo. En la ducha, envuelto en pelo, secándolo por partes, o peinándolo.

En momentos así, Maxon estaba muy lejos de ella. Podría acordarse de él, por supuesto, pero no lo quería cerca. Por eso su madre le había aconsejado: «Vete a estudiar fuera. Prueba algo nuevo. Sal con alguien. Sal con todo quisqui. Prueba a salir con chicos».

La noche que murió su amor por Hombre Pelo fue muy fría. Apretando los dientes con decisión, aparcó en un extremo de la residencia de Hombre Pelo y enfiló el pasillo en dirección a su cuarto. No era tan alto como Maxon, ni tan ancho de hombros. Igual ni siquiera era tan alto como Sunny. Pero ese pelo… Al acercarse a la puerta, oyó unos suaves acordes de guitarra y se atrevió, con la respiración entrecortada, a pararse y abrir unos centímetros la puerta. Estaba sentado donde siempre lo veía cuando miraba desde fuera, con la guitarra sobre sus piernas de alfeñique. Llevaba meses espiándolo, en la oscuridad, con su camiseta de Pink Floyd y sus vaqueros desgastados. Ahora estaban solos en su habitación, que olía un poco a rancio, como siempre huelen las habitaciones de los chicos.

—Hola —dijo Sunny como una tonta—. ¿Hay alguien aquí dentro?

—Eh, ¿qué tal? —dijo él como si la reconociera.

Ella se quitó la capucha del poncho. Varios chicos con toallas pasaron corriendo por el pasillo, saliendo de las duchas que había justo detrás. Sunny seguía en la puerta.

—¿Puedo pasar? —preguntó.

—Claro —dijo él sin mirarla.

Sunny dio unos pasos en la habitación y dejó la puerta medio cerrada. Las ondas de pelo del muchacho se aplastaban contra la pared que tenía detrás, cayendo alrededor de la maciza silla cuadrada, que estaba tapizada con un resistente rayón amarillo. Ella sintió un ligero mareo.

—Bonita guitarra —dijo. Se sentó en la otra silla, que debía pertenecer al compañero de habitación de Hombre Pelo. Sunny y su compañera tenían unas sillas idénticas. Era lo que tenían todos, igual en todas partes, como las camas de metal. Se sentó con las piernas dobladas sobre la silla, encajando los dedos de los pies bajo los reposabrazos, como hacía en la suya. ¿Qué haría si de repente entraba el compañero de Hombre Pelo? ¿Y si entraba y lo llamaba Rich, o Phil, o Matty?

Hombre Pelo dijo con poco entusiasmo que su bonita guitarra era una pieza de anticuario. Se miraron, y entonces sonó el teléfono. Estaba en la pared encima de su cabeza, colgado de un gancho.

—Disculpa. —Estiró el brazo y con un dedo descolgó el auricular y se lo llevó a la oreja—. ¿Sí? —respondió.

Luego entornó los ojos. Le dijo unas cuantas veces a su interlocura «Estás borracha», y le pidió que repitiera lo que decía, y después le dijo que la llamaría luego. Colgó el teléfono y miró nervioso a Sunny. Sus ojos parecieron, por primera vez, no estanques acuosos, sino una especie de ojos furtivos de ardilla.

—Era mi novia. Estudia en Findlay —explicó Hombre Pelo. Sunny asintió y él añadió—: Está borracha.

—Ya lo he deducido —dijo Sunny. Volvió a ponerse la capucha del poncho y desdobló las piernas—. Será mejor que me vaya.

—Solo porque tenga novia no significa que no podamos pasar un rato juntos.

Posó con cuidado su guitarra, apoyándola boca arriba contra la cama. Luego se volvió hacia ella y juntó las yemas de los dedos. Sus piernas formaron dos flechas apuntando en direcciones opuestas, con las rodillas como puntas. Las rodillas eran tan finas como cuchillos bajo el vaquero raído.

—¿Cómo te llamas?

—Chris —respondió—. Tú eres Sunny, ¿verdad? ¿Sunny?

—Chris —repitió Sunny, sintiendo que la predecible palabra pasaba por su boca antes de salir—. No, creo que no podemos pasar un rato juntos. No es nada importante. Solo… quería preguntarte cómo te llamabas. Nos vemos.

Se levantó y se dirigió hacia la puerta. Él la observó con lascivia. Sunny no sabía si Chris tenía algo más que decir o no. No lo manifestaba. Se sentía mareada, olía a algo dulce y podrido. Solo cuando estuvo fuera, de nuevo en el frío, llenando sus pulmones de aquel aire cortante, pudo librarse de esa sensación de sofoco. Habría hombres que saldrían con ella. No era eso. Saldrían con ella y se acostarían con ella. Lo había sentido en la habitación con Hombre Pelo. No porque se sintieran cómodos con ella, sino porque les resultaba extraña. No porque fuera lo bastante cercana a una chica real, sino porque estaba lejos de serlo. Entonces, la única cuestión que quedaba era: ¿Se acostaría ella con alguien antes de volver con Maxon? ¿O solo haría el amor con él, desde el principio hasta el final? Era el único misterio que quedaba por resolver en su vida en la universidad. Pero cuando volvió a su habitación y llamó a Maxon por teléfono, solo le dijo que había tenido un día de mierda, y que él tenía que contarle todo lo que le había pasado ese día, empezando por el principio, y sin dejarse nada, hasta que se quedara dormida oyendo el sencillo confort de las banalidades, todos los pequeños detalles, los preciosos detalles de su vida distante.

Siempre sabía cuándo Maxon ya no tenía más que decir, desde que una vez él le había mostrado la ecuación:

$\forall$ CONVERSACIONES $\ni$ ETIQUETA DE FIN:
LA CONVERSACIÓN TERMINA DE FORMA ABRUPTA.
ETIQUETA DE FIN $\in$ {"FUE UN PLACER
   HABLAR CONTIGO"
   "ME ALEGRO DE QUE HAYAMOS
   PODIDO HABLAR"
   "QUE TENGAS UN BUEN DÍA"
   "NOS VEMOS LUEGO"}

Su madre podía decir que Maxon no sería un buen marido, pero no podía ofrecerle una alternativa viable.

Embarazada, sola, sentada en el despacho de su marido a media mañana, sin nada en su lista de cosas que hacer más que dar a luz a ese bebé y educar a su hijo loco, a Sunny le pasó por la cabeza partir el escritorio de Maxon a hachazos, para ver qué escondía ese cajón cerrado con llave. Quizá lo habría hecho si hubiera tenido un hacha y si no hubiera oído chillar a Bubber.

«Así que esto es lo que pasa», pensó, incorporándose tambaleante y avanzando a tumbos hasta la otra habitación. Se agarró al marco de la puerta con ambas manos, sufriendo un mareo repentino. «Ojalá pueda controlarlo. Ojalá tenga fuerzas suficientes.» Sin un plan concebido, se dirigió apresurada al salón, dando sonoras pisadas en el suelo. Esperaba encontrárselo echando espuma por la boca, con la cara colorada, rabioso como un jabalí enfadado con algo invisible, con algún fleco de la alfombra que no estaba en línea con los demás. En cambio, el pequeño estaba retorciéndose en el suelo, riéndose tanto que tenía la cara morada. Sunny siguió la mirada de su hijo. Un conejillo de indias con un traje espacial y un casco volaba por el espacio en la televisión. Era un conejillo de indias de verdad con un casco de dibujos animados, una yuxtaposición que había provocado ese espasmo a Bubber. Cualquiera que lo viera diría que se estaba muriendo.

La verdad es que Sunny nunca lo había visto reír así. Casi daba miedo. Sin embargo, recordó que cuando era bebé tenía una carcajada que provocaba la risa general, brotaba de su interior... Observó cómo se convulsionaba el estómago de su hijo mientras se revolcaba por el suelo. Debería ayudarlo, pero lo exagerado del asunto la impresionaba, la alarmaba. ¿Qué es la risa, sino una convulsión manejable? ¿Qué es el llanto, más que un suave ataque? Drogado, podía simularlo, podía aprender a producir llanto y risas. ¿Qué diferencia hay entre una risa real y una forzada? Si se puede controlar, ¿es necesariamente falsa? Quizá la diferencia entre una expresión emocional creíble y otra increíble pueda ser la capacidad o incapacidad para reproducirla. ¿Eso era justo? El pequeño se incorporó cuando la vio, y jadeando dijo:

—Mami, mira, es un robot.

El conejillo de indias se movía a espasmos, debido a una mezcla de animación pura y dura con partes de un gordo conejillo real. Sunny se sentó en la otomana y Bubber recostó la espalda en sus rodillas. Puso la mano en la cabeza de su hijo y notó que estaba mojada, de tanto que se había reído. Su rostro se veía distendido, relajado, los ojos serenos. Sunny pensó: ¡Vaya! Este es mi chiquitín. Así es él. Se ríe como un histérico. Se sintió entusiasmada. ¿Qué otra cosa iba a hacer el pequeño?

«¿Estás calvo? ¿Se te cae el pelo?», preguntó la televisión. Sunny tapó los oídos de Bubber con sus manos. Sus ojos se concentraron en la pantalla. «No hay por qué sufrir las molestias de la caída del cabello y no hay por qué destrozarse con productos químicos dañinos. La Cura de Orquídeas del doctor Chandrasekhar puede hacer que recuperes el pelo y la autoestima con extractos de plantas totalmente naturales.» La pantalla había estado mostrando una cascada que rompía sobre una piscina rodeada de rocas. Alrededor de la piscina había mujeres con el traje típico de Birmania, con un pelo largo y lustroso que les llegaba hasta las rodillas. Pero no eran mujeres birmanas; eran rubias, pelirrojas y castañas. No paraban de atusarse el cabello, adornándolo con orquídeas y parras. «Soy el doctor Chandrasekhar», dijo la televisión, y una cabeza sin cuerpo apareció en medio de la cascada. Era un anciano indio con un simpático bigote y una bata blanca. «He desarrollado mi cura de orquídeas desde hace treinta años, para traerles las mejores hierbas de Oriente y...» Siguió hablando, pero Sunny no estaba escuchando.

—Es moreno —dijo en voz alta—. Es moreno. Es indio de verdad. No es mi padre. Es marrón. ¿Qué le pasó? ¿Qué sucedió?

15.

La roca que impactó contra la nave había estado ocultándose detrás de la luna. Apenas tenía el tamaño de un puño. En su interior, en lo más profundo del núcleo, rodeada de extraños metales pesados y roca cristalina, había una gota de una sustancia tan primitiva que era irreconocible. Jamás sería identificada. Era un pedacito de materia, un grano de polvo procedente de los orígenes del sistema solar. Presolar. Una párticula presolar, atrapada en una roca en una órbita alocada alrededor del sol. Era una entre un millón, una entre cien millones, como un genio extraordinario en la raza humana, o un niño prodigio delirante que se sale de la campana de Gauss. La nave, que se aproximaba a la órbita lunar, avanzaba por el vacío como una astilla reluciente y nanomatrónica en una arteria, diminuta, un fragmento de metal siguiendo su trayectoria. El meteorito era mucho más pequeño, una molécula solitaria, suelta en solución extraterrestre. Una partícula subliminal en el átomo del sistema solar. Un fragmento de pensamiento suelto en el cerebro. Más adelante, se calculó que el tamaño del meteorito era de nueve centímetros de diámetro. No lo vieron; nadie lo vio en ninguna pantalla electrónica. Los astronautas y Maxon se habían puesto sus trajes espaciales. Se habían amarrado en el módulo de mando, igual que durante el despegue. Igual que en el momento en el que estalló la torre de combustible que tenían debajo, lanzándolos disparados, de cara, hacia el ozono. La cháchara del centro de control en sus oídos había guiado a los astronautas por las pruebas y los test previos a su llegada. El contenedor de almacenamiento ya estaba orbitando la luna, así que iban a sincronizarse con él si todos los números estaban correctamente alineados. La voz del centro de control, relajada y relajante, anunció el comienzo del procedimiento para iniciar la inserción en órbita lunar. Cuando se completase la maniobra, cuando volvieran a arrancar el cohete, ellos también estarían orbitando.

El meteorito estaba cerca, se acercaba cada vez más, pero seguía siendo invisible, indetectable para los astronautas en el espacio y para los humanos que desde la tierra manejaban a los astronautas a distancia. Era tan diminuto que no llamaría la atención ni preocuparía a nadie si cayera en las garras del protector aire de la tierra. La atmósfera puede reducir a cenizas la mayoría de las cosas antes de que molesten al planeta. Pero en el espacio, la cosita más diminuta moviéndose a suficiente velocidad y en la dirección más inoportuna puede penetrar como una bala. Un grano de arena puede dejar un cráter de dos centímetros en el fuselaje de una nave espacial. ¿Qué no podría hacer una pelota de béisbol? Una cosa es cuando te das un paseo, alzas la mirada y dices: «¡Hala! ¡Mira cuántas estrellas!». Y otra muy distinta cuando un trozo de metal venido desde el origen de los tiempos se te mete en los intestinos.

El piloto de la nave se llamaba Tom Conrad y era comandante de escuadrilla de la Fuerza Aérea norteamericana. Era una persona automatizada, le dictaban sus movimientos desde una sala llena de científicos en Texas, por un protocolo, por una lista de procedimientos. Era el preferido de Gompers, el comandante, y crítico mordaz de Phillips, el ingeniero. Conrad era uno de los pilotos más efectivos que se podían encontrar en el mundo. Maxon era el único civil a bordo. Conrad, Phillips y Gompers eran buenos chicos, gente maja. En el espacio, todos son amigos; unas gotitas de vida en la fría vastedad de la muerte siempre se llevan bien.

Maxon se abrochó su mascarilla, se enganchó a sus sujeciones, se amarró a la silla. Se convirtió en uno con la nave, conectado a ella, una parte del *hardware,* indistinguible. Dejó de flotar, dejó de ser humano. Era una manchita en aquel artilugio, un trocito de carne en su interior. Oía su propia respiración dentro del casco irrompible, ese cubo lleno de carne. Fuera el pitido en sus oídos, fuera el ruido del centro de control de la misión, transmitiendo instrucciones al piloto, al ingeniero, a los auténticos astronautas, mientras que a Maxon le habían dicho, con mucho cariño, con mucha amabilidad, que se sentara y se quedara quietecito. Los técnicos en la tierra siempre se dirigían a los astronautas como si fueran niños, perros de circo. Eran una prolongación de la humanidad, un dedito de la biología en el vasto espacio mecanicista. Sobredirigidos, sobrepensados. A fin de cuentas, insignificantes.

Cuando el diminuto meteorito colisionó, la voz en la radio acababa de decir: «Prueba de control». Entonces, hubo una sacudida; los astronautas sintieron como una onda en el núcleo del cohete. No había nada que pudieran haber hecho para pasar a control manual y violar la lista de alternativas disponibles. La cosa tenía que impactar. No había lugar para una maniobra evasiva. Sintieron el golpe, oyeron el metal gruñir, y percibieron un bote, un mareante momento de suspensión, como un coche lanzándose a toda velocidad por el borde de un precipicio. Luego el cohete comenzó a ladearse, pero ellos no lo notaron. Estaban en él, eran parte de él, estaban conectados a él, atados a él con cinchas de nailon y botas.

Vieron que se desviaban de su rumbo, una fuerte sacudida hacia la izquierda, y hubo un chirrido. Algunas luces del panel de control empezaron a parpadear, y los brazos del piloto se movieron rápidamente sobre botones y diales, respondiendo al parpadeo, a la información, como una rueca en un barco hundiéndose, cada vez más deprisa. Maxon pensó en morir del modo en que pensaba que implosionaría la astronave: destruyéndose sobre sí misma, estrujándose como una lata. El meteorito era metal pesado. La piel del cohete no lo desviaría. Habría daños, pero ¿cuántos? ¿Qué había quedado dañado? El centro de control de la misión empezó a chillar. Como un padre cuyo hijo se ha bajado de la acera. «¿Gompers? ¡Situación! ¿George?» Luego, silencio.

El meteorito había impactado contra la nave. No había marcha atrás. Las personas iban dentro del cohete, sujetas a él.

Es muy difícil sobrevivir al impacto de un meteorito en el espacio. Todos lo sabían. Jugando con las cifras, apostaban a que ningún meteorito chocaría con ellos, porque el espacio es muy grande, los meteoritos, diminutos, y las dimensiones de los cohetes, ínfimas. Como una embarcación en el océano que intenta evitar a otra embarcación, pero multiplicado por mil, multiplicado por un millón. Era muy seguro.

Por supuesto, nada te mata directamente, y lo mismo se puede decir de los meteoritos. No tienen por qué matarte directamente. Este fue el caso de la nave en que iba Maxon rumbo a la luna. No los mató directamente. Pero los cuatro supieron, así como los demás humanos que desde la tierra seguían lo que estaba ocurriendo, que en aquel momento la misión cambiaba, y que había muy pocas esperanzas de un reencuentro feliz. En el loco mecanismo giratorio, en la cruel aleatoriedad del espacio, con sus cambios extremos de temperatura, sus infiernos giratorios y sus perdigones feroces, las posibilidades de que un humano sobreviviera eran más que ínfimas. El hecho de que la mayoría de los astronautas volviera en buenas condiciones solo era testimonio de lo diminutos que eran los pasos dados por los humanos en el espacio.

Así que el pequeño compartimento se volvió más pequeño. Los astronautas empezaron a sudar. El aire se volvió corrupto, como si pudieran saborear las sustancias químicas. Sus pies anhelaban la pesadez desigual de la tierra. Sus pulmones anhelaban el aire dulce y puro de Manhattan, o incluso de una mina de carbón, aire que estuviera hecho de verdad, por plantas, y otra gente y coches y brisas y animales, no fabricado y metido en un depósito. Ahora no solo estaban apretujados en una astronave, sino apretujados en una astronave dañada. El pánico estaba ahí, en el fondo de sus gargantas, junto al deseo de salir a toda costa, de escapar, de volver a empezar, de tomar distintas decisiones en la vida.

Gompers asumió el mando, vociferando órdenes y pidiendo informes de estado. Fred Phillips, tan odioso en su tiempo libre, se convirtió en un mecanismo de evaluación, soltando respuestas concisas y apretando botones y palancas en el

151

tablero. Maxon no podía hacer nada. Sus miembros estaban paralizados. Su preocupación estaba lejos de allí. Pensó en Sunny, sentada en una habitación de la NASA en Langley, mirando una comunicación enviada a la sala de control de la nave. Vería sus cuatro cabezas relucientes, redondas y sin pelo, cerradas a los elementos. ¿Pensaría que parecía calvo? ¿Pensaría que le resultaba familiar? ¿Estaría allí el pequeño, con su casco? ¿Sunny sería consciente de que estaban todos encerrados en sus propios cráneos? Maxon cerró los ojos. Los robots estaban mejor preparados para esto. Los robots estaban más equipados. Un robot no tiene nada de lo que arrepentirse al afrontar su destrucción como consecuencia del impacto de un meteorito.

Esta es la historia de un astronauta que se perdió en el espacio, y de la mujer que dejó atrás. O esta es la historia de un hombre valiente que sobrevivió al fracaso del primera nave enviada al espacio con el propósito de colonizar la luna. Esta es la historia de la raza humana, que mandó una alocada esquirla de metal y unas pocas células latentes hacia los vastos y oscuros confines del universo, con la esperanza de que esa esquirla chocara con algo y se quedara clavada, y las pequeñas células latentes pudieran sobrevivir de algún modo. Esta es la historia de un esqueje, un brote, de cómo la raza humana intentó subdividirse, del brote que se formó ahí fuera, en el universo, y de lo que le sucedió a ese brote, y lo que también le sucedió a la tierra, la Madre Tierra, una vez que el brote surgió.

Si Sunny estuviera aquí, Maxon diría: «No tengas miedo. Imagínate el meteorito como una albóndiga gigante. Me la voy a comer y engordaré diez kilos». Ella siempre andaba diciendo que estaba muy flacucho.

16.

Lo más triste que se puede ver es una localidad petrolera que ha perdido su prosperidad.

En 1859, se descubrieron grandes bolsas de crudo bajo las estribaciones de los Apalaches, en el oeste de Pennsylvania, en el condado de Yates. Gente de ideas avanzadas perforó el suelo con tuberías y comenzó a succionar ese petróleo lo más rápido posible, metiéndolo en barriles y distribuyéndolo por ahí. Consiguieron venderlo a cambio de unos buenos beneficios. Se organizaron en municipios, pueblos e incluso ciudades. Construyeron enormes y monstruosas mansiones victorianas, las iluminaron con un cableado extraño y peligroso, y las encaramaron a las faldas de pequeñas montañas. Por debajo de las montañas discurría el río Allegheny. El tiempo pasó y cuando el petróleo empezó a brotar con menos ímpetu del suelo, se llevaron las tuberías y se pasaron al carbón. Abrieron minas para extraer carbón de debajo de la tierra, y después, de la superficie, con minas a cielo abierto, y luego se pasaron a la industria maderera.

Mientras tanto, en el vecino condado de Crowder, no encontraban petróleo por ningún lado. Fuera cual fuese el motivo, los habitantes del condado de Crowder tuvieron que agachar el lomo y confiar en la agricultura para afrontar el cambio de siglo. Cuando el petróleo se secó en Yates, los granjeros de Crowder habían llenado de surcos las colinas y dispuesto campos de maíz, soja y alubias arriba y abajo. Eran granjas ricas, granjas dulces, granjas llenas de mugidos y cosechas mecidas por el viento. Eran granjas solventes con dinero que no procedía del petróleo. Por eso, cuando Pennzoil se mudó al sur y se convirtió en Texazoil, y se empezó a cuestionar seriamente la salud y el bienestar de los ciudadanos del condado de Yates, los granjeros del condado de Crowder conducían con porte victorioso sus bien engrasadas cosechadoras, recogiendo su prosperidad.

Pero los magnates del petróleo de Yates siguieron siendo ricos. Después de destripar, esquilmar, arrasar y desplumar la tierra que los rodeaba, se encerraron en sus mansiones victorianas, y cuando el dinero se acabó, más o menos en torno a 1952, la mayoría murió. Entonces, la gente que había servido a los magnates del petróleo, el carbón y la madera, se quedó en las localidades petroleras y, tras la desaparición de sus señores y sus esposas, se adueñaron de las incómodas mansiones victorianas y se encargaron de cambiar la inconveniente disposición de las cocinas, instalaron frigoríficos en lugares inesperados, pavimentaron los sótanos con cemento, a duras penas, evitaron reducir toda la ciudad a cenizas.

Todo el mundo necesita tiendas de alimentación y un sitio para comprar neumáticos, para que el chico de los neumáticos pueda vender su mercancía al de la tienda de alimentación y viceversa. Cada año se reducía un poco el PIB de la decadente localidad petrolera en la que ya no quedaba petróleo. Poco a poco, las casas se fueron descuidando. Poco a poco, todo se ralentizó. Mientras los agricultores del condado de Crowder vivían orgullosos de sus silos de grano, lo que quedaba del condado de Yates descansaba en el esplendor de los días pasados, y aquella tierra regada con riqueza, prestigio y honor produjo un porcentaje curiosamente alto de genios. Quizá fuera resultado de las sorprendentemente grandiosas instituciones públicas, donadas por los difuntos magnates del petróleo. ¿Qué otro instituto público rural posee un planetario? El instituto del condado de Yates, en el que estudiaron Sunny y Maxon, destacaba por unas cuantas cosas. El compromiso de adaptarse a los cambios en la tecnología punta era una de ellas, gracias a los fondos de benefactores muertos hacía tiempo. Su alta concentración de genios de la estadística era otra. La relación causal entre esas dos peculiaridades no estaba clara.

154

En cualquier caso, allí fue donde crecieron Sunny y Maxon, entre esa gente venida espantosamente a menos y esos intelectos monstruosos diseminados al azar. En las granjas de los *amish,* en los poblados de caravanas, en las antiguas mansiones destartaladas con ventanas y vallas rotas, surgían alumnos que salían disparados de las escuelas locales con una fuerza tan potente que llegaban lejos en el mundo, aterrizando como jefes de cirugía en Chicago, científicos investigadores en Los Ángeles, sociólogos en Denver. Maxon no fue el primero en ascender de unos orígenes tan extraños y crudos hasta el premio Nobel. Eran una camada rara, alimentada por los restos de la riqueza del petróleo, educados en escuelas superprivilegiadas, siempre con el apremiante objetivo de escapar de su decadente lugar de nacimiento.

En el momento del impacto, cuando las estrellas cayeron sobre él, Maxon recordó un día en el planetario del instituto, y el aspecto que tenía la cabeza de Sunny en medio de aquel planetario. Estaba sentada tan tiesa en una silla y parecía tan calva como el dibujo animado de una idea. ¡Ajá! Una bombilla, su cuello la parte que se enrosca, su cráneo la esfera de cristal, su cerebro, su alma y su generosidad, el filamento. Allí sentado en la oscuridad, bajo la luz de miles de estrellas que despedía su lámpara, él, el audaz proyeccionista, iluminaba las estrellas. ¡Qué forma de ligarse a las chicas!

Maxon entró primero al instituto. Cuando Sunny empezó, él ya estaba en segundo. Iban niños de todo el condado, la mayoría conocidos por Maxon. Pasó su primer año de instituto sin ella, enfurruñado. Se granjeó enemigos. Despreciaba a los profesores. Ponía a la gente en su sitio. Se burlaba de sus intelectos poco leídos, poco informados, holgazanes. La madre había intentado adiestrarlo en todo lo necesario para comportarse en la escuela. En el colegio había funcionado bien. Para evitar que corriera por los pasillos, le decía: «Maxon, tu velocidad es independiente de la ausencia de obstáculos. Solo porque puedas correr rápido no significa que debas hacerlo». Más adelante, Maxon anotó la fórmula:

$$D = \frac{V}{T}$$

$$\text{CUANDO} \quad V = \text{VELOCIDAD BÍPEDA}$$

$$V \leq 6 \text{ km/h}$$

$$V \perp \text{OBSTÁCULO } O_n$$

Mucho más adelante, esa regla se incluiría en la programación de un robot. Pero ahora, en el instituto, había situaciones de interacción social más complejas que simplemente pasear por los pasillos, sonreír cuando te sonreían, fruncir el ceño cuando te lo fruncían, poner la misma expresión que tu interlocutor, como le habían enseñado. «Maxon —decía la madre—, si la persona llora, eso significa que tú tienes que llorar. Si la persona ríe, significa que tienes que reír. No hay peligro en imitar a tu compañero. El peligro viene si lo imitas mal.»

Sin embargo, en el instituto descubrió que para caer bien a los profesores tenía que hacer algo más que simplemente ejecutar las instrucciones:

```
Hacer
   Profesor = ObtenerEstadoProfesor ¿?
   Si Profesor = ENOJADO entonces
      Cabeza = ASENTIR
   Terminar si
Repetir hasta Profesor = TRANQUILO
```

Pero había un profesor de física que lo odiaba sin motivo aparente. Había un profesor de gimnasia que lo derribó y luego se marchó refunfuñando. Había un grupo de chicas que se reían cuando nadie había gastado una broma. Sin embargo,

Maxon fue el primero de la lista para realizar prácticas de técnico en el tremendamente caro y sublimemente extravagante planetario.

Así eran las cosas en el condado de Yates. Chicas calvas. Chicos salvajes, formados a base de matemáticas. Genios por todas partes, esperando a ser descubiertos, o a pudrirse en caravanas tras los graneros de sus padres hasta morir sin un centavo, y a quienes solo llorarían los *amish* a los que les compraban un montón de huevos.

Había un texto que acompañaba al trabajo del planetario, un rollo para soltar a las visitas de colegios de primaria o grupos de *boy scouts,* que Maxon memorizó con la misma facilidad con que memorizaba cualquier cosa. Podía soltarlo con distintas entonaciones. De amable patrón, de aburrido inexperto, de entusiasta amante de la ciencia. O en un tono del todo neutro que los demás voluntarios encontraban absolutamente repulsivo. Había varios programas diferentes, y también un espectáculo de luz para las noches de los fines de semana, con láseres. Maxon estaba bastante seguro de que la gente se drogaba antes de asistir al espectáculo de láseres. Él nunca había probado las drogas ni alterado su mente de ningún modo. Bebía agua, directamente de los manantiales. Comía cualquier cosa que encontrara a su alcance. Tenía un cabello castaño y ondulado muy extendido por la cabeza, sobre la que crecía, espeso, durante los intervalos entre los cortes de pelo. Tenía unos ojos oscuros y redondos, pestañas largas y negras, y era alto, raquítico, escuálido y demacrado.

Imponía. Se volvía pálido y luego pecoso, según las estaciones. Víctima reciente de un estirón de pubertad extremo, se tropezaba con frecuencia. Cuando Sunny fue al planetario por primera vez, ella estaba en su primer año de instituto y Maxon, en el segundo. Sunny era nueva en lo concerniente al funcionamiento del planetario, y él era un experto. Maxon hizo de anfitrión, ofreciéndole el mejor asiento. Luego entró alguien más, un grupo de gente; era una tarde de martes a las 19.00 horas. Maxon no había cenado nada y solo había tomado una coca-cola *light* para almorzar. Se sentía mareado,

157

con el cuerpo atontado. Su aspecto externo, con la tez mate y suave, no daba ninguna muestra de ello. Pero allí estaba, debajo de su piel, una sensación de mariposas en el estómago.

Cuando Maxon creció tanto y tan rápido a los catorce, descubrió que se sentía incómodo con Sunny. Durante aquel primer año de instituto, en su interior sucedió algo que no había previsto. Algo creció en su vientre mientras sus huesos se estiraban. Su voz se volvió más grave. Se convirtió en una persona nueva. Sunny también era alta; dinámica y frágil, aunque fingía no darse cuenta. Pero ahora había unas ansias distintas en la habitación cuando se quedaban los dos solos. Ya no querían jugar a acertijos. Ya no tenían las mentes puestas en sus juegos de fantasía. El tiempo que estuvieron separados lo pasaron en cosas muy diferentes, y por eso, al volver a casa después de haber estado moviéndose en vectores separados, se sentían distanciados. El cerebro de Maxon no era consciente de ese movimiento. Su vista reconocía a una Sunny en el sitio de Sunny, y su oído podía oír la voz de Sunny, las cosas que le decía. Sin embargo, su cuerpo sentía esa distancia, por debajo de su cerebro y de todo aquello que sucedía dentro de lo razonable.

Maxon sabía que eran personas diferentes de aquellos niñitos que habían cargado con rocas para levantar presas en el arroyo, con los músculos en tensión, las venas visibles. Sabía que eran personas diferentes incluso de aquella pareja de tímidos que recorrían tomados de la mano el camino de las cascadas, temerosos de que el otro se cayera por la falda de la montaña. No sabía muy bien en qué se estaban convirtiendo, pero era consciente de que aquello tenía que ver con la reproducción y los genitales. Eso lo tenía claro.

Desde que fueron lo bastante mayores para escapar del jardín de casa, habían recorrido juntos, ella a caballo y él en bicicleta, todas las carreteras secundarias de la zona, puentes de tren, barrancos abajo y desfiladeros arriba. No había ningún sitio al que *Pocket* no fuera capaz de llegar, y no había ningún sitio al que Maxon no fuera capaz de llegar con su bicicleta. Si la madre hubiera sabido dónde estaban, habría sentido miedo, pero cuando salían a dar una vuelta ni ellos mismos sabían adónde irían a parar, solo que se iban, se ponían en movimiento, libres. Cuando la bicicleta se rompía, Maxon pirateaba piezas de otra, y siempre conseguía que volviera a funcionar, o la empujaba junto a Sunny, todavía capaz de decir «sí» y «no» cuando convenía decir esas cosas.

Había días en que Maxon salía solo con la bici, cuando Sunny tenía otras cosas que hacer, y entonces iba más rápido, descendía a tumba abierta, se ponía en pie sobre los pedales para ascender aquellas colinas, derrapando sobre la gravilla, lanzándose por las laderas de los montes. Cuando podía, veía ciclismo en la tele. Le gustaba ver a los humanos con sus máquinas, enganchados a los pedales, el hombre y la maquinaria formando un todo, siendo las ruedas una prolongación de los pies del humano. Le gustaba ese esfuerzo. Quería subir con su bici todas las montañas, recorrer el mundo entero y todas sus cumbres. A medida que su cuerpo iba ganando fuerza, su mente cambió, adquirió nuevos patrones, y ahora, en cierto sentido, cuando salían juntos, tras años de compañerismo, él siempre era más rápido y ella siempre acababa haciendo pucheros.

El día del planetario, llevaban meses sin salir a montar juntos. Estaba sucediendo algo nuevo, y Maxon no lograba entenderlo.

Entró más gente, pero nadie se sentaba cerca de Sunny. Iban desfilando lentamente, ocupaban otros asientos, como evitándola, aunque quizá no con repugnancia sino con veneración. Padres y alumnos juntos, o una pareja de antiguos alumnos. Entró una cuadrilla de *boy scouts,* de la iglesia presbiteriana de Knox, y se sentaron ocupando toda una fila, con un hombre de uniforme a cada extremo. La gente no se acercaba a Sunny, formaba un círculo a su alrededor bajo la tenue luz, con la cúpula blanca del planetario sobre la sala. Maxon se acercó y se sentó junto a ella en el asiento plegable de al lado.

—El programa dura treinta y siete minutos —dijo.

—Vale —asintió Sunny y sonrió, aparentemente normal.

Pero Maxon observaba el contorno de sus labios en la penumbra. Habían crecido; parecían más gruesos. Resultaba evidente que estaban más grandes. Entornó los ojos, ladeó la cabeza y se acercó para mirar mejor. Sus ojos también se habían vuelto más brillantes. Retrocedió, receloso. Sunny era extraña en sus detalles concretos: el rabillo del ojo, la punta del hueso orbital, el pliegue de su oreja. Maxon no la había analizado con tanto detenimiento. Había hecho suposiciones basadas en sus rasgos generales. Sintió que tenía que asimilarlo todo de un modo más específico.

—¿Qué pasa? —dijo ella.

Maxon no respondió. Se desabrochó el botón del cuello y volvió a abrocharlo. Había tenido episodios, muchos, muchos malos episodios, en los que se ponía a mordisquear el cuello de sus camisas, así que se los dejaba abrochados. Nunca se ponía algo con el cuello suelto. Nada que pudiera morder, por mucho que le apeteciese. Mordería un bolígrafo o las uñas, pero no su ropa, no su ropa. No se le permitía morder la ropa.

—¿Estás nervioso o algo así? ¿No has hecho esto un millón de veces? — preguntó Sunny.

--No estoy nervioso. Solo estoy asegurándome de que tú no estás nerviosa. Sé que la astronomía puede hacer que la gente use frases del estilo «el gran orden de las cosas» o «de pronto he comprendido».

Sunny sonrió, deslizó su mochila sobre sus rodillas y la abrazó, estirándose en la silla y mirando al techo.

—Estoy bien —dijo—. Tonto. Estoy lista para que empiece el espectáculo. Hace tiempo que quería verlo, ya sabes. El famoso proyeccionista.

Llegó el momento de apagar las luces y de que diera comienzo el espectáculo del planetario. Había un mensaje grabado que se ponía para advertir que se debía permanecer sentado en la sala y no salir más que en caso de emergencia. Con un total de quince personas presentes, Maxon dudaba que se produjera ningún episodio de emergencia —estadísticamente, era muy poco probable—. Comenzó su charla previa a la proyección, en la que describía el cielo nocturno tal como se veía en aquella época del año en el condado de Yates. Decidió introducir un secretito dedicado a Sunny, y cuando señaló la Osa Mayor dijo: «Está ahí mismo, justo encima del granero». La miró y notó que su cabeza asentía un poquito; desde detrás, pudo ver que sus mejillas se estiraban un poco. Maxon supo que eso significaba que le había gustado la referencia. Puso en marcha la parte automática del espectáculo, se sentó en su silla, y la observó. Allí estaba ella, como una bombilla dentro de una bombilla, con las sombras jugando en el blanco de su cráneo como mosaicos de hojas en el suelo del bosque. Allá, en lo alto, la versión inorgánica, y aquí abajo, la cúpula humana.

Se imaginó con un rotulador permanente y una regla, dibujándole estrellas en el cráneo, marcando el firmamento en su cabeza. Al este y al oeste de sus orejas, al norte de la punta de su nariz. Las dibujaría tal como se ven en otoño, antes de la temporada de caza, la mejor época del año. Sentiría el rotulador avanzando suavemente por su cráneo; no se tropezaría con nada, como en una pizarra, lo que le permitiría trazar formas y líneas perfectas. Cuando terminase, encendería la luz dentro de su cabeza, y su obra se reflejaría en la cúpula del planetario, sin estúpidos nombres de dioses ni ridículas antropomorfizaciones de cúmulos de estrellas, solo un mapa estelar con astros conectados de acuerdo a una regla lógica. Los más jóvenes, los más perfectos, los que tienen más probabilidades de colapsar. En lugar de un cangrejo, una dama o un toro, habría algoritmos desarrollados en el cielo. Las constelaciones eran una broma, una nana de abuelitas. El espectáculo del planetario de Sunny no contendría ninguna de esas invenciones bobas. Sería perfecto. Una expresión matemática.

La banda sonora pitaba y crepitaba: un cometa, un meteorito, una galaxia. Luego, terminó el espectáculo. Todo el mundo se marchó, pero Sunny permaneció en su asiento hasta que Maxon apagó todos los proyectores y se encaminó hacia ella. Volvió a sentarse a su lado.

—Creo que me gustaría dibujarte un mapa estelar con un rotulador en la cabeza —dijo—. ¿Estaría bien?

161

Sunny le dio un empujón cariñoso en el hombro y fue como si su mano tuviera un cable eléctrico dentro.

—¿Qué? ¿Quieres hacerme agujeritos y meterme una bombilla en el cerebro? —sonrió.

Volvió a recostarse en la silla y su mochila cayó al suelo. A Maxon le gustó lo cercana que era esa idea a la suya.

—No creo que haga falta agujerearte —dijo, trastabillándose con las palabras. Notó, de repente, que tenía las manos cargadas de electricidad; tuvo que retenerlas sobre las rodillas o saldrían disparadas hacia el techo—. Creo que tú ya brillas.

Sunny se sentó tiesa en la silla. Maxon la miró y vio que estaba mirándolo fijamente. Sus ojos estaban húmedos y parecían más grandes. Bajó la barbilla y movió los labios, pero por unos segundos no salieron palabras.

—Eso ha sido muy bueno, Maxon —dijo—. Lo que acabas de decir es una cosa realmente buena. Es una de esas cosas que gustan a la gente.

Hablaba con voz muy baja, y Maxon preguntó:

—¿Te ha gustado?

—Maxon, he estado pensando en probar una cosa.

—¿El qué? —graznó él.

Sunny acercó la mano a su mandíbula y la tocó, y con la yema de los dedos dirigió su cara hacia ella. Maxon sintió de nuevo la sensación de cable eléctrico, como si estuviera electrocutándolo con la punta de los dedos. Solo estaba tocando su cara. No entendía por qué sentía una sensación de triángulo apretando su ingle, un triangulo envolviendo su pelvis, apretando.

—He estado pensando en besarte, Maxon. ¿Estaría bien?

—Sí —dijo él. Sentía que iba a caerse del asiento, porque no estaba bien situado.

—En la boca, ¿vale? —preguntó ella con suavidad.

—Sí —repitió él.

Su cara se acercó más a la de Sunny hasta que pudo oler su ropa, hasta que pudo ver el borde del ojo de Sunny, un arco perfecto, sin pestañas ni cejas que lo interrumpieran, y luego ella lo besó en la boca. El calor de sus labios se posó en él; no era como piel contra piel, era algo diferente, más penetrante. Se sintió sacudido, como si hubiera explotado una batería en su pecho. Sintió cosas encendiéndose en su interior, dentro de sus piernas. Adelantó la mano, envolvió a Sunny entre los brazos y, con sus rodillas torcidas y torpes y sus largas piernas por una vez cooperando, la aupó para subirla en su regazo. Se quedaron allí, besándose, bajo la cúpula del planetario, Sunny con los brazos envolviendo su cintura, Maxon apretándola fuerte; no quería parar nunca, jamás.

En aquel momento, Maxon supo que Sunny era su pareja reproductiva, y que tendría que encontrar un modo de solidificar su relación con palabras y gestos.

—Sunny —dijo cuando finalmente se separaron.

—¿Sí? —preguntó ella. Sonreía, irradiaba amabilidad y felicidad. Sus brazos todavía lo envolvían, acariciando su espalda, bajando con los dedos desde los hombros hasta la cintura, calmándolo, provocándolo, encendiéndolo—. ¿Quieres decir «Sunny, te amo»? —dijo de repente.

—Sunny, te amo —repitió él con voz ronca.

—Creo que yo también te quiero, Maxon. —Tenía trece años y quizá no estaba tan emocionada como él, pero puso las manos en su pecho, como consciente de la enormidad de aquello—. ¡Voy a casarme contigo, tío!

En el cohete, Maxon podía recordar aquella energía entre ambos, el modo en que se sintió electrificado por ella cuando se encendieron todos sus interruptores. Toda vida es binaria. Encender o apagar. No hay una posición intermedia. Vivo o muerto. Enamorado o no enamorado. Besar o no besar. Hablar o no hablar. Una elección conduce a otra sin bifurcaciones en el camino. Hay mil pequeñas decisiones de sí o no que componen cada movimiento, pero no son más que eso: sí o no. Para Maxon, incómodo y esperando en la cabina del planetario, la decisión había sido apagar. Para Maxon, rodeando a Sunny con los brazos, besándola por primera vez de verdad, había sido encender. Nunca volvería a apagarse en toda su vida. Era un interruptor que tenía un cartel a un lado pegado con cinta aislante que decía NO TOCAR. No era algo que pudiera deshacer algún día, no importa lo que ella le hubiera dicho o cuánto hubiera arremetido contra él más adelante. Seguía allí porque nunca se había ido.

17.

La madre no murió. En su interior, algo había quedado en suspensión. Había perdido la capacidad de seguir adelante. Se encontraba interrumpida. Su respiración era áspera y terrible de oír. Las enfermeras meneaban la cabeza y corrían la cortina. La vida se aferraba a sus últimos atavíos; la mente se aferraba al cuerpo, rastrillándolo, desgarrándolo con sus agarrones desesperados. No moriría, no iba a dejar el mundo así, tan inacabado.

Por fuera no sucedía nada. Ni un tic, ni una mueca. Pero por debajo de aquella gruesa membrana de cuerpo había toda una vorágine. Por un lado, la destrucción del cáncer, la devastación de los órganos; caían uno tras otro como ciudades. Por otra parte, la resistencia de la voluntad. Contaba, recordaba, hacía listas, para asegurarse de que estaba viva. Lo reconstruiría todo, célula a célula, tejido a tejido, hasta que recuperase la conciencia. Hasta que caminase. Hasta que volviera a oír noticias, tomar decisiones, ver crecer a sus nietos.

Fuera, en el aparcamiento, la hija calva y la nieta que llevaba en su interior estaban sentadas en el coche. Sunny no podía mantenerse del todo apartada, pero tampoco podía entrar del todo. No podía hacer que sus pies la condujesen hasta el hospital, y cuando iba en el coche, los desvíos eran inevitables. Unas cuantas veces pasó de largo sin hacer aquel último giro. O accedía al aparcamiento y detenía el coche, pero no entraba al edificio. Podía sentir la conexión a través de la ventana que suponía que sería la cámara mortuoria de su madre, uno de aquellos cincuenta rectángulos en el ladrillo.

Imaginaba que después de tener el bebé, dejaría a Bubber y al recién nacido en casa con Rache. Estando su amiga en casa, sola con los niños, las grietas de la pared disminuirían. Sus hijos estarían a salvo. Sunny podría volver al hospital, junto a la madre, sentarse a su lado, respirar aire el cálido de la habitación donde ella yacía. Confiaba en que una enfermera se encargara de hacer eso en su ausencia. Que alguien sintiera piedad por aquella mujer agonizante a la que la zorra de su hija había abandonado y dejado morir sola. Bueno, está embarazada. Bueno, es calva. Bueno, ya tiene bastante encima. Ese hijo. Ese marido. Aún así, imperdonable, diría la enfermera, apretando la mano hinchada de su madre. Sunny confiaba en ello.

Durante la infancia de Maxon hubo épocas en que pasaba todos los días con Sunny. Pero llegaba un momento, mientras estaban jugando, en que Maxon alzaba la mirada al reloj, veía que eran más de las 16.30 y echaba a correr hacia su casa. Su padre llegaría a las 17.00, decía, y él tenía que estar allí, para trabajar. Que su hijo estuviera al otro lado de la carretera, al padre le resultaba mortificante, insoportable.

Su padre sospechaba de Emma y sus intenciones. «¿Qué quieren de ti, muchacho? —decía—. ¿Quieren un limpiabotas? ¿Quieren a alguien que les limpie los pozos?» Su padre también sospechaba de esa mujer de piel marrón que vivía con ellas. Nu era una anomalía, la única persona del condado que no era blanca. Mientras la mayoría de los vecinos la aceptaban, le preguntaban por sus orígenes birmanos y la escuchaban con paciencia, otros nunca creyeron que no fuera más que una negra corriente. El padre de Maxon pertenecía a estos últimos, y hablaba con gotitas de saliva en los labios sobre lo negativo que sería permitir que un negro o un mexicano echara raíces en el condado. Lo cierto era que Nu había venido desde Birmania para ayudar a Emma a criar a Sunny, porque Emma creía que no debería encargarse de ello sola.

Cuando Emma regresó de Birmania quería, por encima de todo, educar a Sunny en un ambiente tolerante con las excentricidades, donde su hija pudiera ser lo más normal posible. No se le ocurrió un lugar mejor para Sunny que el recóndito y apartado condado rural en el que se había criado Bob Butcher. Bob siempre hablaba de él con entusiasmo, de sus pequeñas iglesias de campo con torres afiladas y sus pozos de petróleo por todas partes. Emma sabía que si llevaba a su hija al condado de Yates, Sunny sería una de ellos, un miembro de la familia. Se convertiría en otro bicho raro local, de esos de los que se reía Bob, como aquella familia que tenía montado un mercadillo perpetuo delante de casa, o aquel excéntrico millonario, encerrado en su mansión de piedra sobre una colina, que había inventado los post-it. Su gente estaba allí. Se sentiría como en casa.

Emma compró la granja Butcher a los padres de Bob. Estos se alegraron de vendérsela a ella; hacía tiempo que se habían mudado a Florida, donde podían estar al sol y cerca de su otro hijo, el buen hijo que no se había ido del país ni había acabado asesinado por ser misionero. Vender la granja a Emma suponía saldar cuentas con su nuera y la rara de su hija, así que lo hicieron sin dudarlo.

Emma estaba constantemente atendiendo el teléfono, o en la ciudad, en el despacho del abogado, enfrascada en asuntos legales y en la venta de las fórmulas químicas de Bob Butcher a empresas farmacéuticas. El certero descifrado de años de notas garabateadas y documentos de investigación, la tapadera para la labor de misionero, ofreció a Emma varios descubrimientos interesantes que resultaron poseer un valor significativo para la medicina moderna. Una vez que se diseñaron las patentes y se firmaron todos los documentos, terminó siendo una mujer rica, capaz de vivir donde quisiera y hacer lo que le viniera en gana.

Así que Emma se instaló en la vieja granja, y envió a buscar a Nu a Birmania. Nu vino con sus *nats,* sus creencias animistas y sus robustas piernas. Plantaba kilos y kilos de alubias en verano, cavaba con la azada sin descanso y recogía fanegas de verduras para enlatar. Disparaba la escopeta para espantar a los cuervos, otro día para espantar a un ciervo, una noche para espantar a un puñado de personas, fugados del hospital Warren State, que rodearon la casa pegando mugidos como vacas sueltas. Cocinaba, limpiaba y dormía profundamente en el cuarto trastero, con su rifle y su altar al lado de la cama. Trabajó sin descanso junto a Maxon para identificar gestos faciales, leer el lenguaje corporal, comprender el significado de palabras como «arrepentido» y «obvio». Practicaban y las palabras sonaban como si el inglés fuera su lengua materna. A Nu se le atragantaba el vocabulario. A Maxon, la sintaxis.

A veces había períodos en que el padre de Maxon se iba de viaje y dejaba a sus hermanos mayores a cargo de la granja. Esos eran los buenos momentos. Entonces, Maxon era libre. Una vez, hasta su madre se fue del pueblo, dejando al niño de nueve años solo durante dos semanas. Durante ese tiempo, se quedó con Emma y Sunny, pero dormía en el porche, donde estaba más cómodo. Sunny lo arropaba como a un muñeco antes de irse a la cama, le llevaba un libro y una lamparita. «Apaga la luz antes de irte a dormir, Maxon», le decía Emma, y luego cerraba la puerta. Por la mañana, la luz siempre seguía encendida, el libro caído sobre su pecho, y docenas de polillas atrapadas en la lámpara, intentando salir. Nu lo alimentaba prodigiosamente cuando se quedaba con ellas, y siempre salía de su casa un poco más gordo, no tan parecido a un palillo.

Cuando el padre de Maxon, Paul Mann, estaba en casa, eran los malos momentos. Era un hombre alto y arisco, encorvado y cuellicorto. Sus pantalones colgaban con tirantes de sus hombros huesudos. Tenía una barba canosa a medio crecer, y una medialuna de sudor en el cuello de su camiseta amarillenta. Se movía continuamente, siempre murmurando, y sus ojos acuosos pestañeaban con rapidez. Tenía muchos proyectos: leña, chatarra, perforar en busca de petróleo, la caza y el trampeo.

Emma no tenía claro si la familia Mann arrastraba problemas económicos o si habían elegido voluntariamente aquel estilo de vida. El hombre siempre parecía muy atareado, no podía ser un haragán. Pero casi no gastaban dinero. Maxon y sus hermanos mayores siempre llevaban ropa harapienta o casi harapienta, la casa estaba que se caía y el granero tenía goteras. Los más de cien vehículos destartalados en los pastos se usaban como rediles para las ovejas y los cerdos, y como almacenes para otras partes y piezas de coches. El padre de Maxon era un acaparador orgulloso, llenaba hasta el techo el garaje, el granero, las dependencias externas y la casa de cosas que podría necesitar en el futuro: herramientas, piezas, chatarra, animales e hijos.

Los padres de Bob Butcher habían tenido una relación tensa con este singular vecino. Con frecuencia se lo encontraban a él, o a alguno de sus turbios primos, cortando leña en su lado de la fuertemente disputada linde. Los hijos mayores se pasaban las noches de los sábados bebiendo cerveza casera y recorriendo las pistas en una de sus viejas chatarras con las luces apagadas. Se les oía estrellarse contra árboles, derrapando en la gravilla y tocando el claxon en la oscuridad.

Emma procuraba dejar tranquilos a los Mann, instintivamente consciente de que Maxon se llevaría la peor parte en cualquier conflicto. Una vez, sin embargo, Emma se dio literalmente contra ellos con el coche. Iba con Maxon y Sunny en el asiento trasero, y Nu de copiloto, y se dirigían a comprar helado, después de lo cual tenía pensado devolver a Maxon a su casa. Lo dejaría allí a tiempo para que estuviera trabajando a las 17.00 en punto como de costumbre, para evitar el enfado de su padre. Bajaban por la pista del río, donde las ruedas derrapaban inevitablemente y el camino subía y bajaba sin avisar. De repente, la furgoneta de Paul Mann apareció rugiendo desde el valle y se estrelló de morros contra el pequeño Honda Accord de Emma. La furgoneta salió rebotada, patinó sobre la gravilla y se estrelló contra un árbol. Se quedó peligrosamente colgada del borde del talud, aunque firmemente empotrada. Mann pisó el acelerador y volvió a pisarlo, despidiendo una lluvia de piedrecitas y tierra. Pero la furgoneta estaba inmovilizada. Se bajó de un salto y comenzó pasearse; su gorda esposa también se apeó y se echó a llorar, lamentándose. Era una mujer humilde, de ojos sombríos y cabello fino.

—Niños, no os mováis —dijo Emma—. ¿Estáis heridos?

No estaban heridos. Se encontraban hechos un revoltijo en el asiento trasero, la pierna de Sunny sobre la rodilla de Maxon, el brazo de Maxon alrededor del cuello de Sunny. No había pasado nada. Pero Paul Mann estaba enfadado.

—¡Mujer! —dijo—. Te tengo dicho que no me toques así cuando estoy conduciendo.

—¡Paul, Paul! —balbució la esposa. Llevaba un vestido de verano con un estampado de flores, sin forma y sin mangas, de algodón. Debía de pesar ciento cincuenta kilos. Emma no podía imaginar qué tipo de tocamientos habría estado realizando aquella persona panzuda y llorona a su alto e irascible marido. Mann levantó la mano y abofeteó a su mujer, que se cayó para atrás, componiendo de un modo casi cómico la expresión de sorpresa más predecible. Después, el hombre dobló su alta constitución sobre el frontal de su furgoneta para inspeccionar los daños como si nada hubiera pasado. Nu estaba enfurecida, y mientras Emma corría hacia la madre de Maxon para ayudarla a ponerse en pie, Nu avanzó con su pequeña y afilada figura por la pista de gravilla hacia Mann y le dio unos toquecitos firmes con el pie por detrás.

—Eh, tú, pedazo de mierda —dijo—. Cabronazo, ¿tratas así a tu mujer? ¿Qué clase de hombre eres?

—Vete al infierno —gruñó él, sin dejar de examinar el guardabarros. Nu volvió a levantar el pie, balanceándose apoyada sobre un piececito en la carretera. Le dio otra certera patada y le devolvió el gruñido. Paul Mann se enderezó lentamente, estirándose todo lo alto que era—. ¿Y tú quién cojones eres? ¿Una especie de mexicana?

La señora Mann lloraba en el hombro de Emma, con sangre brotando de un corte en el labio, su nariz bulbosa moqueando, los pequeños ojos rojos pidiendo disculpas.

—No lo siento por él —declaró con rabia—. ¿Se le queda pequeño este condado? No. Él se piensa que sí, pero no.

La cara de Nu solo expresaba serenidad cuando lanzó una patada giratoria a la rodilla de Mann, justo por debajo de la articulación. El hombre se sorprendió y cayó sobre la carretera como un árbol roído por castores.

—¡Mierda! —aulló—. ¡Puta mexicana de mierda! ¡Agárrala, Laney!

A la patada giratoria de Nu le siguió otra dirigida con habilidad al esternón, que le cortó la respiración. Mann se agarró la garganta, tosiendo, con los ojos desorbitados.

—¡Lo has *matao!* ¡Lo has *matao!* ¡Ayyyy! —aulló la señora Mann, gimoteando de nuevo.

Emma, secando el rostro de la señora Mann con el vestido de flores, intervino rápidamente. Ignorando sus ojos en blanco y el hecho de que estaba tirado en medio de la pista, se dirigió a él con cortesía:

—Señor Mann, creo que necesita una furgoneta nueva. ¿Me permite llevar a su esposa a la ciudad para hacer los papeleos? No me importa. Luego, puedo llevarla a ella y a Maxon a su casa cuando le venga bien. ¿Le parece bien?

—Eso. —La señora Mann participó entusiasmada—. La *señá* Butcher me llevará al pueblo, y le diré a Pete que venga a remolcarte.

Mann las miró con cara de rabia, sentado en el suelo, y luego suspiró hondo, derrotado.

—Está bien —gruñó—. Volveré andando a casa. Está a poco más de un kilómetro. Pete encontrará la maldita furgoneta. Solo subíamos a ver qué hacíais con el muchacho.

—No pensarás dejar la furgoneta aquí en medio de la carretera, ¿verad? —dijo Nu, indignada—. Te quedas aquí, a dirigir el tráfico, so bobo.

Luego regresó al coche con paso delicado y cerró la puerta.

—Niños, estaos tranquilos ahí atrás —les dijo innecesariamente, alisándose sus trenzas negras y arreglando el recatado cuello de su blusa—. Está todo controlado.

La señora Mann, envalentonada ante esa muestra de poderío femenino, avanzó hacia su marido y extendió con firmeza la palma mugrienta y sudorosa de su mano.

—Quiero pasta para ir al pueblo —dijo, torciendo el labio como un bebé.

—¿Cuánto? —gruñó él, rascándose el bolsillo.

—Muchos dólares —dijo ella con tono agresivo—. Me voy al pueblo.

Durante el trayecto, la señora Mann no dijo nada más, iba embutida entre Emma y Nu. Detrás, los niños seguían callados. En realidad, no había nada que decir. Pero Sunny había visto algo nuevo, algo que no había visto antes. En el asiento delantero iba la señora Mann, con sus lloriqueos y moqueos, su gordura arrugada y apretada entre la fría y sosegada Emma Butcher y la pequeña y terrible Nu. Llegaron al final de la pista, tomaron la carretera y aceleraron.

Sunny preguntó a Maxon:

—¿Tu papá te pega así?

La madre del chico pasó un brazo gordo como un jamón por el respaldo del asiento y dijo:

—No, no lo ha hecho nunca. Nunca haría algo así. Paul adora a sus chicos. Es malo conmigo, pero quiere a sus chicos de todo corazón.

Maxon miró con frialdad a Sunny. No iba a decir nada. Ella supo, solo con mirarlo, que esa no era la verdad. Supo lo que su madre había sabido cuando se acercó a aquella casa la primera vez: que dejar allí a Maxon era como lanzarlo a un pozo de veneno. Y por muy celosa que se sintiera a veces, por mucho que pensara que su madre dedicaba demasiado tiempo a Maxon —ayudándole a aprender canto y piano, además de todos los carteles y mapas que hacía para él y el modo en que le explicaba las cosas una y otra vez, cuando Maxon ni siquiera la estaba escuchando, cuando Maxon ni siquiera la estaba mirando, y el modo en que interrumpían las historias para descubrir por qué, cómo se siente esta persona, por qué esta persona hace esto—, supo, aunque solo tenía ocho años, que merecía la pena.

Y Emma, al volante junto a aquella mole moqueante de culpa y victimismo, supo que al niño de atrás, ese niño que iba en el asiento trasero junto a su hija, tenía que salvarlo. Que ella podía salvarlo, aunque estaba dañado para siempre. Y donde antes había sentido una especie de sentimiento de misionera, una especie de altruismo y entrega, como una cruzada, como una monja, ahora sintió la necesidad de proteger a Sunny. ¿Quién era ella para traer este espanto a la vida de su niña? Esperaba no haber ido demasiado ejos. Esperaba que se pudiera deshacer de alguna manera. Y aún así, cuando miró por el retrovisor el modo en que los niños estaban entrelazados, comprendió que podría ser ya demasiado tarde. Maxon era diferente. Sunny era diferente. Juntos eran diferentes. Y fuera lo que fuere esa cosa mala y retorcida que existía dentro de él y dentro de ella, sería complicado separarlos.

En la habitación, en medio del hospital, había una vida luchando por seguir viva, intentando aguantar y arreglarlo. Todo lo que se había permitido que ocurriera y todo lo que aún no había ocurrido, todo se podía rectificar, enderezar. En el útero, en medio del cuerpo de Sunny, había una vida luchando por salir a la vida, luchando por abrirse paso parpadeando al mundo. En esa vida, todavía no habían existido los errores. No había existido amor, ni tristeza, ni paz, ni miedo. Solo había sustento y una minúscula gama de experiencias. Pero esa vida inanimada deseaba seguir adelante, hasta el siguiente sitio, salir de la oscuridad, pasar a lo que tocaba, a una dimensión más amplia. Una aguantaba, otra empujaba. A medida que una empujaba hacia delante, la otra también lo hacía. Eran la muerte y la vida sucediendo, a la vez y por mucho tiempo.

18.

Sunny estaba viendo el canal de la NASA y echaba de menos a Maxon. Cuando él se encontraba en casa, lo único que ponían en la tele era ciclismo o el canal de la Bolsa. A Maxon no le interesaba la industria del entretenimiento. Resultaba difícil no estar distraída e inquieta cuando él no rondaba cerca. Sunny esperaba no haber arruinado su matrimonio y su amor en los últimos cinco años de vida en común. Antes, solo había sido para él, solo se ocupaba de amarlo. Se estiraba a la altura de su cuerpo largo y anguloso, llegando a ser igual que él, exactamente igual. Eran como un injerto, como una nueva creación, producto de su duradera asociación y también del perfecto amor que compartían.

Cuando se quedó embarazada por primera vez, se temió que tendría que convertirse en algo distinto. Cuando eres madre, ¿cómo puedes ser algo más al mismo tiempo? Cuando te quedas huérfano, ¿cómo puedes ser otra cosa? Ahora le preocupaba que todo en lo que se había convertido hubiera desplazado al amor, hasta tal punto que ahora solo podía medio amarlo, el amor era algo del pasado. Quizá se olvidó de cómo llenar el resto, porque estaba llena de otras cosas: casi huérfana, madre. Quizá ya no puedes envolver de verdad tu cuerpo alrededor de otra persona, después de haber llevado a un bebé en tu seno. Quizá el dolor de verte sin padres te mete en una caja junto a quienes comparten el mismo dolor. Su madre se estaba muriendo. Sunny añoraba a Maxon, al viejo Maxon, el de antes. Pero aún así sabía que él siempre había sido el viejo Maxon. Era ella la que había cambiado. Y todo eso en lo que había intentado convertirse era estúpido y sin sentido.

A la hora de comer, recibió un correo electrónico recordándole que el mercadillo de artesanía anual del barrio, que ella había ayudado a organizar, se celebraba esa tarde. El encabezamiento del mensaje era «¡No te olvides!». La última línea prometía cócteles mimosa. Sunny frunció el ceño. ¿Iba a ir al mercadillo de artesanía del barrio? ¿Y si su madre moría en mitad del evento y tenía que irse corriendo al hospital? ¿Y si Maxon caía del cielo y tenía que ir a recogerlo? ¿Y si Bubber sufría una recaída y empezaba a recitar los números primos? Le gustaría grabar eso en vídeo. ¿Y si le daba una contracción gigantesca y pringaba de líquido amniótico todo el entarimado rústico de tablas de roble del anfitrión de la fiesta? Se alisó el vestido que cubría un bebé que daba vueltas y patadas en su barriga. ¿Y si todos la miraban y decían «¿Qué haces tú aquí?»? Entonces, sonó el teléfono. Era Rache, para preguntar si todavía tenía pensado ir.

—¿Todavía tienes pensado ir? —preguntó.

—Bueno, ¿dejan entrar a calvos? —repuso Sunny.

—Muy graciosa. Pues claro que dejan entrar a calvos. El marido de Tina vino el año pasado, ¿no te acuerdas? —bromeó Rache con desparpajo—. Pero en serio, si te vas a sentir rara, no tienes por qué ir.

—¿Si me voy a sentir rara? —se preguntó Sunny en voz alta—. ¿Tú te sientes rara, Rache? ¿Acaso alguien se siente raro alguna vez? ¿Acaso alguien no se siente raro alguna vez?

—¿Qué te pasa, bonita? ¿Estás mosqueada conmigo?

Sunny guardó silencio por un momento.

—Sí que iré.

—Bien. ¿Qué vas a llevar de comer? ¿Has tenido tiempo de preparar unos aperitivos? ¿Quieres que te cubra? He hecho setas mágicas.

—No, no —dijo Sunny. Sentía que estaba en un extraño sueño en el que ella era un ama de casa en una calle respetable, conversando con otra respetable ama de casa sobre los aperitivos de una fiesta, una fiesta a la que pensaba asistir—. Llevaré... mi trenza de miel.

—¿Trenza de miel? ¿Eso existe? —quiso saber Rache.

—Pues claro que existe, es una receta de mi abuela. Trenza de miel. Es típico de Holanda. Se come del revés.

—¿Qué abuela, la que murió o la que supuestamente nunca existió?

—Hieres mis sentimientos, Rachel —la reprendió Sunny con calma—. Llevo haciendo trenza de miel desde que era niña.

—Bueno, vale, entonces te veo en casa de Jenny a las tres. ¿Vas a...? ¿Tienes a la canguro para Bubber?

—Sí, eh... sí.

—Genial, bien. Arriba ese ánimo. Nos vemos allí, ¿de acuerdo? Besos. Te quiero.

Sunny se sintió como una equilibrista sin cuerda floja. Se sintió como un actor en el escenario, sin vestuario ni guión. Tanteó en su mente buscando lo que Sunny, hace una semana, habría llevado a ese mercadillo de artesanía del barrio. Una cesta de magdalenas elaboradas con esmero, envueltas individualmente, para vender a tres dólares la unidad. Una bandeja de alhajas de plata, cada pieza doblada con esmero por sus esmeradas manos mientras su hijo babeaba y se mecía a su lado, para vender a veinticinco dólares el colgante, treinta dólares la pulsera.

Ahora tenía que preparar la trenza de pan de miel. Y ni siquiera sabía qué era aquello. Bubber estaba sentado al piano en la sala. Llevaba allí la última hora. Tocaba arpegios ascendentes, arpegios descendentes, arpegios ascendentes, arpegios descendentes, una y otra vez, con rápidos movimientos de los dedos, como martillos sobre las teclas. Estaba estimulándose en el piano.

La primera vez que Bubber empezó a abrir y cerrar puertas de armarios durante horas seguidas, Sunny corrió a ver al pediatra. Le explicaron que las estereotipias son una forma de auto-estimulación; algunos niños lo hacen meciéndose o meneando la cabeza, pero otros lo hacen dando golpecitos con lapiceros, o algunos chascan la lengua o giran la cabeza. Bubber había tenido su experiencia con las sacudidas de la cabeza, por supuesto, y se la habían quitado a base de medicación, por ese motivo le ponían el casco. Había hecho eso de las puertas de los armarios, y luego pasó a hacer listas, a etiquetar cosas y repetir consonantes. Ahora estaba sentado al piano, subiendo y bajando, subiendo y bajando, semitono tras semitono arriba, semitono tras semitono abajo, con una precisión exasperante. Sin embargo, Sunny no quiso pararlo. Estaba ocupado. Y eso era algo sorprendente. Se preguntó qué llevaría ella, sin su peluca, a la fiesta. Se preguntó qué tocaría Bubber, sin su medicación, al piano. El único motivo por el que tenían un piano era porque en una casa como la suya, un piano era algo más o menos imprescindible.

Sintió una contracción suave y se apoyó en la isla de la cocina. Su rostro estaba desnudo, sin cejas, sin pestañas, sin pelo humano prestado cayendo a ambos lados de su cara, falso como presentarse con el marido de otra. Llevaba un vestido de corte imperio recubriendo al bebé alojado en su interior, y una chaquetilla torera de cachemir, rosa pétalo. Sacó del frigorífico un bloque de carne picada de pavo, convencida de repente de que la trenza de miel se hacía con carne.

Cuando terminó lo que era básicamente un pastel de carne endulzado, y lo metió en una bandeja de metal mientras le daban tres ligeras contracciones más, miró sus manos pegajosas, resultado rosa y pastoso de su esfuerzo, y le entraron ganas de llorar. Decidió pasar de la fiesta. Podía decir que estaba teniendo contracciones. Podía decir que se había puesto mala. Podía decir que la niñera tenía que ir a un juicio por faltas de tráfico y no podía escaquearse. Amasó la pasta de carne formando tiras, las enroscó en un molde de pan, y lo metió al horno. Allí estaría, cuarenta minutos después, cuando lo sacara. ¿Dónde estaría ella? ¿Seguiría allí? ¿O había tiempo para escaparse por una ventana del piso de arriba y lanzarse en picado a otro universo?

Bubber aporreaba las teclas, parecía que nunca se iba a cansar de esa secuencia. Do mi sol do sol mi do. Semitono arriba. Do mi sol do sol mi do. Sunny subió a su habitación a cambiarse de ropa. Se puso unos pantalones negros de embarazada y una blusa campera color crema, pulseras y pendientes largos.

177

Al mirarse en el espejo, se dirigió al nuevo híbrido de la joven e imprudente Sunny calva vestida con el caro armario de la Sunny plácidamente sedada.

—Hazla tuya —se dijo—. Haz tuya la calva. Haz tuya la trenza de miel. Hazla tuya. Tu marido es Maxon Mann. Ganador de un premio Nobel. Tu madre es Emma Butcher. Una mujer de la hostia. Hazlos tuyos.

Sonó el timbre y Sunny bajó corriendo a abrir, era la canguro. Estaban obligados a tener una canguro que, además, fuera enfermera, porque a veces hacía falta, y Maxon solo podía tolerar al mínimo número de personas entrando en su casa. Nada de diversas canguros adolescentes. Nada de intercambios con las otras mamás de la calle, de modo que siempre hubiera niños en casa. A Sunny la canguro le parecía seca pero bien preparada. No importaba. Que Maxon hubiera aceptado dejarla entrar en la casa era motivo suficiente para firmar lo que fuera.

—Está tocando el piano —dijo la canguro—. ¡Vaya, eso está muy bien! No sabía que tocaba.

—Yo tampoco. Pero hoy le he quitado la medicación —explicó Sunny—. Su comportamiento puede ser caprichoso. Puede que se ponga a reír, o a gritar, o a descifrar textos de la civilización Harappa, o se vaya a dormir sin más. No sé. Pero me llevo el móvil y estoy a una calle de aquí. Así que llámame si sucede algo.

—Bien, ¿cuánto tiempo le dejo que toque el piano? —preguntó la canguro.

—Hasta que le apetezca. Dentro de lo razonable, ¿de acuerdo?

Sin más explicaciones, Sunny sacó la trenza de miel ya dura —puede que hasta se dejase cortar— en un bol de motivos florales. Plantó un beso en la frente de Bubber, que echó la cabeza atrás para decir: «Oh, te quiero, mamá» con una voz que casi se podía describir como poseedora de entonación. Sus manos nunca paraban. Sunny se sintió muy feliz al escuchar esas palabras de su hijo incluso después de haberle quitado su medicina.

Una vez en la calle, sintió la brisa en su cabeza y avanzó a taconazos acera abajo hacia la casa de su vecina. Sunny había organizado varios mercadillos de artesanía del barrio, pero luego dejó que el honor rotase entre las amigas de su círculo más íntimo. El mercadillo de artesanía era más un punto de trueque que una iniciativa comercial, aunque todos los artículos llevaran el precio marcado y se simulara mucha actividad de compraventa. Si comprabas los pendientes de cuentas hechos a mano por Theresa por treinta y cinco dólares, luego ella acabaría dándose una vuelta y comprando las tarjetas de felicitación navideña estampadas a mano por Rose, tres cajas a diez dólares cada una. Rose se llevaría los mejunjes de aromaterapia de Sylvia, quien a su vez se probaría sus colgantes de plata. Nadie se iba más rico o más pobre de lo que había llegado, pero todos se volvían a casa con un surtido variado de articulitos para repartir entre sus amistades menos importantes, diciéndoles: «Este jabón lo hace a mano una de las vecinas de mi calle. Los fabrica en el trastero encima de su garaje, ¿te lo puedes creer? ¿A que huele como las pastas de Navidad? Sabía que te encantaría».

La clase de mujeres que frecuentaban los mercadillos de artesanía del barrio no eran de esas que necesitan un dinero extra para Navidad. Estaban jugando a las tiendas. También iban por los cócteles mimosa. Había un cartel con letras trazadas con exquisito gusto y decorado con serpentinas y globos, montado sobre un caballete en el perfecto jardín de Jenny. Pero si un extraño pasase por la calle, no habría sabido qué pensar de aquello.

Jenny había sacado todas las superficies portátiles de la casa a la parte delantera de su moderno palacete estilo Tudor, mesitas auxiliares con bolitas de fieltro para gatos y la mesa del comedor oculta bajo un surtido de bolsos y sombreros acolchados. Las damas del vecindario circulaban por las estancias: el vestíbulo con su grandiosa escalera, el salón con su grandiosa chimenea, el comedor con su grandioso mural, una escena campestre galesa pintada en la pared junto a la mesa francesa, al lado del ventanal de cristales alemanes. Jenny no era una diseñadora de interiores dotada, pero su marido tenía una cuenta bancaria sin límite. Con el adulterio y el divorcio batiendo amenazadores sus alas, no se sentía inclinada a cuidar el dinero de su esposo.

En cuanto Sunny pisó la hermosa madera del recibidor de Jenny, su cuerpo supo exactamente lo que tenía que hacer. Se dirigió a la cocina, alabó las reformas, dejó su fuente y eligió un perfecto cuchillo de rebanar del cajón de la cubertería de Jenny.

—¿Qué es eso, Sunny? —preguntó Jenny dulcemente, poniendo cara de circunstancias. El marido se encontraba en el comedor, con una chaqueta de *tweed* y una gorra de golf de cuero, su largo cabello blanco recogido en una horrenda coletilla. Tenía unos ojos negros penetrantes y una boca nerviosa. Pero Jenny se mantenía alejada. Con sus amigas alrededor, saldría adelante.

—Es trenza de miel —intervino Rache—. Típica de Noruega, ya sabes.

—De Holanda —la corrigió Sunny.

—¡Vaya, fabuloso! Quiero probar un poco..., pero después. —Jenny se marchó con gracia a admirar los bolsos de la madre de Angela.

Sunny permaneció allí, junto al aparador, mirando las cabezas relucientes y los suaves hombros de sus vecinos. Eran buena gente, y elegantes. Sin la peluca, no sentía que de repente fuera mejor que ellos, que no la merecieran. Más bien, lo contrario. Ahí estaban, sin sospechar que la habían admitido en su círculo, la habían dejado ascender a la cima de su jerarquía, habían escuchado sus consejos, habían seguido su ejemplo, y ahora ella los había traicionado. Podía sentir cómo evitaban su mirada cuando los tenía delante, pero sentía sus ojos clavados en sus espaldas. En cierto modo era invisible, pero, tambén en cierto modo, no podían apartar sus ojos de ella.

Entonces, alguien llamó a la puerta, que se abrió revelando a una figura familiar en el umbral, llamativa y confiada. Les Weathers entró sin más. Las mujeres revolotearon a su alrededor como mariposas. Se ofrecieron para guardar su chaqueta, lo condujeron a la mesa de la comida, colocaron un plato en su mano, un tenedor. El tono de sus voces ascendió una octava. De repente, el marido de Jenny, que estaba contando la historia de cómo le habían dado una paliza a solo media manzana de casa cuando iba a una fiesta en casa de los Hardison la pasada Nochevieja, se quedó solo. En cualquier caso, todos conocían esa historia. Aquí estaba Les Weathers, de las Noticias del Canal 10. Los saludó, mostrando sus dientes blancos relucientes, dando palmaditas en los hombros y moviendo la cabeza, pero luego describió una trayectoria recta, alta y rubia en dirección a Sunny.

La tomó por el codo, inclinó la cabeza hacia ella y preguntó con tono de preocupación:

—Sunny, ¿estás bien? ¿Cómo está el bebé? ¿Sigue ahí dentro?

—Estamos bien —contestó Sunny.

—Perfecto. Me alegro de verte por aquí, respirando el agradable aire otoñal.

—Sí, bueno —dijo Sunny—, tengo que irme pronto. Al hospital.

—¿Algo va mal? —repuso él, atragantado, recuperando al instante su pose de preocupación—. ¿Más contracciones?

—No; se trata de mi madre.

Les Weathers frunció el ceño y las pocas damas alrededor de Sunny exclamaron «Aaaah» y «Ooooh» comprensivas. Conocían a la madre, sabían que la habían traído de Pennsylvania en un avanzado estado de agonía, y que había estado aguantando en el hospital.

—¿Cómo está, Sunny? —preguntó Rache—. ¿Está consciente? ¿Ha dicho algo?

—Oh, le he quitado todas las máquinas. Se está muriendo. Se va a morir ahora.

Al decir esto, Sunny sintió que su caja torácica se debilitaba. En su imaginación, vio que se le caía la rodaja de bizcocho que tenía en la mano. Alguien se precipitó a por ella, la recogió en una servilleta y la hizo desaparecer. Se imaginó el brazo fuerte y grueso de Les Weathers rodeándola, y casi sintió que se inclinaba hacia el pecho de su camisa almidonada, su esternón olía a lima y confianza. Quiso llorar, gritar y aullar, allí, delante de todos, con el rostro desencajado y colorado, destrozando con sus manos el peinado de Les Weathers, arrancándole las orejas. Pero no lo hizo. El bizcocho permaneció en su mano. La caja que había llenado en la habitación del hospital seguía cerrada, nada había escapado de ella.

—No pasa nada, no pasa nada —dijo Les Weathers, más para la concurrencia de mujeres que para Sunny.

—Está bien. Lo ha pasado muy mal. Pero está sobrellevándolo. Mira.

—Me siento mal —dijo Sunny, y tosió un poco. Se vio a sí misma como si estuviera al otro lado de la estancia: manteniendo la compostura, la boca fija como una línea cruzando su cara. Qué ganas tenía de gritárselo: ¡ME SIENTO MAL! ¡ME SIENTO MAL POR HABER DESENCHUFADO A MI MADRE! ¡LA HE MATADO Y ME SIENTO MAL! ¡SE VA A MORIR! Pero no lo haría. No se convertiría en algo para recordar durante años, una anécdota que las mujeres contarían más tarde a sus maridos, que relatarían a sus hermanas por teléfono. No, no tendrían la oportunidad de hablar de una mujer arrugada y desgarrada aferrándose al hombretón de los rizos planchados y el hoyuelo en el mentón, chillando y berreando. En su lugar, hablarían de la compuesta alienígena con la blusa campera, que dijo con calma:

—Me siento mal por haberla desenchufado.

—¡Sunny, era lo que tenías que hacer! —intervino Rache, y Jenny posó una mano en la espalda de Sunny—. Tenías que dejarla ir, ya era el momento. Hiciste lo correcto.

¿Cómo podía ser lo correcto matar algo que está vivo? ¿Qué iba a saber Rache, si Sunny había estado mintiéndole desde el principio? Pero guardó ese pensamiento en la caja y la cerró. Y los gritos, y el rasgarse las vestiduras, y el arrastrarse bajo la cama para esperar la muerte, todo estaba guardado en la caja, que se encontraba cerrada con cinta aislante. No iba a abrirla ni a pensar en ella.

—Estaba viva y ahora va a morir, y es culpa mía. Yo lo hice —dijo.

–Ridículo –tronó Les Weathers. Con una firme mano alrededor de Sunny, agarró un bollito de chocolate con la otra mano y gesticuló con decisión antes de llevárselo a la boca con una floritura–. Tú no eres una criminal. No vas por ahí matando gente. Solo eres una mujer. Una mujer calva. Y has hecho lo que tenías que hacer.

Masticando el bollito, se animó con el tema:

–Todos hacemos cosas difíciles, Sunny. Perder a mi esposa Teresa fue lo más duro por lo que he pasado. Pero tenía que suceder. ¿La abandoné? No; escapó de mí. ¿Mataste a tu madre? No. Gracias a tu inactividad, le permitiste morir. Y todo el mundo te dijo que lo hicieras. El juez, el médico, hasta tu marido. Has hecho lo correcto. Ha sido para bien.

19.*

El invierno en que Sunny tenía ocho años, Maxon tenía nueve. Sunny y su madre querían llevarse al muchacho a esquiar con ellas, pero su padre dijo que no. Iban a ir a esquiar, envueltas en anoraks y pantalones de nieve, gorros de lana, gafas de esquí y bufandas, hasta que nadie pudiera distinguir a Sunny de una niña normal con una cabeza normal llena de lustrosos tirabuzones o capas de cabello liso. Estaban convencidas de que a Maxon le vendría bien ir a esquiar. Salir del valle. A todos les vendría bien. Iban a ir en coche hasta Vermont. Pero su padre dijo que no.

Nu también dijo que no, que estaban locas, que morirían congeladas en la nieve, pero Emma se mantuvo firme. Se había comprado una cazadora de esquí azul claro, y para los niños unas gafas que llevaban puestas mientras arrastraban sus trineos por el jardín. Paul Mann dijo que el muchacho hacía falta en casa. Hacía falta en casa pese a que tenía otros cinco hermanos, todos mayores que él, y todos trabajando en la propiedad con sus múltiples habilidades: cortar leña, manejar la excavadora, elaborar metanfetaminas, etcétera. Por qué precisamente el hermano pequeño hacía tanta falta cuando ni siquiera se acordaban de darle de comer, era algo que las mujeres Butcher no podían comprender. Pero no le dejaron ir, y Sunny se enfadó mucho por ello.

En invierno no había paseos en bicicleta, ni en caballo, ni siquiera tiempo para jugar después del colegio, porque anochecía muy pronto y hacía mucho frío, así que los dos iban en el autobús hasta casa de Sunny, donde comían, y luego bajaban

184

por el valle hasta casa de Maxon. Después ella regresaba corriendo, al estilo de Maxon, dando palmadas a los árboles, trepando y soltando voces colina arriba a toda prisa, mientras Nu la esperaba preocupada en la puerta de atrás. Aquella noche, Sunny acompañó a Maxon hasta su casa; nada más terminar las clases, fueron a casa de la muchacha y se marcharon con bocadillos calientes en los bolsillos, para que Nu no se preocupara. Dieron un gran rodeo por el valle, en vez de ir por la ruta directa. Hacía frío, los pinos estaban cubiertos de hielo, cada ramita era un filamento de cristal agitado por el viento, produciendo un tintineo y una lluvia de espejitos. Sus botas crujían sobre la nieve. El arroyo congelado al fondo del valle era una escultura en hielo de un arroyo congelado en movimiento, con todas sus cascaditas. Se detuvieron allí, junto al tocón escondite de Maxon, que habían convertido en un trono de hadas.

–¡Larga vida al rey de las hadas! –exclamó Maxon.

–¡Todas las hadas al rey venir! –aulló Sunny–. ¡Muerte por siempre al enemigo de las hadas!

–¡El hada al banquete venir! –gritó Maxon.

A continuación, limpió el tronco en el que solían sentarse para hablar o fingir su corte de hadas, y se sentaron a comer.

–La tribu lobo al banquete venir –dijo Max mientras masticaba un bocado de carne picada–. La tribu halcón decir: ¡Muerte a la tribu lobo!

–La tribu halcón penitencia traer –dijo Sunny–. Diez penitencias al banquete traer, toda la tribu lobo en fría nieve quedar.

Y así siguieron mientras comían, jugando en su propio idioma, incoherente y rápido. Giraba todo en torno a las tribus del bosque, las guerras en que estaban sumidas, los argumentos que habían elaborado y los personajes que se habían inventado. Maxon lo había desarrollado todo en imágenes alrededor de un grupo de árboles en particular, como un mapa de datos. Sunny intentaba entenderlo cuando hablaba rápido y responder aún más rápido. Ella era la que leía mucha literatura infantil, así que tenía una buena cantidad de palabras que ofrecer, aunque no era tan del bosque como él se pensaba. Ambos sintieron que estaba oscureciendo. Tiraron los últimos restos de su comida dentro del hueco de un enorme tronco retorcido, como una ofrenda, y supieron que era la hora de marchar.

—Maxon —dijo ella finalmente, más despacio—. Tú mucho al padre temer.

—Yo al padre no temer —repuso él, todavía con su habla inventada—. A la madre yo temer.

—Maxon —insistió ella—. Le tienes miedo. ¿Por qué? ¿Qué te hace?

Él se volvió hacia ella con gesto lúgubre; la confesión que se adivinaba era lo bastante terrible sin necesidad de expresarla. Lo bastante simple, lo bastante común, pero a Sunny le hizo mucho daño. Lo confortó entre sus brazos.

—Te quiero, Maxon, rey de las hadas, chico del bosque, yo a ti por siempre querer.

Maxon sonrió sin mirarla a los ojos, y la apartó de un empujón. Echó a correr hacia su casa.

—¡Seguirme no, Sunny, huevo de ave, canto de río! ¡A tu casa volver! ¡A salvo poner! ¡Hasta mañana! ¡Correr!

Sunny lo observó alejarse, consciente de que se habían entretenido demasiado y ya había caído el sol, sintiendo que se apoderaba de ella una humedad que helaba hasta los huesos, por debajo de su caro abrigo que había comprado por correo. Sabía que debía darse la vuelta y correr colina arriba hacia su casa, pero no lo hizo, siguió a Maxon, deslizándose entre los árboles, pisando suavemente con sus botas sobre la nieve. Lo vio correr colina arriba, en zigzag, tocando los árboles en su carrera. Como si fuera un ciego palpando su camino. Ella permaneció tras la línea de árboles mientras Maxon trotaba cuesta abajo cruzando los campos, colándose entre las vallas de alambre de espino; era un puntito negro en el reluciente campo blanco de nieve. Al entrar en la casa, por un instante su silueta quedó enmarcada en un rectángulo amarillento, y luego desapareció; el golpe de la puerta mal encajada resonó en la noche que empezaba a caer. Cuando Sunny se dio la vuelta entre los árboles, ya estaba más oscuro. Podía encontrar el camino con facilidad, lo conocía, era el territorio de la tribu halcón; conocía los árboles, los helechos y el viejo tronco donde hacía tiempo se había librado una batalla por los restos de una cierva muerta.

El único sitio donde debía ir con cuidado, al tomar la ruta más directa a casa, era entre las grandes rocas de la falda de la colina. Donde la montaña se empinaba, en su lado del valle, el lado Butcher, había grandes peñascos que asomaban del suelo, resultado de alguna erupción de hacía milenios, cosas gigantes e imponentes, surcadas de grietas profundas, peligrosas en la oscuridad. Mientras rodeaba las rocas, oyó un débil llanto procedente de sus profundidades laberínticas.

Pensó que quizá un ciervo había quedado atrapado entre las dos empinadas paredes de alguna falla. Un ciervo, o un oso. Su corazón se aceleró. Un puma podría salir trepando. A ella sola le resultaría imposible levantar a un ciervo. Volvería con Nu. Tendría que volver a toda prisa y traer a Nu. Su madre diría: «Sí, Nu. Ve a ver qué es». Nu iría sola y salvaría, o mataría, lo que estuviera allí atrapado. Sin embargo, antes de correr a casa quiso asegurarse de qué era, así que se arrodilló sobre la nieve, y se asomó al borde del hoyo. Allí abajo había algo moviéndose. Era un hombre. Era Paul Mann. Era el padre de Maxon.

—¡Gracias, Jesucristo! —dijo casi sin voz. Y más alto—: ¡Eh, tú! ¿Quién eres? ¿Quién está ahí arriba?

Sunny no respondió. El hombre tenía las piernas torcidas como una Z; agitaba los brazos, pero no se podía mover. Estaba cubierto de agujas de pino, resultado de sus intentos por salir del hoyo. Sunny captó el olor a licor que desprendía, incluso tres metros por encima de él, y vio que solo vestía una camiseta, sus tirantes asquerosos y sus pantalones de trabajo.

—¿Quién anda ahí? —repitió con tono agresivo—. ¿Eres tú, Maxon? Mueve tu culo hasta casa y trae a *ma*. Trae a tus hermanos. Pensaba que iba a morir congelado en este agujero de mierda esperando a que alguno de vosotros, cabeza de chorlitos, pasase por aquí. ¿Dónde estabas? ¿Por ahí dándote el lote con esa zorrita calva? Ve a traer a tu *ma,* ahora mismo. ¿Me has oído? ¡Mueve el culo o te lo azotaré hasta que salgan chispas!

Sunny apartó la cabeza del agujero. Tenía el pulso acelerado; sentía que se le iban a saltar los ojos de tanto que le latía la sangre en la cara.

—¿Qué estaba haciendo usted en nuestra propiedad? —dijo muy claro, con su voz de niñita más dura.

—¿Quién anda ahí arriba? Asómate, deja que te vea.

Sunny se quitó el gorro, se lo guardó en el bolsillo y se desató la bufanda. El intenso frío nocturno se hincó en su cálida piel, pero no le importó; sintió un hormigueo en las orejas y que la respiración se le congelaba en la nariz. Volvió a asomar la cabeza al borde de la falla, dejando que él la viera recortada contra el cielo.

—Oh, ah, Suzy, Suzy, eres tú. Ah, lo siento, te confundí con otra persona. Corre a buscar a alguien, tienes que ayudarme a salir de este agujero, cariño —dijo con tono cantarín.

Sunny permaneció sentada mirándolo unos segundos, memorizando la imagen de aquel hombre en el agujero, porque sabía que era un momento que nunca volvería.

Cuando se marcharon de Birmania, cuando estaban en Rangún a punto de embarcar en el vapor que los conduciría tras una larga travesía hasta San Francisco, hasta Chicago, hasta aquella noche bajo las estrellas, bajo esa luna naciente, por encima de aquel hombre suplicante, su madre la obligó a volverse hacia la ciudad, hacia aquel extraño puerto, y le dijo: «Mira, Sunny. Mira lo que estás viendo ahora y luego cierra los ojos y retenlo en tu cabeza, para que nunca se te olvide. Nunca volverás a ver lo que estás viendo ahora, si Dios quiere. Así que míralo bien para poder recordarlo. Este es el sitio donde te convertiste en lo que eres». Cinco años después, todavía recordaba vagamente las siluetas de las pagodas, los edificios bajos y monótonos del Gobierno, los muros del puerto. Y ahora, miró a esta persona, Paul Mann, en el fondo del hoyo, y retuvo sus rasgos, la forma de su cuerpo atrapado entre las rocas. Luego se apartó del borde de la grieta, volvió a abrigarse y se encaminó a su casa.

Respiraba suavemente, incluso subiendo colina arriba el resto del camino. Tomaba aire con los ojos bien abiertos. La luna se iba alzando e iluminaba los campos alrededor de su casa, que estaba encogida entre los abetos; una hermosa cabaña llena de calor y amor, y los brazos acogedores de su madre y Nu.

Dos días más tarde encontraron a Paul Mann. Había fallecido por congelación tras caerse, borracho, a una pequeña falla. A su lado encontraron su última botella, reventada. Su rostro congelado se alzaba apuntando hacia el cielo, los rasgos contraídos en un gesto helado. Después se descongeló, lo enterraron y dejaron que se pudriera. Los Butcher se llevaron a Maxon a esquiar a Vermont; su madre se alegró de dejarlo marchar. Tenía muchas cosas entre manos. No lo echaron de menos.

Después del mercadillo de artesanía, Sunny se marchó a casa. Bubber estaba durmiendo y la canguro, adormilada en el sofá, viendo sin interés el programa de Oprah. Sunny lanzó las llaves sobre la mesa. Reinaba tanta tranquilidad que casi no podía creérselo. Cuando te sientas en un taburete de tres patas y le quitas las tres patas, pero sigues sentada, ¿debes suponer que eres así de excepcional, que levitas? ¿O debes suponer que estabas sentada en el suelo desde el principio? Cuando ya no queda nada que quemar, tal vez tienes que prenderte fuego a ti misma.

¿Qué imagen espantosa conseguiría que sus amigas la rechazaran directamente, que reconocieran que era una extraña, que no merecía la pena? Hay una mujer con un tumor en media cara. Hay una mujer que no puede parar de hablar de sus citas con el psiquiatra. Sunny se había imaginado el rechazo, el abandono, la expulsión del barrio, sus jerseys rasgados en harapos, su monovolumen embargado, pero no había previsto que terminasen identificándose con ella. Que eso, la calvicie, la hiciera más parecida a las demás, y no menos. Eso era lo que no había previsto.

Su Blackberry vibró en el bolso. Lo sacó y pulsó el botón para recuperar un mensaje de Angela Phillips, la esposa de otro de los astronautas a bordo de aquella nave. «No enciendas la tele

—decía—. Llama a Stanovich.» Sintió que se le aceleraba el corazón. Marcó el número del centro de investigación de Langley y contactó con el compañero de investigación de Maxon en el proyecto de la colonia lunar. Estaba llorando.

—Sunny —dijo—. La nave ha sufrido un impacto. Ha chocado contra un meteorito.

—¿Está muerto? —preguntó Sunny con voz ronca.

—No lo saben. Han perdido contacto con el cohete. Sunny, voy a echarle muchísimo de menos. ¿Estarás bien?

Como si pudiera estarlo. Como si ella no fuera a morirse sin Maxon. ¿Cómo podía Stanovich conocerlos y no saberlo todavía? Pero no era algo extraño. Los dos eran muy reservados. No había un montón de notas de amor repartidas por la casa. La gente se preguntaba, o a veces se lo decía directamente, cómo podía estar casada con alguien como Maxon. Cómo podía seguir amándolo a pesar de sus evidentes carencias. Sunny respondía: «¿Que cómo nos queremos? Pues nos queremos como niños desnudos en una extraña selva, donde cada tronco se transforma en una ogresa, cada orquídea en un montón de gusanos. No nos decíamos "Te quiero", como tampoco, tras un día de vagar perdidos entre los árboles, nos mirábamos y decíamos: "Somos los únicos niños desnudos en esta selva". Los demás no era más que un jaguar o un montón de tierra». A veces se llega a ese estado desesperado en que tienes que aferrarte al otro y aguantar solos. En el que nadie más puede importar de verdad. Sunny pensó: El nuestro es uno de los amores épicos de nuestra generación. Probablemente, de todos los tiempos. ¿A quién le importa si nadie lo ve, si pasan de largo? Este relato es una canción de amor. ¿A quién le importa que la historia no la recuerde?

El sol describió su parábola y se puso. Bubber se fue a dormir. Pero Sunny encendió todas las luces de la casa. Se dirigió a su cuarto de las pelucas y permaneció en el umbral, con la respiración entrecortada. Tenía la misma sensación de caída que quien ha decidido tozudamente trepar a un tejado de pizarra, ha resbalado y se ha ido al suelo. Se acercó a la peluca que estaba más cerca de la puerta y la quitó de su maniquí. Aquella en particular era su chica de confianza para cualquier ocasión, una obra maestra de ondas y bucles rubios, largos y despeinados. La sostuvo y rápidamente se la colocó en la cabeza, sintió su peso, sintió que estrujaba su cabeza hasta devolverle una forma normal y adecuada. Adelantó las manos y se volvió hacia la derecha, hacia la izquierda. Salió lentamente al dormitorio, al pasillo, y recorrió toda la casa.

Se movió por las habitaciones, que eran como cajas apiladas sobre los cimientos, empujando las paredes para devolverlas a su forma normal, levantando los techos por encima de su cabeza, apuntalando el suelo con cada paso. Esa hermosa casa, ese templo sagrado de su vida, se erigía sobre todo aquello que era normal y previsible, puramente bueno. Un santuario para sus existencias, para protegerlas de la intrusión de lo raro, del constante romper de las olas del pasado. Esta era su antigua vida, así eran las cosas antes, cada cosa en su sitio. La casa era una mansión, una declaración, un edificio, y no otro elaborado tapón para un conducto de desagüe más, como el resto de casas de la calle.

Se detuvo bajo la lámpara de araña del recibidor. Sus hombros estaban paralizados por el peso de intentar volver a poner todo en su sitio. Apenas podía moverse para contestar a la puerta, pero había algo allí. Había alguien en la escalera. Era Rache.

—Hola, Rache —dijo Sunny, abriendo. Pretendía que su voz sonara como siempre.

Rache traía el plato de Sunny, que se había olvidado en la fiesta. La bandeja que contenía la trenza de miel, hecha en un estúpido ataque de optimismo. El rostro de Rache se contrajo al ver la peluca.

—¿Sunny? Pero ¿qué estás haciendo? —Entró con brío en la casa, arrojó la bandeja sobre la encimera de la cocina y se volvió para encararse con su amiga—. ¿Por qué te has puesto esa peluca?

—Yo...

—¿Qué demonios crees que estás haciendo? No te vas a poner una peluca, ¿vale? No y no.

No había nada que decir. Rache parecía dispuesta a arrancarle la peluca y soltarle un sopapo. Pero la peluca seguía en su cabeza, cumpliendo su función, sujetando el techo encima, sosteniendo las estrellas en lo alto, manteniendo alineados los planetas.

—¿Piensas que nos importa un pimiento tu cabeza calva? —le espetó Rache—. Pues no. No..., no nos importa. Ninguno de nosotros ha... —Rache se llevó la mano a la boca y Sunny sintió que se le cerraba la garganta—. No nos importa. No queremos que te la pongas.

—Lo sé. No pasa nada. No es por vosotros, es solo por mí, y por mi vida.

—Ponerte esa cosa en la cabeza no va a devolver el cohete a su ruta. No va a revivir a nadie. Y ni siquiera va a funcionar: todos sabemos que eres calva. —Estiró el brazo y agarró con sus delicados dedos la muñeca de su amiga—. Sunny, tienes que comprender que no eres tan especial. Sé que ha sido duro, pero no eres la única persona de este mundo. Ni siquiera eres la única persona calva.

—Tú no eres calva —dijo Sunny.

Rache se tiró de su pelo rubio.

—¿Qué te crees que hay aquí debajo, Sunny? ¿Qué hay aquí? ¿Sabías...? ¿Sabes que me follé a su marido? Me lo tiré, me tiré al marido de Jenny —susurró Rache, con la boca torcida en la comisura, su voz raspando su lengua—. El marido de Jenny, con lo adorable que es ella, es como un cesto de gatitos. ¿Estamos enamorados? No. Pero me lo follé de todos modos. —Rache agarró una mata de su pelo en cada puño—. ¡Calva! —dijo—. Y los demás también. Calvos. Hazme caso.

—Pero ellos no han matado a nadie —dijo Sunny. Carraspeó y se atragantó—. Tú nunca...

—Y tú tampoco, Sunny. Tú no la mataste. No lo hiciste.

Sunny se quitó la peluca y se la entregó a Rache. Se la había ganado. Era bonito hacer un gesto de amistad. Era bonito que le hubiera devuelto la bandeja. Y hablar sobre su terrible cabeza. Pero te equivocas, quería decirle. Es todo culpa mía. Lo maté a él, la maté a ella, y ahora he matado a Maxon. Todo culpa mía. Y la peluca no importa. Porque mi hogar ya está en ruinas.

20.

Allá arriba, en la nave, Maxon escuchaba su propia respiración dentro del casco. Oía las voces de los pilotos hablando entre ellos, ahora más tranquilos, menos frenéticos. Sentía que la nave flotaba sin esfuerzo por el espacio. Todo parecía estar bien, normal. Tenía el pulso acelerado, pero sus huesos no estaban rotos. No se había reducido a papilla. No había reventado en pedazos.

Probó su voz:

—Phillips, ¿cuál es nuestro estado?

—Eh… Genio, será mejor que te estés quietecito.

—¿Qué ha pasado? ¿Ha sido una explosión?

—Creo que hemos recibido un impacto, hermano. —Fred Phillips sonaba a kilómetros de distancia a través de las ondas de radio en sus auriculares, aunque se encontraba justo al lado de Maxon, tan cerca que si estiraba el brazo podía darle palmaditas en el guante.

Los brazos de Conrad se movían con frenesí, aporreando con los dedos un teclado. Maxon se preguntó si debería ayudar.

—¿Y hemos tenido…esto… consecuencias negativas? ¿El meteorito ha provocado daños?

—Sí, genio, siempre que chocas con un meteorito hay consecuencias negativas, ¿vale? —La voz de Phillips sonaba más elevada de lo normal, lo cual indicaba tensión y falta de paciencia. Maxon frunció el ceño.

—Primero vamos a restaurar las comunicaciones —intervino Gompers—. Después ya podremos evaluar los daños y actuar.

—¿Seguimos en nuestra ruta? —preguntó Maxon—. ¿Vamos a encontrarnos con el módulo de carga según lo previsto?

—Maxon, ahora mismo estamos intentando asegurarnos de que tenemos presurización y oxígeno —dijo Phillips—. Hay un protocolo para estas cosas, un maldito protocolo que tenemos que seguir meticulosamente, o estaremos más que jodidos, ¿vale?

—Cálmate, Phillips —gruñó Gompers.

—Pero ¿seguimos en nuestra ruta o no? ¿En qué estado se encuentra nuestro rumbo? ¿Nos hemos desviado?

—Escucha, hermano, si no restablecemos pronto la comunicación con Houston, con nuestros satélites, y con todo el maldito universo de la electrónica externo a este trasto, no seremos capaces de descifrar una mierda de rumbo, ¿vale?

—¡Phillips! —aulló Gompers—. Contrólese. Otra salida de tono y le mando a las cabinas.

Un bolígrafo de tinta azul pasó flotando ante la cara de Maxon. Pulsó el botón para liberar sus brazos del asiento, los levantó y se quitó la mascarilla alzando el visor. Respiró hondo.

—Tenemos oxígeno —dijo—. Bien, ¿qué cojones pasa con nuestro rumbo? Íbamos a insertarnos en órbita, Phillips, ¿lo hemos logrado o no? ¿Tenemos motores? ¿Potencia en los motores? Necesitamos encender el cohete dos con una aceleración de sesenta durante ocho segundos. Esa fue la última orden. ¿La habéis ejecutado?

Phillips estampó sobre el teclado su mano enguantada, pero también se quitó el casco y respiró hondo. Su cara estaba húmeda, y Maxon sabía que eso significaba que se sentía nervioso. Volvió la cabeza, ahora a solo un palmo de la nariz de Maxon, pues estaban hombro con hombro en sus asientos del cohete. Sus palabras, entrecortadas y amargas, salieron junto con unas gotitas de saliva.

—Aprecio que te intereses por nuestros avances. Aprecio que tú también participes en la misión. Pero, a menos que te diga lo contrario, solo se te permite permanecer sentado. No te quites el traje. No te cagues en los pantalones. Y no me vuelvas a preguntar por el puto contenedor.

—¿Puedo decir «¡arreglad esto!» hasta que lo arregléis? —preguntó Maxon sin pestañear. Gompers se echó a reír.

—Eres un memo —dijo Phillips—. Un auténtico memo. —Y volvió la cara de nuevo hacia los controles que tenía delante.

Maxon suspiró. No le gustaba esperar para recibir información. No le gustaba quedarse a un lado mientras otros se encargaban de pensar y actuar. No le gustaba delegar, nunca. Sentía que si pudiera cambiar el sitio con Phillips y sentarse frente a la pantalla verde y negra, sería capaz de percibir todos los errores de Phillips, restablecería la comunicación y podrían encontrarse con el contenedor como estaba previsto.

Sin embargo, la comunicación no se pudo restablecer. El meteorito había roto el dispositivo satélite y no estaba operativo. Ni pulsando botones ni introduciendo palabras o números en la pantalla lo pondrían en marcha de nuevo. Haría falta un paseo espacial para llegar al lugar donde estaba, e incluso si llegaban y contemplaban fijamente el metal retorcido y la fibra de vidrio hecha añicos, que era lo único que quedaba del dispositivo satélite, no habrían logrado hacerlo funcionar de nuevo. Sin él, estaban sin comunicación, y era indudable que se habían salido de su trayectoria, cayendo directamente hacia la luna y fuera de órbita si Maxon no se equivocaba, y nunca lo hacía.

Phillips y Gompers se veían cada vez más serios, mientras que Conrad permanecía gélido, con su rostro ceniciento. Continuaron realizando comprobaciones, a todo; absolutamente todo fue evaluado, excepto las comunicaciones, pues estaban perdidas. Sin capacidad de hablar con Houston, sin los recursos que tenían a su disposición en el centro de control, la misión estaba acabada y no habría regreso a casa. Aunque había contingencias previstas, estas no incluían desviarse del rumbo debido al impacto de un meteorito y los ajustes resultantes, que no los podían realizar los astronautas en una nave sin comunicaciones. Necesitaban un modo de comunicarse con la base, nada más les valdría. Maxon permaneció sentado, cruzando y descruzando los dedos, juntando y separando las yemas, sus ojos centrados en su interior, intentando ser paciente, por el bien de Phillips y Gompers.

—Si pudiéramos obtener nuestra posición —farfulló Phillips—. Si pudiéramos obtener una triangulación…

—Sin nuestros números, no tenemos nada —dijo Gompers—. Ahora mismo estamos precipitándonos. Vamos a aterrizar muy duro, muy rápido. Ni siquiera estamos equipados para aterrizar en esta cosa, ¿sois conscientes? Si este trasto aterriza, allí se queda. Necesitamos orbitar. Vamos a encender los cohetes.

—Espera, ¿en qué dirección? ¿Crees que puedes ponerte a volar a ciegas? Necesitamos a Houston, necesitamos información. Ni siquiera podemos ver bien desde aquí arriba.

—Tengo una idea —terció Maxon con firmeza. Su voz cortó el ambiente cargado y seco. Había estado tan tranquilo durante todo aquel mal trago, que los otros hombres empezaban a preguntarse si realmente era consciente del lío en que se encontraban.

—¿Qué se te ha ocurrido, genio? —preguntó Phillips.

—Sabemos dónde estaba la cápsula contenedor, ¿verdad? Sabemos dónde estaba y cuál era su órbita. Si igualamos su velocidad y su trayectoria, deberíamos ser capaces de establecer una órbita sólida con seguridad. Una vez que lo consigamos, puedo acercarme a él y hacer que uno de los modelos *Hera* nos construya un teléfono.

—¿Acercarte a él? ¿Cómo? ¿En tu coche?

—Hay una mochila de propulsión en el compartimento de carga B —dijo Conrad.

—Lo sé —dijo Maxon—. Me pondré la mochila e iré al contenedor.

—¿Es consciente de la gravedad de esta situación, caballero?

—No —respondió Maxon—, pero voy a buscarlo en Google, y para cuando lleguemos allí, estaré bien informado.

Conrad parpadeó sorprendido y luego, lentamente, empezó a reír entre dientes. Pero Phillips se movió y le dio un puñetazo en el brazo.

—¡Memo! —dijo—. Podemos intentarlo con el *software* que tenemos a bordo. Reprogramar el *software* de navegación para que funcione como un GPS. Por radio, por radio si nos vemos obligados.

—Pero entonces, ¿qué? ¿Cómo...? —intervino Gompers— ¿Cómo damos al centro de control acceso a nuestros números?

—Os aseguro —dijo Maxon sin inmutarse— que puedo conseguiros un modo de hablar con Houston si me lleváis a ese contenedor de carga. Una de las máquinas que los robots *Hera* van a construir en la luna es un centro de comunicaciones. Solo necesitamos un *Hera*. Y necesito silicio, titanio y hierro.

George y Phillips se miraron.

—Metales lunares —dijo Phillips—. Necesitamos metales lunares.

—Sí, esos minerales, entre otros, se encuentran en la luna —confirmó Maxon—. Los robots están preparados para extraer sus propios materiales del medio lunar, no podemos estar enviándoles plástico y aluminio desde la tierra todo el tiempo.

—Bien, ¿y de dónde vamos a sacar silicio y titanio?

—Puedes usar algo del equipo del compartimento de carga A —propuso Conrad.

—¿Habrá suficiente? —preguntó Phillips.

—No necesito mucho —dijo Maxon.

Mientras Phillips trazaba un curso que interceptar, George y Maxon examinaban el resto del cohete, en busca de piezas que se pudieran usar como materias primas para que el *Hera* fabricase un teléfono.

—Gracias —le dijo Maxon a George—. Esto bastará. Bien, Phillips, ¿puedes ponernos en paralelo a ese contenedor?

—Simples matemáticas, amigo mío, simples matemáticas —lo tranquilizó Phillips—. Tengo que reconocer, genio, que en esta ocasión has tenido una buena ocurrencia.

Le costó dos horas ponerse el traje que usaban para los paseos espaciales. Era un armatoste voluminoso con un casco de cristal, guantes, botas, monitor cardiaco, escáner cerebral y un colector de fluidos corporales. Había capas y capas que ponerse encima, y no le quedaba especialmente bien, pues era demasiado largo de piernas. El traje le resultaba ajustado por dentro, como si estuviera ceñido por una segunda piel. El robusto exoesqueleto encajó sobre él y se cerró. Se movía como un monstruo, como un lagarto de quince metros, con movimientos lentos y pausados, tirando trastos en el compartimento de carga B, mandando piezas de equipo a rodar por el suelo. La mochila de propulsión se manejaba con controles debajo de sus dedos. Con unas pocas instrucciones, Maxon fue capaz de entenderlos.

Cuando estuvo listo para salir, Phillips y Conrad ya habían descifrado la órbita del módulo de carga, habían trazado un plano de ella, y se habían puesto en paralelo.

—Mucha suerte, doctor Mann —dijo Gompers, apenado—. Dispone de unas seis horas de tiempo de trabajo en ese traje. Estaremos en contacto con usted por radio.

Maxon entró en la esclusa de despresurización. Podía ver a Gompers y Phillips en la nave, mirándolo. Luego hubo un silbido y el compartimento se abrió al espacio. Sin pensárselo, se soltó de la puerta y salió dando vueltas hacia fuera. ¿Le preocupaba la mochila de propulsión? ¿Que arrancase cuando pulsara el botón? ¿Que funcionase bien? No. Maxon creía en las máquinas. Creía que hacían aquello para lo que habían sido construidas. Era como pasearse por ahí con un riñón o un pulmón. Algo que hacemos todo el tiempo, pensó Maxon. No nos damos cuenta de que dependemos de un cúmulo de músculo para mantenernos vivos, un cúmulo de materia biológica que late instante tras instante, día tras día, una vez tras otra en la oscuridad, sin respiro, sin descanso, e incluso cuando lo matamos de hambre, lo ahogamos o lo sobreexplotamos, ese cúmulo rosado sigue contrayéndose, contrayéndose, contrayéndose, sin voluntad propia, sin descanso. Sin ser consciente de su propio sacrificio.

«Vosotros ya sois un robot —había dicho una vez a una sala llena de estudiantes de posgrado en una conferencia en Maine—. El robot más avanzado jamás creado.» El corazón bombea de un modo inconsciente, y por eso bombea. A menos que haya un fallo mecánico, sigue bombeando, y ¿quién puede planear eso? Construyes tus órganos del mejor material disponible. Los construyes mientras todavía estás en el útero. Mientras estás en la tierra, te construyes la mochila de propulsión que te sacará al espacio, y cuando llegas allí lo usas, solo tienes que confiar en que lo construiste bien.

Y al espacio salió, sorprendentemente libre de conexión. Sin un cordón que lo atase, sin un pensamiento que lo llevara a arrepentirse, salió a navegar. Los muchachos desde la nave veían su silueta recortada contra el fondo de la luna, con el espacio entero detrás. Ya no parecía humano; tuvieron que recordar que había carne y alma humana dentro de aquel reluciente traje mecánico blanco.

Era humano, aunque inquebrantable, respiraba, y era libre. Podía ver la tierra, la luna, el cohete detrás, y el contenedor de carga delante de él. Estaba fuera de verdad, aunque no era consciente del todo. Se sentía como despreocupado. No había ninguna experiencia trascendental aguardándolo en las profundidades del espacio. Otros humanos, en esa situación, solían sumirse en pensamientos profundos. No era el caso de Maxon. Solo pensaba en su dirección, en las correcciones necesarias para mantener el rumbo, en la distancia entre él y su objetivo. Esos fueron todos sus pensamientos.

Cuando era niño vivió momentos muy malos. A veces su padre lo azotaba con una correa de cuero. A veces le pegaba con un ladrillo. Esas experiencias no estaban recogidas en la memoria de Maxon. No se les permitía quedarse allí. Con frecuencia, estuvo doblado y desnudo hasta la cintura sobre el mueble zapatero de su padre, obligado a agarrarse a los barrotes de la cama. Una de las botas del hombre le aplastaba el trasero, inmovilizándolo, mientras el cinturón caía una y otra vez en su espalda, sus brazos, sus costillas. Ningún sitio donde meter la cabeza, ninguna escapatoria. Por no responder bien a una pregunta. Por no ofrecer una respuesta apropiada. Por contrariar a su madre. Por volver tarde. Luego ya no había carne que respondiera a los latigazos. Solo había huesos que soltaban chasquidos sordos y piel que se desgarraba. Recibía los castigos en los lugares más recónditos, para camuflarlos de las miradas curiosas. De modo que, ¿estaba Maxon familiarizado con disociar la mente de una situación física preocupante? Sí. Fue una de las primeras habilidades que dominó.

El paseo desde la nave al contenedor de carga le llevó noventa minutos. Fueron minutos muy largos, de concentración total. Aunque no se sentía preocupado, ni dolorido, ni nervioso, sí sentía la apremiante necesidad de coronar con éxito su misión. Estaba solo ahí fuera, sin encontrarse sometido a las idas y venidas de nadie, sin verse limitado por la incompetencia de nadie. Era un cuerpo flotando, como una mota de polvo suspendida frente a una cálida ventana al atardecer; iba sin timón, suelto, a merced de ningún viento, ninguna gravedad, solo manejado por el carburante y las intenciones contenidas en su piel de titanio blanco. No le costó mucho acostumbrarse a esa sensación. Le gustaba.

21.
*

Pocas veces había experimentado el echarse a la carretera sin un mapa, sin un programa, improvisando. Era la antítesis de su visión de la raza humana. Una vez, en Europa, durante un verano en su época de universitario, estuvo siguiendo el Tour de Francia, corriendo montaña arriba junto a los ciclistas, vestido de Darth Vader, gritando «*Allez, allez, allez!*». Se conocía cada movimiento de los deportistas, su ruta hasta el último kilómetro; había reservado los alojamientos con meses de antelación. Pero entonces, un día le llamó un cámara al llegar a la meta: «¡Eh, Darth Vader! ¡Vente con nosotros!». Y se fue. Sin programa, sin mapa, sin saber quién estaría allí o cuándo terminaría. Fueron a un bar que tenía un maillot de lunares colgado en la puerta, señal de que uno de los mejores corredores estaba tomando algo allí esa noche. Maxon bebió alcohol por primera y última vez en su vida. Besó a una mujer que no era Sunny. La muchacha solo hablaba francés y Maxon fingió que no entendía. A la mañana siguiente, se arrepintió de todo.

Recordaba otra ocasión en que sucedió algo parecido. Fue aquel plácido momento, a orillas del río Crowder, cuando pidió a Sunny que se casara con él. Para situaciones como esa, la madre solía esbozarle guiones. Si tenía que dar las gracias a un comité de becas, le enseñaba exactamente lo que tenía que decir, qué cara poner, cómo alzar la voz. En el funeral de su padre, le enseñó cómo dar la mano al pastor, qué parte de su boca mostrar al sonreír. Incluso la primera vez que le dijo a Sunny que la amaba, la propia muchacha había tenido prácticamente que escribir las letras en el aire delante de él, y llevarle al grano señalando cada sílaba. Sin embargo, aquel día Maxon creó sus propias palabras.

Sunny había vuelto a casa de la universidad para el funeral de Nu. La madre sabía, pero los niños no, que Nu en realidad ya estaba bien entrada en años cuando llegó a Pennsylvania desde Birmania. Todos aquellos años de infancia de Sunny y madurez de Emma, Nu los había pasado sembrando judías verdes en dos hectáreas de jardín, plantando hileras sin fin de maíz, patatas y calabazas, recogiendo fanega tras fanega de cosecha, enlatando, cociendo, congelando, y realizando un acopio constante de comida en la cocina. La plantaba, la recogía, la preparaba, la sazonaba, la cocinaba y la calentaba, y ellas la consumían. Durante varios años incluso había criado cabras, haciendo queso y yogur con su leche, y los animales se subían a los coches que aparcaban frente a la casa. Nu decía que eran sus perros guardianes, les ponía nombres como *Marroncita* o *Blanquita,* y se entristecía cuando morían de fiebre, jurando que jamás tendría más animales. Su cara robusta de ojos entornados, su flexible sombrero de paja, sus prácticas botas de granjero, parecían atemporales. Maxon pensó que tenía treinta años cuando la conoció, y esa opinión no se había actualizado.

—No, cariño, era una mujer muy mayor —dijo Emma cuando lo llamó para darle la noticia.

—¿Cómo de mayor?

La voz de Emma temblaba. Eso significaba que estaba triste. Maxon habló bajito. Así es como se habla con la gente triste.

—Tenía ochenta y siete años —contestó Emma.

—Te acompaño en el sentimiento —dijo Maxon.

—Gracias —respondió ella automáticamente. Era un fragmento de diálogo que llevaban años ensayando. Maxon lo había usado en ambos lados de la conversación, y nunca le había fallado. Sabía cómo decir las dos partes.

—¿Qué vas a hacer ahora? —preguntó.

—Bueno, me quedaré aquí, supongo. Sunny sigue en California. Pero tú sigues aquí, de momento.

—¿Volverá a casa para el entierro? —preguntó.

—Sí que vendrá. Maxon, ¿le has contado lo de la casa?

—No se lo he contado. ¿Por qué iba a hacerlo? —No dijo que lo había estado reservando para darle una sorpresa. Nunca antes en su vida había ocultado algo para dar una sorpresa, pero la idea le fascinaba; quería probarlo, en especial probarlo con Sunny.

—Escucha —dijo la madre—, no se lo cuentes. No… la traigas de vuelta aquí. Deja que Sunny regrese a la universidad; es lo que necesita.

Él no tenía nada que decir.

—Maxon —continuó Emma—. Sunny es como tu hermana. Tienes que quererla como a una hermana, ¿de acuerdo? Di que la quieres.

—La quiero.

—Como una hermana —apuntó Emma.

—La quiero como a una hermana —dijo Maxon mecánicamente.

—¿Ves? Ahí está. No hace falta contarle nada de la casa, ¿verdad? Solo deja que vuelva a California y termine la universidad, pues es lo que necesita hacer.

—¿Estaría mal…? —preguntó Maxon—. Quiero decir, ¿sería algo incorrecto sacarla un poco cuando esté en casa? ¿Aunque sea solo después del entierro?

—Oh, no. ¿Te refieres a si sería socialmente inadecuado?

—Sí —dijo Maxon.

—Oh, no —repitió ella—. A Nu no le habría importado. Y a mí no me importa. Sunny necesitará que la animen un poco, Maxon. Sácala por ahí. Pero después déjala marchar.

Maxon colgó el teléfono y echó un vistazo alrededor, a lo que había hecho. En lo alto de la colina, por el lado de la propiedad de los Butcher, hacia el norte y montaña arriba, había un terreno que él siempre había deseado. Era el punto más elevado del paisaje en kilómetros a la redonda, y solo se podía llegar por un camino que en ocasiones alcanzaba tal grado de pendiente que habría sacado de quicio a una cabra montesa. En esa propiedad había una casa de estilo alpino, con tejados de dos aguas y cristaleras por ambos lados, desde cuyos ventanales uno podía ver todos los valles y colinas hasta el profundo surco que era el río Allegheny. Llevaba toda su vida colándose en esa casa, primero solo y luego con Sunny. Era su refugio especial. En cuanto tuvo algo de dinero, la compró.

Las vistas eran impresionantes, y la había conseguido por una bicoca, por lo deprimida y débil que estaba la economía de la zona. Destripó la casa, reemplazó el mobiliario destartalado y los aparejos de caza por unos muebles de saldo y una cocina de soltero. Estuvo viviendo allí durante las vacaciones de la universidad y mientras estudiaba el posgrado. Limpiaba él solo la nieve del camino, se alimentaba a base de galletitas saladas, coca-cola *light* y nieve fundida, y en verano trabajaba como un loco para arreglar el hermoso terreno, cuyo diseño tenía una precisión matemática, con un estanque en un extremo y un jardín en el otro.

Nu había muerto en su jardín, los pies apuntando colina arriba, la cabeza colina abajo. Sufrió un aneurisma y, con esa inclinación, toda la sangre se le bajó al cerebro. Maxon sabía que ese era el riesgo de vivir en una pendiente.

Maxon trabajó en su casa, su propiedad, a sabiendas de que el terreno lindaba con el de los Butcher, que compartían una linde a lo largo de quince kilómetros de bosques. Hacía lo que quería en cada momento: limpiar tocones, pintar el cobertizo, levantar el garaje, alinear árboles, instalar azaleas en filas en la línea de árboles. No se paraba a pensar en lo que querría más adelante. Pero, en aquel entonces, no pensaba en Sunny como algo que pudiera querer. Sunny era suya. Hablaban por teléfono casi todos los días.

Cuando Sunny regresó de California para el funeral, parecía cambiada. Ella también había estado viviendo a toda prisa, pasando veranos en la universidad, trabajando para terminar su doctorado. No habían coincidido en el tiempo que pasaban en Pennsylvania, pues Maxon tenía que ir a dar conferencias, hacer de profesor visitante en la Universidad de Stanford, siempre era la persona más joven en hacer esto y aquello. Maxon estaba sentado en la cocina de la vieja granja de los Butcher, con la cabeza inclinada sobre el portafolio de Sunny, mirando fotografías de las pelucas artísticas que había hecho.

Una estaba fabricada con virutas de teca, formando un jardin-cito zen. También había una serie de pelucas en blanco y negro; había estado experimentando con espirales fundidas y texturas plásticas. Sunny estaba sentada en la mesita del desayuno, con una bufanda de lana al cuello, unos vaqueros desgastados, una camiseta sin mangas y unas botas enormes. Parecía tan confiada, tan entusiasta, sus manos entrelazadas como esperando escuchar lo que él tuviera que decir, que Maxon casi no podía mirar las fotos de su obra. En realidad, no le interesaban. Pero el robot hace que su expresión facial sea idéntica a la de su interlocutor.

Maxon permaneció allí, con la cabeza casi rozando el techo de la cocinita, asintiendo y sonriendo, y mirando con-tinuamente a Sunny, allí sentada, tan crecida, tan distinta de cualquier otra mujer que hubiera conocido en esos años. Así que esta era la mujer a la que pertenecía la voz al otro lado del teléfono. Llevaba tres años sin verla. Había cambiado mucho. De repente, Maxon sintió la necesidad de actuar. Sin-tió que quería algo. Algo más allá de una expresión mate-mática o la resolución de una cuestión de lógica, más allá de instalar focos de techo correctamente, más allá de cerrar los ojos y volver a abrirlos. La quería, quería que fuera suya como es debido. Sentía lo mismo que cuando tenía hambre. Sabía lo que venía después.

—¿Quieres ir a pasear en canoa mañana? —preguntó.

—¿En canoa? Eh… ¿después del funeral?

La madre había estado llorando en la otra habitación. Sun-ny también, antes de que llegara Maxon. Pero le pareció que no estaría mal ir en canoa después del funeral, siempre que su madre estuviera bien sin ellos. Emma dijo que lo estaría.

El funeral fue por la mañana. Una ceremonia tranquila en una pequeña iglesia blanca del valle. Dirigió la misa un pastor episcopal de Filadelfia, amigo de la madre. La congregación local prestó el templo, aun contra la voluntad del párroco del pueblo, al que las creencias animistas de Nu no le hacían mucha gracia. La iglesia estaba a reventar, llena hasta las naves laterales y el vestíbulo, por esa mujer, para algunos la primera persona que conocían que no era de su raza. Buena tiradora con el rifle, excelente cocinera y amiga leal.

Esa tarde, Maxon se presentó a recoger a Sunny con una camioneta; llevaba la canoa en la parte de atrás. La había bajado de su propio garaje, pero eso Sunny no lo sabía. Ella llevaba un culote de ciclista y una camiseta ancha de tirantes; Maxon podía ver su biquini asomando por debajo, y eso le dio ganas de ver su cuerpo. Sunny metió crema para el sol en una mochila amarilla, añadió una botella de agua, unas barritas de cereales y una toalla. Su madre se había ido a la cama en el piso de arriba.

—¿Con esto vale? —preguntó Sunny.

En el instituto salían en canoa todo el tiempo. Sabían perfectamente lo que había que llevar. Ahora, él no estaba seguro. ¿Necesitarían más cosas, visto que eran personas adultas? Sunny no había llevado malvaviscos ni batidos de chocolate. A Maxon no le pareció que eso significase otra cosa que ser más mayor. Se fijó en cómo se marcaban las caderas de Sunny al estirar sus pantalones cortos en un ángulo distinto al de siempre.

—Vale. Vámonos —dijo.

Hacía un tiempo magnífico. Una brisa cálida agitaba el río Allegheny, pero aparte de eso, era casi como un lago en el que se reflejaba perfectamente el espeso verdor de las montañas a ambas orillas; las hierbas acuáticas eran como cabello de sirenas, sacudido por la corriente invisible. Hablaban con soltura, comentando los nuevos edificios en la orilla entre Emlenton y Parker. La gente de Pittsburgh se estaba instalando en la zona, construyendo chalés a lo largo del río, echando montones de gravilla para crear vías de acceso, poniendo cemento, importando motos de agua.

Cuando eran niños, todos los años había una regata de balsas caseras de nueve millas en el río. La madre siempre los animaba a participar, y cada año fabricaban un aparato más complicado. Maxon organizaba el proyecto basándose en un concepto de física, y luego Sunny lo decoraba desoyendo los parámetros de la ciencia. En una ocasión, Maxon tuvo literalmente que arrastrar su balsa río abajo, avanzando estoicamente por el fondo mientras Sunny achicaba agua. Ese año, Nu se sentó a fumar un puro en lo alto de un elaborado castillo de proa que habían construido, mientras iban Allegheny abajo. Ahora, la regata ya pertenecía al pasado, demasiado peligrosa para los niños de hoy en día. Maxon sintió que se acumulaban los recuerdos.

—Vamos a parar en los remansos —dijo Maxon—. Y nos damos un baño.

En los remansos del río Crowder pasado Petersburg, todos los niños de la zona habían encontrado un lugar seguro para jugar sin tener que preocuparse demasiado por la corriente o por la profundidad. Para el pueblo, eso era como la playa para una ciudad a orillas del mar; una excusa para quitarte la ropa delante de tus amigos; un punto de encuentro donde las chicas podían fingir que se concentraban en tomar el sol y los chicos fingir que se concentraban en hacerse aguadillas, y donde los más pequeños chapoteaban sobre las rocas. Había unas pocas semanas de julio en las que hacía calor en el oeste de Pennsylvania y, sin aire acondicionado, los lugareños corrían al río en busca de refresco.

Desde el Allegheny, Sunny y Maxon giraron corriente arriba en la confluencia de los ríos, y tras remar duro para pasar bajo el puente del ferrocarril de Belmar, se encontraron en las aguas más calmas, claras y poco profundas del Crowder. Sunny se quitó la camiseta y el pantalón corto, y se lanzó al agua, evitando con cuidado las rocas y emergiendo a la superficie como una foca, riendo.

Maxon siguió remando despacio y luego subió la canoa a una roca que sobresalía del agua cerca de la orilla. Bajo el agua, todo estaba cubierto de un fino limo que se pegaba a las piedras y plantas. Era espeso como gelatina, y si lo sacudías con la mano o lo pisabas, se levantaba y se esparcía, enturbiando las aguas durante unos segundos, hasta que la corriente se lo llevaba y el río volvía a verse claro.

Maxon bajó de la canoa a la roca apoyando un pie largo y plano, y luego encaramó un poco más la canoa, para asegurarse de dejarla inmovilizada. Cuando se volvió para mirar a Sunny, la vio en medio de la corriente, flotando, asomando los dedos de los pies fuera del agua para examinarlos y moviendo los brazos para que no la arrastrara la corriente. Resultaba evidente que Sunny había cambiado en esos años de separación, pero Maxon todavía podía reconocerla. Reconocía sus movimientos, sí, y su forma física. Reconocía su tono de voz, notaba viejos dejes y su vocabulario habitual, aunque eso había cambiado un poco.

Pero lo que comprendió al mirarla ahí chapoteando en el agua, formando una estrella con su cuerpo y luego encogiéndose para dar una voltereta, fue que la reconocía de verdad, por dentro. Sabía que si alguien diera vueltas al planeta como a una peonza y lo parara de repente, y le pidiese que indicara dónde estaba Sunny, podría hacerlo. Habría montones y montones de personas, todas de gris, con el pelo gris y los ojos grises, y para identificarlos habría que procesarlos lógicamente de acuerdo a la edad, la inteligencia y los logros económicos. No conocería a ninguno de ellos. Pero conocería a Sunny, la conocería sin mirar, sin preguntar. Ella estaría allí, como una bombilla en una cesta de lana. Estaría allí como un globo rojo en un cinturón de asteroides. Era la única, al fin y al cabo, que importaba en todo el mundo. Era la única a la que habría reconocido en cualquier lugar. ¡Cómo ansiaba asegurarse de que fuese solo para él! En el bolsillo tenía un anillo que presentaba exactamente el mismo aspecto que debería tener una alianza de compromiso. Pero Maxon no tenía guión. Estaba solo.

Más tarde, se tumbaron sobre una roca cálida y ancha. Sunny se comió una barrita de cereales, pero Maxon no podía comer. Bebió agua, se secó la boca y volvió a tumbarse al sol. Ella había estado hablando, hablando, hablando, como siempre, con aquella voz tan agradable para él como la brisa que agitaba los pinos. El cielo estaba azul allá arriba, un azul imposible de Pennsylvania a mediados de julio. Era uno de los momentos más perfectos y seguros que podría recordar en su vida. Ojalá ella nunca dejara de hablar, así él nunca tendría que empezar a hacerlo.

Finalmente, Sunny se recostó soltando un profundo suspiro, y se hizo el silencio. Maxon no tenía ni idea de qué le había estado contando, pero parecía aliviada.

Él se apoyó en un codo y giró el cuerpo para mirarla de frente. Era el momento de que compusiera una expresión, algo que decir.

—Sunny —dijo, y se atragantó y tosió.

Ella también se apoyó en un codo, quedándose cara a cara con él, y frunció el ceño. Maxon la miró, suos grandes ojos oscuros de alienígena, su delicada nariz y la boca de rosa. Siguió con la mirada la fina línea de su mandíbula, vio la suave arruga donde se juntaba con la oreja, la piel de su cuello tan pálida, su clavícula prominente, su hermoso pecho pequeño. Sintió algo en su corazón que era amor poderoso.

—¿Sí? —dijo ella.

—Sunny, ¿has terminado ya de tener relaciones sexuales con otros hombres?

Sunny sonrió. Se rio.

—Bueno, no lo sé —dijo—. ¿Has terminado tú de tener relaciones sexuales con otras mujeres?

Maxon la miró. No sabía qué responder. No había tenido relaciones sexuales con ninguna otra mujer.

Las cejas de Sunny se alzaron; eso significaba que estaba sorprendida.

—¿Maxon? —dijo.

—Sí.

—Oh, cariño, ¿me estás diciendo que no has hecho el amor con nadie más que conmigo?

—No —contestó, sin tener claro si eso la alegraba o la decepcionaba.

—¿La última vez que tuviste sexo fue conmigo en la feria del 4-H?

—Sí.

—¿En todos estos años?

—Sí.

—¿Y con nadie más? Oh, Maxon.

Con nadie más. Maxon vio que sus ojos se humedecían y sus labios se fruncían. Sunny posó un dedo en su nuca y fue bajando hombros abajo, sobre su caja torácica, por el costado de su cadera, y la cara externa de la pierna hasta donde pudo llegar. Maxon no dijo nada, no se movió, pero en su interior se estremecía de alivio al ser tocado de nuevo por ella. Sunny se acercó y posó los labios en su rostro, en sus cejas, a un lado de su barbilla. La respiración de Maxon se aceleró. Pero tenía que parar aquello. Sunny estaba tan caliente, tan cerca de él, que podía entrar en un sueño. Podía caerse por un precipicio y despertar para encontrar que seguía sin estar casado, seguía en el mismo peldaño de la escalera, no más cerca de la cima.

—Espera —dijo—. Espera.

Se incorporó y buscó en el bolsillo de sus pantalones cortos, que estaban doblados a su lado, en la pulcra pila de sus ropas sobre la roca. Sunny lo observó sin decir nada. Tenía lo que la gente llamaba un brillo en los ojos. Maxon sacó un cilindro reluciente de metal y dijo:

—Sunny, ¿te quieres casar conmigo?

Ella se incorporó apoyándose en una mano, con las piernas elegantemente dobladas bajo la barbilla.

—¿Qué es esto, Maxon?

—Oh, ¿esto? Es una cápsula de titanio. Se usa para guardar compuestos inestables. Es impermeable, pensé que el anillo podría mojarse, así que...

—Entonces, ¿eso es una cápsula de titanio en tu bolsillo o solo es que te alegras de verme? —Se rio. Su sonrisa era amplia y su rostro hermoso. Su cuerpo, flexible como un largo ovillo, avanzaba hacia él como una ola. Puso la mano en su pecho y la fue bajando, bajando por delante, hasta que sus dedos rozaron sus calzoncillos.

—Sunny —repitió Maxon—, ¿te quieres casar conmigo?

Abrió la cajita y sacó el anillo con cuidado, mucho cuidado; no tenía que caerse al agua.

Ella deslizó la mano en sus calzoncillos y, con la otra mano en su pelo, acercó su boca a la suya y le dio un beso ardiente.

Ahora estaba a su lado, su cuerpo apretado contra el de él, Maxon podía sentir su pulso acelerado, su frecuencia respiratoria intensificada. Los dedos de Sunny recorrieron sus testículos y los acariciaron con suavidad, allí abajo. Esto era algo nuevo. Debía de haberlo aprendido en la universidad.

Maxon se separó del beso y, respirando entre gemidos, dijo:

—Sunny. Necesito que me mires a los ojos. Y me contestes. Necesito una respuesta. —«Mírame a los ojos. Contéstame. Necesito una respuesta.» Cuántas veces le habían dicho esto a él. Ahora, era él quien lo decía.

—Sí, tonto —respondió ella, pasando un brazo alrededor de su cuello y envolviendo el otro en su cintura--. Sí, me casaré contigo. Ya he terminado de hacer el amor con otra gente. Sí, sí, sí.

Se iban a casar. Se mudarían a su bonita casa alpina. E incluso si el trabajo de Maxon lo llamaba a la gran ciudad, conservarían su casa, sobre su colina, para siempre. Lo sabía.

Le puso el anillo, y luego Sunny cayó sobre él como un perro hambriento y lo dejó fascinado.

22.

Cuando tocó con la mano el módulo de carga no se sintió aliviado. Lo que sintió fue: aquí está el módulo de carga. Ahora, ¿cómo entro? Cuando descubrió que no podía entrar por ninguna de las escotillas, no sintió miedo. Lo que sintió fue: ¿de qué otro modo puedo entrar? Siguió moviendo las manos, desplazándose como una araña por su superficie, de asidero en asidero, de borde a borde, buscando una nueva idea. Las articulaciones de su traje blanco se arrugaban, formando tubos doblados que contenían las partes de su cuerpo. La cúpula de su casco reflejaba la superficie del módulo, reproduciéndolo en tonos dorados. Las dos escotillas estaban cerradas. No había tenido en cuenta ese punto crucial.

El módulo de carga tendría el tamaño de un remolque de camión. Lo habían lanzado a la órbita lunar en un vuelo no tripulado, usando una cantidad ingente de combustible, y encontró su órbita sin incidentes. Ahora estaba en el espacio, en la negrura adornada de estrellas, donde no había viento que silbase por sus cerrojos, ni aire para respirar, ni canciones para cantar.

Maxon se soltó del asidero y no se cayó ni se alejó dando vueltas, solo permaneció allí suspendido, flotando. Había apagado el sistema de radiotransmisión de su casco que le mantenía en contacto con Gompers y Phillips. Los ruidos que hacían sus compañeros ni siquiera sonaban como palabras. No sería la primera vez que sospechaba que alguien decía cosas sin sentido, solo secuencias de lenguaje en un orden aleatorio que lo confundía. Ellos sabían que a Maxon no se le daba bien escuchar. Les habían dicho que debían ceñirse a determinados patrones sintácticos cuando se dirigieran a él.

213

Había apagado su mochila de propulsión. Ya no tenía nada de electricidad.

El silencio del espacio se impuso sobre Maxon. Ahora la diferencia entre la vida y la muerte, para él, era el movimiento de la punta de un dedo. Estaba sin cable, sin apoyo. Si estiraba el dedo índice y daba un empujoncito, su masa newtoniana lo repelería hacia atrás, cada acción produciría una reacción similar y opuesta. En este caso, y teniendo en cuenta que la acción sería dar un toquecito con el dedo índice en una caja y la reacción sería su muerte y el fracaso de la naciente colonia lunar, Maxon tenía realmente que poner mucha fe en Newton y en todo lo relativo a los iguales y los opuestos. Pero así había ganado el premio Nobel: ateniéndose a una regla y aplicándola a rajatabla, hasta su última consecuencia lógica.

Se preguntó qué haría Sunny, con él perdido y flotando en el espacio, orbitando la luna como una motita en un saco, su muerte sin marcar en el calendario, un número sin especificar de días a partir de entonces, cuando dejase de tener impulsos eléctricos en el cerebro para luego continuar pudriéndose, solo que a un ritmo más rápido. Sunny no le había dicho específicamente: «Quiero que orbites la luna hasta morir», y él no sabía leer entre líneas. Solo podía sacar sus propias conclusiones basándose en evidencias y de acuerdo a las reglas establecidas. Sin él, Sunny podría casarse con cualquiera más adecuado, más práctico. «Mi primer marido fue al espacio y murió —diría—. Luego me eché un marido mejor, uno más conveniente para la vida que quiero para mí y para mis hijos.» Quizá para ella era mejor que él no regresase. Quizá para la tierra era mejor que colonizar la luna no fuera posible.

Estaba seguro de que Sunny iba a estar bien. Ella le había dicho en múltiples ocasiones que lo que arruinaba su vida era él. Lo que preocupaba a Maxon, en este supuesto, eran todos aquellos hermosos robots. Temía que si se empujaba hacia atrás y caía en órbita, pasados cuarenta y cinco minutos o una hora, daría con la solución que podría haberlos salvado a todos. En ese caso se vería forzado, hasta que pudiera seguir inhalando y exhalando aire, a sobrellevar la frustración de no ser capaz de poner en práctica esa solución correcta. Y esa era una sensación que no quería llegar a conocer. No puedes morirte solo a base de desear estar muerto. Al final te desmayas y empiezas a respirar de nuevo. Esperó a que la solución se le presentara. Pero si esperaba demasiado, el paseo espacial se terminaría, su oxígeno se acabaría y no habría vuelto a la nave.

—Papá —dijo una voz. Era Bubber.

Maxon volvió la cabeza dentro de su esfera reluciente, luego agarró un saliente del módulo y giró su cuerpo embutido en el traje. Vio otro traje espacial, más pequeño pero exactamente igual que el suyo. La misma cabeza esférica y dorada. Los mismos brazos articulados y guantes blancos, pero en una escala más pequeña y perfecta.

—¿Bubber? —lo llamó. Su mandíbula casi se parte cuando movió la boca para hablar, de lo tensa que la tenía. Su voz sonó muy alta dentro del casco; no oyó su eco a través del enlace de radio porque el enlace estaba apagado.

—Hola, papá —dijo el traje espacial de tamaño infantil.

—¿Cómo has llegado hasta aquí? —le preguntó Maxon—. ¿Estoy soñando?

—No —dijo Bubber—. Estás despierto.

El silbido del oxígeno entrando en su casco, su propia respiración saliendo de su boca, y la voz de Bubber, clara como letras en un papel, proveniente de… de ¿dónde?

—¿Estoy muerto? —preguntó Maxon.

—No —dijo Bubber—. Estás vivo.

—¿Estás tú muerto?

—Papá, ya vale.

El traje especial tamaño infantil se acercó a él, que pudo ver su propio reflejo en el casco. Extendió la mano en su dirección y agarró su mano, sintió la rigidez de los dedos del otro traje a través de sus guantes.

—Estoy acostumbrado a que estés en casa —dijo Bubber—. Deberías estar en casa.

—Lo siento, colega. Tengo unos problemillas.

—Puedo ayudarte.

Lo que sorprendía a Maxon al asimilar esta información, al leer estos datos, era que Bubber sonara tan normal. Absolutamente como un ser humano normal. No como si estuviera simulando una conversación humana, no como si estuviera recitando un guión. Simplemente, normal, como un niño corriente. Un niño corriente dentro de la forma espectral de un traje espacial y orbitando la luna en una misión maldita para colonizar el satélite. Un niño con una entonación y una cadencia reales. Maxon sabía diferenciar a gente como él, que fingían ser humanos, de auténticos humanos vivos, que no lo fingían.

En su trabajo en la NASA, se había cruzado con varias personas con las que podía identificarse de verdad. Gente con una química cerebral muy similar a la suya. Algunos se juntaban entre ellos, otros se pegaban a la persona normal que encontraban más cerca, y otros simplemente se quedaban solos. Ninguno era feliz. Ninguno tenía a Sunny. Maxon pensó por primera vez en con quién se casaría Bubber. No había pensado en ello, porque el Bubber de la tierra, medicado y afable, no le había inspirado esta pregunta. El Bubber de la tierra nunca se casaría. Sus padres tendrían que cuidar de él permanentemente. Cuando murieran, iría a una residencia.

—Lo siento, colega —dijo Maxon.

—¿Por qué? —dijo Bubber.

—Me da pena que seas así.

—¿Cómo soy?

—Bueno, hay algo en ti que no está bien.

—¿El qué?

—Lo mismo que no está bien en mí. Lo que falla en ti, falla en mí.

—No hay nada malo en ti, papa. Eres genial.

—Tal vez aquí arriba no, pero en casa sí que lo hay.

Aquello recordó a Maxon la última conversación que mantuvo con Sunny sobre la medicación de Bubber, antes de que ella terminara diciéndole que no estaba cualificado para manifestar una opinión, ya que él mismo estaba loco.

−¿Y si en realidad lo que pasa es que está más evolucionado? ¿Y si yo también estoy más evolucionado? −gritó Maxon. Estaba frente a la puerta de su despacho y discutían sobre el Haldol. Normalmente, cuando salía de su despacho solo daba unos pocos pasos por el vestíbulo antes de tener que regresar.

−Esto funcionará −dijo Sunny−. Se pondrá bien. Esto se lo arreglará.

−¡Yo no quiero arreglárselo! −vociferó Maxon, con las venas hinchadas. Y estampó un puño contra la pared−. ¿Acaso te acuerdas de cómo era antes de que empezáramos a hacerle pruebas, a darle toda esta medicación? ¿Recuerdas esa experiencia, cómo era tener a ese niño?

−Estás poniéndote violento −repuso Sunny secamente−. Quizá tú también necesitas Haldol.

−Yo no necesito drogas.

−Claro, porque mi madre se pasó toda la vida arreglándote, y ¿sabes qué? ¿Sabes qué, listillo? −Ahora era Sunny la que se estaba cabreando, y dio un tirón al ovillo que alimentaba la calceta que intentaba tejer.

Maxon avanzó dos pasos por el vestíbulo, alejándose de su despacho, saliendo de su habitación hacia el salón de Sunny, que llevaba la peluca de palillos chinos, con dos palitos de madera ensartados en un hermoso nudo de cabello rubio. Llevaba puestas las cejas, pero una se le había despegado un poco al cocer el brócoli y la tenía colgando.

−¿Qué? −dijo Maxon.

−¡Que todavía no estás arreglado! −gritó ella, pinchando sus agujas con violencia−. ¡Todavía no estás arreglado, joder! ¡Estás más loco que una maldita cabra! Mira, no pienso criar a ese niño para que salga tarado. No es de ese tipo de niños, ni yo soy de ese tipo de madres, y más te vale que hagas todo lo posible por no ser de ese tipo de padres. No somos la familia Chiflado, con nuestros locos en modelo infantil y adulto, y nuestro monstruito de feria a prueba. No pienso hacerlo.

Maxon retrocedió un paso, desanimado. No sabía cómo articular lo que veía. Podía dibujarlo, pero sentía que quedaría mal. No era el momento de ponerse a decorar el lavavajillas, pero cuando vio al señor y la señora Chiflado y al loco modelo infantil, le parecieron el prototipo de familia *new age*. Todos con trajes espaciales. Ninguno capaz de usar ni de comprender gestos faciales. En el espacio, ¿a quién le importa? Literales, sistemáticos, adictos al protocolo. Insensibles, inteligentes, de mentes matemáticas. La familia del futuro. Nada de autismo ni de locura, sino el siguiente paso evolutivo, diseñados para viajes espaciales, para la vida en el espacio, para habitar en colonias lunares.

—Reúne al señor y la señora Chiflado junto a una docena de su estirpe autista, y plántalos en la luna, y verás cómo todo va bien —dijo—. Evolución, Sunny. Evolución. ¿Pensabas que se había detenido?

—Ven aquí —dijo ella con tono más suave. Le hizo un gesto para que se acercara y se sentara a su lado en el sofá.

Ahora Maxon pudo ver que estaba mirando algo en la televisión, incluso pudo oír algunas de las palabras que salían por el altavoz.

—Lo siento —dijo él—. Siento haber gritado.

—No pasa nada, cariño. Voy a poner Haldol en tu termo.

—Nada del maldito Haldol. Ni para él ni para mí. En serio.

—De acuerdo, nada de Haldol —dijo ella, subiéndose a su regazo—. Tienes que afeitarte.

—Papá —dijo Bubber en el traje espacial.

—Hijo.

—Tienes que encontrar el modo de entrar en ese módulo de carga.

—Todavía no lo he encontrado —dijo Maxon. Cada vez que hablaba, sonaba como una interrupción rasgada, como si el silencio hubiera impuesto su propio sonido y la conversación lo importunara.

—Papá, piensa —dijo Bubber con paciencia—. ¿Cómo tenías planeado abrirlo en un principio? Seguro que tienes un modo de que se abra.

—No se suponía que iba suceder esto. Esto no estaba en el guión.

—Entonces, ¿se supone que tú no tenías que abrirlo?

—No —admitió Maxon—. El módulo de mando iba a acoplarse con el módulo de carga e íbamos a abrir la escotilla...

—Tú puedes ser el módulo de mando —dijo Bubber—. Tú puedes realizar el acoplamiento.

—Pero la esclusa de aire no estará sellada.

—¿A quién le importa el aire? —dijo Bubber—. Yo no lo necesito, los robots no lo necesitan, tú no lo necesitas.

Maxon caviló un momento.

—Entonces, ¿dónde iba a producirse el acoplamiento? —preguntó Bubber.

—Sígueme —dijo Maxon.

Por supuesto, Bubber tenía razón. Su cerebro había funcionado como debe funcionar un cerebro. Podía entrar por el canal de acoplamiento aplicando estímulos eléctricos en los lugares apropiados, del mismo modo en que lo hubieran abierto de haber realizado la maniobra de acoplamiento. No necesitaba una escotilla. En cuestión de minutos, estaba arrancando un *Hera,* cargándolo del titanio y el aluminio que necesitaría para construir una unidad de comunicaciones. Volvió la vista al canal de acoplamiento para ver si Bubber seguía allí. Allí estaba, flotando en el espacio, levantando el pulgar para Maxon, lo cual era un buen modo de decir: «Estoy bien».

—Gracias, pequeño —dijo Maxon—. Ahora parece obvio.

—No hay problema, papá. Eh, solo te ha llevado treinta y tres minutos.

Así era Bubber. Medía el tiempo sin reloj.

Unos meses atrás, iban de camino a recoger a la madre en Pennsylvania. Los vecinos les habían dicho que estaba demasiado enferma para seguir viviendo sola en su casa. Por descontado, Sunny no se lo creía.

—Mamá —le dijo al teléfono—. ¿Qué comes? ¿Qué has comido hoy?

—Me he bebido un batido de proteína. Estoy bien. Hannah está conmigo. Ella me lo ha dado.

Hannah era la chica *amish* que se pasaba a limpiar la casa, cocinar y hacer el resto de tareas. Sunny no sabía cuáles. Se suponía que ocupaba el lugar de Nu.

—Necesitas comer algo más que solo un batido, mamá. Voy a pasar a verte.

Cuando abandonaron la interestatal 80, Sunny se sentó con la espalda más recta. Cruzó los brazos sobre el pecho. Se arregló la peluca en el espejo retrovisor y luego cambió de opinión y se puso otra distinta. Hizo que Maxon se la ajustara. Bubber iba dormido en el asiento trasero del monovolumen. Maxon conducía. En cuanto salieron de la autopista, Sunny captó el profundo aroma a pino de los bosques, el olor a tierra húmeda que había sido su infancia y la de Maxon, y todo el tiempo que habían pasado corriendo junto al arroyo, trepando a los árboles. Había más humedad en el ambiente que en Virginia. Los helechos eran más espesos, los árboles, más verdes. Todo el mundo diría que era un lugar hermoso.

—¿Lo hueles?

—¿El qué? —dijo Maxon.

—Ese olor. Ahí fuera.

—Huele a petróleo, tetraciclina, monóxido de carbono y biomasa en descomposición.

—No es verdad, tonto. Huele bien. En Virginia no huele así.

—El aire de Norfolk, en Virginia, tiene un ocho por ciento más de cloruro de sodio.

—Sé nostálgico, Maxon. Recuerda algo.

Conducían por colinas onduladas, entrando y saliendo de campos de cultivo y bosques, atravesando el condado de Yates por la carretera 38. Pasaban junto a graneros a punto de derrumbarse, tiendas de carretera abandonadas, arroyuelos, hileras de vacas y pequeñas iglesias de torres afiladas. Sunny sintió una calidez y una conexión con el lugar que resultaba familiar y desagradable a la vez. Se sentía culpable por no volver a casa más a menudo. Había dejado sola a su madre. Todo porque no quería enfrentarse a ella con peluca. Eso estaba mal.

—Está bien —dijo Maxon—. Recuerdo cuando el tío que vivía justo ahí resultó ser un pervertido.

—Mal —dijo Sunny—. Se supone que la nostalgia es algo agradable. Se supone que produce una sensación cálida.

—Vale. Recuerdo que en agosto de 1991 hacía tanto calor que no pudimos subir al piso de arriba en una semana.

—¡No calor literal! —protestó Sunny, dándole una torta en el brazo—. Por favor, dime que no necesitas que te lo explique.

—Pues no recuerdo más. He borrado esos años.

—¿Ya no me quieres, Maxon? —dijo Sunny, usando un recurso retórico habitual. Así era como ella le indicaba que ya estaba cansada de hablar. Era uno de los muchos guiones escritos por ella y que representaban con cierta regularidad.

—Sí te quiero.

—¿Cuánto?

—Mucho.

—¿Cómo?

—Como la trucha al trucho.

En la intersección entre la carretera 38 y un camino llamado Ruta del Oso, Sunny de repente le tocó el brazo.

—Maxon. Tengo una idea. Vayamos mejor a ver a tu madre.

A un kilómetro de la carretera principal, sobre una colina, bajando por los bosques y atravesando un puente de un solo carril que cruzaba un arroyo de montaña, llegaron a la vieja casa de Maxon. El edificio original apenas se veía, rodeado de pilas de leña en montones medidos y regulares. El viejo granero, en el pasado lleno hasta arriba de trastos aceitosos, pilas de tejas olvidadas, latas de ungüentos, tuberías de cobre y otros cachivaches, se encontraba ahora abierto de par en par, lleno de madera limpia y ordenada. Fuera, en los pastos antaño plagados de coches viejos y ovejas sarnosas, ahora había lo que parecía una maquina serradora en perfecto estado, de la que salía despedida una lluvia de serrín por una ranura en un costado, mientras una carretilla elevadora iba introduciendo más madera. El taller improvisado de bicicletas de Maxon no estaba, en su lugar había una mesa cortadora de tablones.

—No quiero ver a mi madre —dijo Maxon.

—¿Qué demonios ha hecho tu madre con este sitio? —preguntó Sunny maravillada, bajándose del coche—. Estuvimos aquí hace solo cinco años, Maxon. Era una pocilga.

—Se casó con ese tipo de Butler. Venga, vámonos. Esto me resulta incómodo. No sé qué decir.

—Di: «Hola, madre. Solo pasaba para saludar, ya que estoy por la zona. Estos son mi mujer y mi hijo». Y luego espera a ver qué dice ella. Te ayudaré.

—Es que nunca ha visto...

—¿El qué? —preguntó Sunny—. ¿Al niño o la peluca?

Maxon se apeó también, y se quedó con una mano aferrada al techo y la otra al marco de la puerta. En el asiento trasero, Bubber se despertó.

—Saca a Bubber, ¿vale? —dijo Sunny, sacudiendo su bonito traje de embarazada de color crema, alisándolo sobre su barriga—. Vamos a llamar a la puerta.

Pero no hizo falta. Un hombre salió del granero y se acercó, cubierto por una fina capa de virutas. Tendría unos sesenta años. Se quitó el sombrero cuando llegó a su lado.

—¿Buscan leña? —preguntó con cortesía—. Tengo un montón. Muy seca.

—No —dijo Sunny—. Hemos venido a ver a la señora Mann.

—¿Conocen a Laney? —preguntó. Parecía incrédulo.

—La conocemos —dijo Sunny, envolviendo protectora con el brazo a un Bubber adormilado. Lo levantó en brazos, apoyándolo en su cadera y le dio un beso sonoro en la cabeza—. ¿Podemos subir a la casa?

—Bueno... ahora se llama Laney Snow. Yo soy su marido, Ben Snow. Encantado de conoceros.

Se dieron un apretón de manos. Maxon lo miró, mostrando correctamente un gesto de sorpresa en el rostro.

—Mami —dijo Bubber en voz baja—. Tengo que hacer pipí.

—Oh, claro —dijo el hombre—. Puede usar el lavabo de arriba. Acompañadme dentro. Laney se alegrará de veros. Lleva todo el día haciendo cuentas, se está volviendo loca con tanto número y todo eso. Le hará bien tener visitas.

El hombre los condujo hacia la puerta de la vieja casa. En lugar del caótico barullo que recordaba Sunny, estaba todo limpio y ordenado. Todavía viejo, pero cuidado.

—¡Eh, Laney! —gritó el hombre, abriendo la puerta—. Han venido a verte unos amigos, mujer. Sal a saludar.

—Pasad —dijo una voz aguda en el interior de la casa—. Pasad, estoy en la cocina.

Maxon se quedó atrás y dijo que esperaría fuera, pero Sunny le pellizcó el brazo y lo empujó hacia delante, hasta una pequeña cocina reluciente.

Sunny había estado en esa cocina por última vez durante el verano después del primer año de universidad de Maxon. Cuando terminó las clases en mayo, él se marchó directamente a Europa, a recorrer con una bici y una mochila los Alpes y los Pirineos, siguiendo carreras ciclistas y durmiendo en cualquier sitio en el que pudiera enchufar su ordenador portátil. Volvió a casa en agosto, con solo una semana libre antes de empezar de nuevo la universidad. Sunny esperaba que apareciera corriendo, entrara de golpe en la cocina y preguntara a Nu si había algo de comer. Esperó, pero Maxon se mantuvo apartado durante tres días, y nadie en la casa de los Mann respondía al teléfono. Se sintió irritada y confusa. A fin de cuentas, ella también se marcharía a la universidad en unas semanas. Maxon le había escrito cartas, correos electrónicos, la había llamado por teléfono. ¿Por qué no quería verla, aunque fuera para decirle hola o adiós?

Su desencanto finalmente la condujo a la acción. Cruzó con brío el valle, abrió de golpe la puerta de casa de Maxon y entró. Lo encontró solo, sentado a la mesa de la cocina, en medio de pilas de papeles y basura. La cocina estaba oscura, sombría y sucia; había montones de platos y papeles, bolsas de tela, desperdicios y algo que parecía un nido de ardillas sobre la encimera. Maxon estaba tecleando en su portátil, con la cabeza gacha sobre su resplandor azulado. Solo llevaba unos vaqueros gastados y tenía la cabeza rapada, con un moreno a rayas del casco de la bicicleta. Sabía que se afeitaba la cabeza por ella. La visión de su tórax, su esternón, su clavícula, provocó que sintiera dolor físico por él. Quería abrazarlo, sentir su respiración.

Pero Maxon estaba molesto; le dijo que tenía que irse.

—Sunny —dijo—, no puedes estar aquí.

—¿Por qué no? No lo entiendo.

Maxon se levantó y se acercó a ella, como si fuera a tocarla, agarrarla, estrecharla entre sus brazos, pero se detuvo.

—Espera. Tengo que contarte algo —dijo—. Estuve en Francia hace unas semanas. Y escribí un poema.

—¿Tú has escrito un poema? —En medio de su confusión, Sunny tuvo tiempo de mostrarse incrédula.

—Sí, uno.

—¿Una poesía de verdad? ¿De esas con palabras, sentimientos y esas cosas?

—Con palabras.

—¿Puedo verlo?

—No, al final no lo he escrito.

—Bueno, ¿puedes decirme cómo era? ¿Lo recuerdas? ¿Cómo vas a recordarlo?

—Lo recuerdo.

—Pero ¿no vas a contarme cómo era?

—No.

—¿Por qué no, Maxon? —Sunny sentía que se iba a echar a llorar.

—A tu madre no le iba a gustar. No querría. No quiere que te vea.

—Bueno, ¿cuándo me lo vas a contar? ¿Cuándo mi madre esté muerta?

—No creo que pueda contártelo nunca. Y ahora tienes que irte. Pero quiero que sepas que escribí un poema para ti. Debes saberlo.

Más tarde, Maxon la llamó por teléfono y le pidió que lo perdonara. Y luego regresó a Massachusetts, y pasaron años hasta que Sunny volvió a verlo.

Bajo la luz amarillenta del techo, en una vieja mesa de formica, la mujer que había sido Laney Mann estaba sentada ante un libro de cuentas, un libro de recibos, un talonario de cheques y una pila de papeles, con un lápiz del número 2 en una mano y una goma rosa en la otra. Alzó la vista. Sunny estaba sorprendida. Donde antes había carnes exuberantes, ahora había una esbelta ancianita. Donde antes hubo vello facial, ahora había amables arrugas. Los huecos entre los dientes estropeados ahora eran invisibles tras una sonrisa dócil, con el pelo limpio recogido en una trenza.

—¡Vaya! ¡Qué agradable sorpresa! —dijo de un modo casi automático; luego, cuando vio a Maxon, se detuvo.

—¿Maxon? —preguntó.

—Entonces, ¿os conocéis? —se asombró su marido.

—Bueno, verás, Ben —empezó Laney. Se incorporó a medias, señalando con la mano a Maxon, que permanecía junto a la puerta—. Él es mi hijo Maxon, al que todavía no has visto. Ya sabes, el pequeño. Es...

—Científico —apuntó Sunny amablemente.

—Eso, científico, allá en Virginia —dijo Laney—. ¿Con qué trabajabas? Espera, no me lo digas... Ya lo sé, me lo contó Emma. Con naves espaciales, ¿verdad? ¿Vas a volar en una nave?

—Sí —contestó Maxon.

—¿Adónde? ¿A la luna? —preguntó Ben.

—Sí —contestó Maxon.

—¡Vaya, qué bonito! —dijo su madre—. ¡Eso está muy bien! Todos miraron a Maxon.

—Hola, madre —dijo él—. Solo hemos pasado a saludar, porque estábamos por la zona. Estos son mi mujer y mi hijo.

Laney agarró la tetera y empezó a llenarla con la jarra que tenía en la encimera. Echó un vistazo a Sunny y asintió con un gesto de aprobación, chasqueando la lengua.

—Vaya, cariño, me alegro de que no hayas seguido casado con la hija de Emma. Era... bueno, siempre estaré agradecida a Emma por haberte pagado los estudios y todos tus viajes. Pero ella siempre supo que vosotros dos podríais estar con otros que fueran, esto, más adecuados. Ese tipo de cosas no están bien. Así que ahora mira, te has echado una nueva mujer muy bonita, muchachito, te va muy bien.

Maxon se quedó sorprendido, pero continuó con el rostro impertérrito. Sunny sintió un cosquilleo de triunfo. La peluca funcionaba. Era inmune.

—¿Quién es esa hija de Emma? —preguntó Sunny a Laney, ayudándola a bajar una caja de té que la anciana intentaba agarrar de una balda estirándose, antes de que trajera su taburete—. ¿Tu primera esposa, eh, Maxon? ¿Era guapa? ¿Debería preocuparme?

—No, no —dijo Laney, contando las bolsitas de Lipton—. Pobrecita, era... calva —Pronunció la última palabra con un susurro, llevándose una mano discreta a la boca. Cuando intentaba ser sutil, Sunny podía ver los vestigios de la vieja Laney, la Laney gorda e histérica, extendiéndose por su rostro. Los ojos saltando de un lado a otro. El gesto de masticar aunque no tuviera nada en la boca.

—Calva. ¿Quieres decir que se afeitaba la cabeza? —dijo Sunny, dándole carrete, gozando de la sensación de auténtico pelo humano cayendo ostentosamente en cascadas a ambos lados de su rostro, rizándose sobre sus clavículas, acumulándose en sus omóplatos.

—Mejor no hablemos de eso, querida —dijo Laney, metiendo una bolsita de té en cada una de las cuatro tazas desparejadas—. ¿Cómo decías que te llamabas? Maxon, ¿cómo se llama?

Maxon emitió un borboteo y Sunny respondió:

—Alice. Me llamo Alice.

—Mira, Alice, todo eso pertenece al pasado, ¿entiendes? Hemos dejado atrás muchas cosas, ¿verdad, Maxon? Cosas que se han quedado en el pasado.

—No bebo té —rehusó Maxon.

—Bueno, ¿quieres un refresco? Tengo algo de Kool-aid para el niño. Un Kool-aid muy rico de manzana. ¿Te gusta el Kool-aid, cariño?

Se llevaron a la madre de Sunny de la casa al otro lado del valle. Cerraron la casa, cortaron el agua, vaciaron las tuberías y echaron anticongelante en los desagües, mientras una demacrada Emma permanecía sentada en el sofá, confortablemente tapada, escuchando cómo Bubber le leía, letra a letra, un libro de fórmulas químicas y ecuaciones. El pequeño lo había sacado de la estantería, y Emma dijo bien, bien, lo que él quiera. Sunny observaba a su madre con el pequeño, lo mimaba como una abuela, le acariciaba las orejas, le sostenía la cabeza entre sus manos, y se sintió mal por haberla privado de todo ese amor durante los últimos cuatro años. Su reacción a la peluca no había sido tan mala. Cuatro años antes, cuando la peluca era nueva, su madre había montado en cólera. Ahora solo parecía algo apenada. Le preguntó a Maxon si le gustaba, y él no supo qué decir.

Pagaron a una descontenta Hannah, metieron las maletas al coche y acabaron de cerrar la casa. La madre, en el asiento trasero junto a Bubber, se durmió rápidamente, aupada sobre almohadas y envuelta en sus colchas ancestrales.

—Me parece que tiene buen aspecto —dijo Sunny—. ¿Qué te parece?

—Tiene buen aspecto —confirmó Maxon.

—Y tu madre, ¿puedes creértelo?

—¿Qué?

—¡Está tan bien! Casada con ese tipo tan simpático y llevando un negocio. ¡Quién lo hubiera dicho!

—Ahora la odio más que nunca —dijo Maxon.

Ya había oscurecido, los faros recorrían la carretera ante ellos, iluminando señales de tráfico abolladas, animales muertos en la cuneta, un cartel escrito a mano con un flecha en un extremo que ponía APEADERO CLARKSON. El trayecto arriba y abajo recordó a Sunny cuando iban en coche de adolescentes,

Maxon siempre tan sobrio, permitiendo que ella fuera un poco borracha, una cantidad segura de ebriedad, lo suficiente para abrazarse a él y reír, subir los pies al salpicadero y corear las canciones de la radio.

—¿Porque Alice le ha caído tan bien? —preguntó Sunny en voz baja.

Maxon no respondió. Sunny observó el familiar perfil de su marido contra la ventanilla a la luz del crepúsculo, su mandíbula siempre tan tensa, sus puños aferrando el volante como si lo estuvieran estrangulando, asomando todos los nudillos, las venas marcadas. Ocupaba todo el asiento, hasta arriba. Sus rizos casi tocaban el techo del vehículo. Sunny acercó la mano a su pelo y le acarició la cabeza, dejando que su mano bajara por la nuca. Vio que los nudillos se relajaban.

—No te enfades —dijo—. Tu madre es una prueba de que la gente puede cambiar. Mira lo que era, y mira lo que es ahora. Es completamente distinta, Maxon. ¿No lo ves? Es completa y totalmente diferente. ¿Y por qué? Pues, por haber encontrado al tío correcto, por hacer lo correcto, por poner los pies en el camino que lleva a lo normal. Hizo todas las cosas necesarias para ser lo que intenta ser, y ahora se le da bien. Es normal. Cualquiera que se pase por allí lo diría. Nadie sospecharía lo que era antes.

—Es la misma —replicó Maxon. Sus nudillos volvieron a asomar, enfadado—. Nadie puede cambiar. Deja de intentar cambiar al pequeño. ¿Por qué no puedes quererlo como es?

—Lo quiero —dijo Sunny, con la mano todavía haciendo círculos en el pelo de Maxon, apaciguándolo, amándolo. Pensó en que todo lo que, en lo más profundo de su ser, era importante para ella, iba dentro de ese coche. Estaba contenta de que hubieran ido a recoger a su madre. Cuando volviera a estar sana, podría ayudar con Bubber. Era una experta en enseñar a los niños a comportarse. De no haber estado tan preocupada porque su madre viera la peluca, habría contratado sus servicios años antes—. Quiero tanto a Bubber que deseo algo mejor para él, algo mejor de lo que tuvimos nosotros.

Todo lo nuestro es tan complicado... Solo quiero salvarlo de eso. Dejar que todo sea sencillo. Dejar que todo sea obvio.

Maxon no supo qué decir, o no quiso decirlo. Guardó silencio hasta que Sunny le pidió que le dijera que la quería, muchos kilómetros después. Y lo hizo.

23.

Maxon vio el Mare Orientale y supo que se encontraban por encima de la cara oculta de la luna. El Mare Orientale, una de las más grandes de las muchas cicatrices que cruzan el rostro gris de la luna, provocado por impactos de meteoritos. Los planetas son redondos, como la forma de un ojo. Y las galaxias se despliegan en espiral, como agua colándose por un embudo. Las formas, perfectamente reproducidas, se repiten por todo el universo. Siempre se puede reconocer la forma de un planeta o de una luna. Redonda. Una gotita de agua, el centro de una flor, una onda creada por una piedra al hundirse, los protegidos tubos de lava de la luna donde tenía pensado alojar a sus *Hera*... Todo perfecto. Un círculo es la forma más complicada de dibujar para un humano, pero la más sencilla de encontrar en la naturaleza. Un círculo es una forma fácil de dibujar para un robot. Cualquier forma es fácil de dibujar para un robot.

Dentro del módulo de carga, el *Hera* pitaba y zumbaba. Estaba cortando las piezas para la unidad de comunicaciones, una tarea meticulosa que llevaba a cabo con meticulosidad. Maxon sabía que su trabajo sería perfecto, pero estaba tardando mucho. Los impactos de meteorito, como las tormentas, como la meiosis, eran impredecibles. Los impactos de meteorito no existían entre líneas de programado, ni en el escenario de un laboratorio, ni en el cerebro de Maxon. Pero el único que había experimentado en su vida le sirvió para comprender el valor que tenían los impactos de meteorito. Lo aprendió y se maravilló al ver la luna, donde no había ni un solo punto, ni un solo kilómetro cuadrado que no mostrara las cicatrices de un meteorito. Era el hogar de lo aleatorio. Así era cómo se definía.

Maxon volvió la cabeza hacia el horizonte lunar y vio una rayita de azul emergiendo, una rayita de blanco y azul. La tierra estaba saliendo.

—Esto es algo que no mucha gente ha visto —le dijo a Bubber—. Deberías fijarte bien en esta vista de la salida de la tierra.

—De acuerdo —dijo el niño.

Contemplaron la tierra, tan pequeñita, los remolinos y espirales de nubes enroscados sobre la superficie azul y oro. La forma externa era una curva perfecta, y luego por encima una masa de vapor. Maxon bajó la vista a la luna y pensó: las marcas que dejan los meteoritos también son círculos. El suceso más aleatorio, impredecible y poderoso en la historia de la vida, y deja una marca como una onda en un estanque.

—Papá, ¿se nos está acabando el tiempo?

—Pues sí. La verdad es que no creo que tengamos tiempo suficiente.

—¿Qué se acabará primero?

—El aire —dijo Maxon—. Me quedaré sin aire.

—Dile al robot que se dé prisa —sugirió Bubber.

—No puede. Además, si se da prisa obtendremos un mal resultado.

—¿Puedes volver y conseguir más aire?

—Podría —dijo Maxon—, pero no quiero dejarla.

La unidad *Hera* pitaba y chirriaba, ahora soldando sin soltar chispas.

—¿Y por qué no te la llevas al cohete? Ella no necesita traje especial.

Maxon se sorbió la nariz. Miró hacia la tierra, ahora llena, justo encima del horizonte lunar. Era una visión hermosa, tan caótica y perfecta. Pensó en el Bubber de verdad, allá en casa. Quizá sentado en el colegio con un bolígrafo azul en la mano, quizá escuchando su iPod y siguiendo el ritmo con el dedo del pie, volviendo loca a Sunny.

—Hijo, eres un condenado genio —dijo. Y encendió su mochila de propulsión.

Pronto, los cuatro se dirigían juntos de vuelta al cohete. Maxon en su mochila de propulsión, guiando con mimo como un pastor al *Hera* en cuyo interior crecía la unidad de comunicaciones. Bubber flotando tras él, agarrándose de un zapato. Un paseo por el parque. Una excursión a la heladería.

—Papá —dijo Bubber.

—¿Sí? —contestó Maxon.

—¿Podré subir a la nave?

—Probablemente no. No creo que siga teniendo alucinaciones en el cohete.

Maxon se volvió para mirarlo y se dio cuenta de que la imagen estaba ya difuminándose, el pequeño traje espacial parpadeaba como un holograma. Estuvieron juntos un minuto más. El especimen *Hera* y Maxon, y el niño Bubber y la unidad de comunicaciones en estado fetal. Como una familia.

—Bueno, quiero volver contigo al espacio alguna vez —dijo Bubber—. Me gusta. No he llegado a ir a la luna ni nada de eso, y me gustaría mucho.

—Oh, lo harás, descuida. Irás a la luna. Estás hecho para ello, colega. No lo dudes.

Maxon encendió su radio y al instante oyó la voz de Philips en su cabeza, en mitad de una frase:

—... cojones estás haciendo? Solo te quedan tres minutos y medio de aire en la bombona. Doctor Mann, ¿me oyes? ¡Enciende la puta radio!

—Está encendida, Phillips. Estoy ahí en cinco minutos.

La imagen de Bubber se fue perdiendo a la deriva, lejos del alcance de Maxon.

—Espérame despierto, colega —balbució.

—Lo sé, papa —dijo Bubber—. Pero ahora tienes que darte prisa. Así que ajusta tu velocidad a la de tu compañero. Ya sabes. Es una regla. Velocidad del sub-robot igual a velocidad del sub-humano. De lo contrario, el robot siempre ganará.

—Espera, Bubber —dijo Maxon, viendo puntitos negros en su visión, como una neblina descendiendo por todas partes—. Sincronizar las velocidades solo se puede hacer cuando el robot acelera una cantidad igual a la velocidad actual del compañero menos la velocidad actual del robot.

Bubber ya estaba fuera de su alcance, se alejaba flotando. Maxon pestañeó, intentando ver con claridad, intentando aguantar.Y sintió la pena más sobrecogedora, consciente de que, al final, no lo había conseguido. Sintió una puñalada ardiente de arrepentimiento: por haber dejado a su familia, por haberse montado en esa nave, por ser susceptible a meteoritos y por las necesidades de su cuerpo. Si existía la posibilidad de que fracasara, de entrada nunca tendría que haberse ido, nunca debería haber dejado a Sunny sola, deseándolo, esperando el modo en que sus cuerpos cauterizaran juntos como dos heridas curándose. ¿Qué fe arrogante le había llevado hasta allí, preparado para germinar el futuro con su cabeza, ignorando cualquier posibilidad de fracaso? Solo lo comprendió cuando se estaba quedando sin aire, cuando sus pulmones intentaban aspirar de la nada y su boca se abría como un animal horripilante. Soy de verdad humano, pensó. Me arrepiento. En eso consiste ser humano, y en morir. En cierto sentido, era una tragedia, pero también un gran alivio saber finalmente que, al final, no era un robot.

Descubrió que no podía ver. Descubrió que estaba llorando. Cuando el silbido del oxígeno llenó la esclusa de aire y Phillips le quitó el casco, Maxon ya había perdido el conocimiento.

Un par de meses antes de que partiera el cohete, tuvieron una pelea muy fuerte. Sunny estaba anticipándose a su marcha. Maxon sabía, por lo que le había enseñado Emma, que Sunny manifestaría su preocupación por él de distintos modos. Observó cómo su mujer expresaba su inquietud comprobando muchas veces y con muchos tipos de preguntas si él estaba científica o físicamente preparado para pasar una semana en el espacio. Ahora constataba cómo Sunny expresaba su preocupación discutiendo con él. Maxon estaba preparado para embarcarse en una discusión sobre algo intranscendente.

Le habían dicho que la discusión giraría sobre algo estúpido, como por ejemplo qué marca de té se supone que debía comprar, pero en el fondo trataría sobre otra cosa. Sobre su partida. Tenía que escuchar las palabras que Sunny le dijera, pero debía comprender las cosas que ella estaba sintiendo: miedo, soledad, abandono, preocupación. Se encontraba frente a ella, al otro lado de la isla de la cocina, que estaba recubierta de un granito frío que parecía cuero, cuyo tacto era como la superficie de un meteorito. Bubber ya estaba en la cama, eran las diez de la noche. Cuando Maxon salió de su despacho, Sunny estaba trasteando con los platos por la cocina, y luego en cuestión de minutos estaban en lados opuestos de la isla, discutiendo.

—¿Qué se supone que tengo que hacer yo durante todo este tiempo? Dos semanas en Florida, una semana en la misión, y después más tiempo. ¿Se supone que solo tengo que poner un enchufe en este agujero y no dejar salir al bebé? ¿Se supone que tengo que apagar los procesos aquí abajo, desconectarlo todo y esperar a que vuelvas? ¡No tengo un botón de apagado!

—No —fue todo lo que Maxon pudo decir—. Estaré bien. No te preocupes.

La cocina estaba iluminada con arte, focos en el techo que emitían un brillo suave sobre las cazuelas de cobre. Detrás de ella, el frigorífico último modelo. Detrás de él, el fregadero rústico refundido en silicona. Hondo, ancho, perfecto para hacer tarros de conservas, pintoresco. La nuca de Maxon se reflejaba en la ventana de encima del fregadero. La nuca de Sunny era una interrupción gris en el reluciente niquelado del frigorífico.

—Así que sigo adelante yo solita. Genial. Perfecto. Bueno, ¿sabes qué? Abandono. Abandono, joder. Corten. Apaguen. Quiero salir de este jersey, quiero salir de esta casa, de esta ciudad, quiero salir. Llevo demasiado tiempo echándome cosas a la espalda. ¡Necesito un respiro! ¡Quiero no ser madre durante cinco putos minutos!

Sunny agitaba las manos, se frotaba las mejillas. Nunca, por supuesto, se pasaba la mano por el pelo o sobre la frente, ni sacudía con vehemencia la cabeza.

—Pues vete, haz lo que quieras hacer, ahora estoy aquí, voy a estar aquí la semana que viene, sano y salvo. Puedo ayudarte. Tómate algo de tiempo para ti —dijo Maxon. Pronunció «tiempo para ti» como si fuera una sola palabra. Como «termostato».

—No puedo irme, Maxon, y dejarlo. ¿Es que no lo entiendes? Soy madre veinticuatro horas al día, siete días a la semana. No se va a terminar solo porque no esté físicamente contigo y el niño. Siempre voy a ser madre. Está aquí, en mí, dentro de mí, esto me hace madre, da igual si estoy aquí, allá o tirada borracha en una cuneta en la ciudad, sigo siendo madre, solo que en ese caso soy una madre de mierda. Tú te vas. Tú eres el científico, el constructor, el astronauta, el ciclista. Yo no soy ninguna de esas cosas. Soy madre, y ya está. Lo que estoy diciendo es que quiero un descansito para intentar ser otra persona, pero no puedo tenerlo. Es imposible.

Detrás de ella, la máquina de hielo automática pitó, soltó una carga, y se apagó.

—Cariño, es todo cuestión de prioridades. —Nada más decirlo, Maxon supo que había metido la pata. Tenía que recordar sobre qué iba esa pelea.

—¿Cuestión de prioridades? ¡Jo, esta sí que es buena! Esto lo dice el hombre que se levanta de madrugada para ir en bici, que se queda en el trabajo todo lo que puede, a veces hasta que ya ha oscurecido, y luego se encierra en su despacho toda la noche. Y aquí estoy yo, embarazada otra vez, otro hijo tuyo que no va a saber qué aspecto tiene tu cara. Van a ver los chorros de líneas de programación en tus ojos, siempre un reflejo, tu pantalla en tu cara, eso es su padre.

—Eh, eso no es verdad. No es cierto. No es verdad ni cierto.

—No me ayudas cuando estás aquí. Podrías irte, ser feliz, vivir en la luna, colonizar el espacio. Yo me quedaría aquí, encargándome de fregar los platos, hacer la colada, fregar los platos, hacer la colada, pintándome los labios, poniéndome las medias y colocando en hilera mis zapatos grises en el armario.

—Yo no espero que hagas eso. Nadie lo espera. Eres tú la que te obligas a hacerlo.

—Claro, entonces, ¿yo qué espero hacer? ¿Qué espera él que haga yo? ¿Qué espera este que haga yo? —Señaló hacia el cuarto de Bubber arriba y luego a su barriga—. En realidad no se espera nada de mí, de Sunny, de esta persona. Solo soy yo, este hueco, este rol, esta madre. El papel que tengo que desempeñar para ser ella y sus expectativas está claramente definido. Claramente definido. Tú, de hecho, eres el único que no puedes verlo. ¡Porque no ves nada que no esté escrito en negro sobre blanco! Mírame, Maxon, ¡me estoy muriendo aquí! Ser madre es la muerte, ¿lo captas? Este yo que tú ves, esta cosa que está aquí, es una cosa muerta cubierta por un caparazón. Estoy muerta, Maxon. ¡Muerta!

—No lo pareces.

—¡Maxon! ¡No soy un puto robot! ¡No puedes determinar si estoy viva o muerta solo con mirarme!

La cara de Sunny estaba enrojecida y surcada de lágrimas. Su peluca, su inamovible peluca, estaba perfectamente peinada, reluciente, real. Se retorcía las manos y golpeaba suavemente sobre la encimera. Estaba llorando.

Maxon se acordó de los cangrejos ermitaños que había traído a la casa de Cape May cuando la madre los llevó allí de excursión. Los metieron en un cubo junto a la bañera hasta que salieron de sus conchas y murieron. Sunny lloró y se lamentó, con esas extrañas gambitas en su mano, hablándoles mientras se atragantaba de pena. La madre prohibió con firmeza rituales morbosos; no se permitieron funerales. Más adelante, Maxon descubrió en un libro que los cangrejos no habían muerto en realidad, solo estaban intentando encontrar nuevas conchas, quitándose sus exoesqueletos. Si les hubieran dejado solos habrían sobrevivido. Pero los tiraron en la pila del compost, cubiertos por hojas de coliflor desechadas, cáscara de sandía desechada. Si Sunny se sentía muerta como aquellos cangrejos, entonces Maxon le había fallado, y lo sentía.

—¡Ni siquiera me conoces, Maxon! —gritó—. ¿Sabes lo que he hecho?

—Sí —dijo él.

—¿Te vas a marchar al espacio y dejarme aquí con tus hijos? ¿Vas a dejarme con esta cosa que soy? ¿Esta bastardización en la que me he convertido?

—Pensé que habías dicho que era necesario. Pensaba que querías que me fuera.

—Maxon, ¿sabes cómo murió tu padre?

—Congelado en un hoyo.

—Se congeló en un hoyo porque yo lo dejé ahí. —Sunny se atragantó, como si estuviera tosiendo y hablando a la vez.

—Lo sé.

—¿Lo sabes? Qué dices. No lo sabes. Nunca lo supiste.

—Lo sé porque me lo contaste. Me lo contaste hace años. Estabas aquí mismo cuando me lo dijiste.

Maxon recordaba claramente aquella fiesta. Sunny contó una historia sobre la muerte de su propio padre en una falla, y él supo, sin lugar a dudas, que en realidad se estaba refiriendo a que era el padre de él quien había muerto de ese modo, y que ella lo vio morir y no hizo nada. Maxon ya había asimilado esa información en el momento en que ella la contó.

Sunny guardó silencio.

—¿Lo sabías?

—Sí. Dijiste que su pierna tenía la forma de una letra sigma. Y que estaba cubierto de agujas de pino. ¿No te acuerdas? Todo el mundo sabe que en el sur de Birmania no hay pinos. Son bosques caducifolios...

—¿Lo sabías y no dijiste nada?

—Si que dije algo. Dije: «¡Hala!».

—Maxon, hay una forma de responder cuando alguien te dice que ha matado a tu padre. Elevas tu voz una octava, aumentas el volumen, haces un gesto expansivo con la mano, levantas las cejas, gritas algo como «¡¿Qué?!» o «¡¡No puedo creer que hayas hecho eso!!», y... y no sigues adelante como si nada hubiera pasado.

—Te perdoné —dijo él—. Eso pasó. Es algo que ya pasó.

—¿Qué?

—Te perdoné aquella noche, antes incluso de que dejaras de hablar, te perdoné. Te perdono. No pasa nada.

237

Sunny se lanzó sobre él y lo estrechó tan fuerte entre sus brazos que Maxon expulsó el aire de sus pulmones con un silbido.

—Oh, Maxon… No te mueras. No te mueras nunca, nunca, nunca.

Él había anotado todo lo que había comido en los últimos diecisiete años. En reposo tenía una frecuencia cardíaca de treinta y dos. Tenía un gráfico para indicar la potencia eléctrica que había emitido en una excursión en bicicleta de más de cien kilómetros el día anterior. Pero no podía hacer nada para no morirse.

24.

En 1987 se construyó el centro comercial Yates en el cruce de la carretera 8 y la vía rápida 32. Allí había un semáforo, el único en muchos kilómetros. En mitad de unos prados para las vacas, al poco de pasar Bickton y a unos tres kilómetros de Pearl, se levantó un centro comercial que tenía unos almacenes Sears en un extremo y un Bon-Ton en el otro. En esa época, había una gasolinera en la esquina y una serrería junto a la superficie comercial, y eso era todo. La gente acudía al centro comercial parpadeando incrédula, andaban con las manos hacia adelante para no chocarse contra un cristal. Había una tienda de telas, una zapatería, una óptica, una farmacia, una pequeña cafetería, incluso un cine con dos salas. Los lugareños decían que por fin el condado de Yates había entrado en la civilización. El periódico local afirmó que ese consumismo desenfrenado mataría el comercio local y arruinaría los negocios familiares en los pueblos de los alrededores surgidos del *boom* del petróleo.

A lo largo de los siguientes años, aquel cruce floreció. A sus establecimientos comerciales se añadieron un Home Depot y un Burger King. Luego, un pequeño y desorganizado parque de atracciones. Una nueva gasolinera más reluciente abrió para competir con la vieja, introduciendo el pago automático en el surtidor y los bocadillos rápidos frente al suelo de gravilla y el mecánico de la antigua estación. Una heladería, visible desde el semáforo, abrió para competir con el Jolly Milk que había a un kilómetro de allí.

En 1993 se levantó un Wal-Mart enfrente del centro comercial, y los columnistas del periódico local alzaron las manos derrotados y entregaron la región a la muerte por

239

comercio multinacional. Cerraron las tiendas de electrodomésticos en las calles principales de todos los pueblos. Los sastres se desesperaron. Los proveedores de las tiendas de alimentación agitaban los puños y maldecían. Un hombre bajito que tenía una tienda de neumáticos junto al banco en Oil City se suicidó. En 1995, el centro comercial Yates, aclamado en el pasado como la vanguardia de la civilización, cerró dejando paso a la caballería de una gran superficie al otro lado de la calle. El edificio se vació, se tapiaron los escaparates, y en la calle se levantó un cartel permanente: ESPACIOS EN ALQUILER. 1000x500, 1500x500, O LO QUE SEA.

Como es natural, los chavales de instituto de la zona lo tomaron como picadero. Antes del centro comercial utilizaban un vagón abandonado en una vía muerta, al otro lado del río, más allá de Franklin, pero tenías que caminar. El centro comercial Yates era mejor, porque era más grande, y un coche en el aparcamiento pasaba inadvertido, ya que el cine seguía abierto durante una sesión diaria. Por supuesto, bajo el amparo del centro comercial también tenían lugar otras operaciones más dudosas que la simple ruleta rusa del embarazo. A veces coincidían los participantes en estos juegos, los traficantes de metanfetamina y los adolescentes apasionados, los traficantes apasionados y los adolescentes colocados de metanfetamina. Pasados un par de años, había un montón de basura por el suelo.

Maxon y Sunny tenían dieciséis cuando entraron por primera vez a la parte abandonada del centro comercial. Era un sábado y habían ido a una sesión de tarde, dejando con toda legitimidad el cochecito de Sunny en el aparcamiento y paseando sin prisas hacia el cine. Sunny llevaba una botellita de vodka en el bolso, y durante la película se aplicó con seriedad a ella, hasta que al llegar al último tercio de la película ya estaba achispada y magreando a Maxon.

—Maxon —susurró demasiado alto—. Maxon, vamos al Bon-Ton después.

Ir al Bon-Ton significaba colarse en alguno de los varios espacios ocultos dentro del centro comercial abandonado, meterse en una esquina y hacerlo. Maxon lo sabía. El Bon-Ton eran los almacenes vacíos más grandes, pero no los únicos. También había un Sears y muchas tiendas pequeñas. En la mente de Maxon, el centro comercial era una conejera, con montones de conejitos en celo metidos en agujeros. Maxon no se podía imaginar haciendo eso con Sunny. Eran novio y novia. Se besaban y rozaban sus cuerpos, pero estar desnudos en un local abandonado, abriéndose paso entre sus humedades, le resultaba inconcebible.

—No —dijo—. Estás borracha. Vámonos de aquí. Podemos pasar por la casita alpina antes de volver a casa.

La casa alpina, que seguía tan abandonada como cuando Maxon era un crío, era su refugio secreto. Pero no la usaban para el sexo, sino para que Sunny se espabilara y Maxon se calmara, para evadirse.

—No —insistió ella—. Quiero ir al Bon-Ton como los demás chavales. ¿Por qué nosotros no podemos? ¿Qué tiene de especial?

Le entró un ataque de risa y se retorció en el asiento, en la oscuridad. Su mano agarró el muslo de Maxon y lo pellizcó, subió unos centímetros y volvió a pellizcar, subió y pellizcó, y luego se quedó allí, con los dedos tamborileando arriba y abajo.

—Está bien —dijo él.

Salieron tambaleándose del cine, una más de las varias parejas embarcadas en la misma misión, girando apresurados a la derecha cuando el resto de los espectadores giraba a la izquierda en dirección a la salida. Los chavales se dispersaban, cada pareja enfilaba un pasillo distinto como por acuerdo tácito, y Sunny agarró la mano de Maxon y tiró de él con firmeza.

—¿Adónde vamos? —preguntó Maxon.

—Renee me explicó adónde ir. Venga, corre. Es un secreto.

En la trastienda de un local que en el pasado vendía artículos de madera y muebles creados por artesanos locales, Sunny abrió una puerta de un tirón y lo condujo dentro. No había luz, pero ella rebuscó detrás de la puerta, encontró una linterna y la encendió.

—¡La he encontrado! —dijo, como hablando consigo misma.

Dejó la linterna sobre la mesa, apuntando hacia el techo, y una cálida luz amarillenta iluminó la estancia. Era más grande de lo que Maxon había previsto. Quizá había sido oficina y almacén a la vez. Había estanterías metálicas contra la pared.

—Quítate la ropa —dijo Sunny—. Venga, venga. No, espera, espera un minuto.

Sacó la botellita de vodka del bolsillo, medio vacía, una barrita de incienso y un condón. Encajó el incienso en el surco de un platillo de cerámica que había sobre la mesa, encendió una punta, apretando con impaciencia un mechero que había allí. El aroma a bergamota fluyó en la esquina, solapando un poco el olor a humedad, pero todavía hacía frío. En un rincón había una pila de almohadones rescatados de los restos del Sears, y un montón de sábanas, algunas todavía con el envoltorio, otras solo dobladas, y algunas desechadas en una pila en la otra esquina. La habitación tenía cuatro metros por cinco. Llevaban cuarenta y cinco segundos en ella.

—Qué bueno. Es nuestro olor. Esto somos nosotros ahora. Ahora mismo —dijo Sunny. Dio un largo y enérgico trago al vodka y sonrió, con la cara iluminada y todos los dientes reluciendo. Luego se quitó con prisas los pantalones y arrojó al lado la sudadera y la camiseta.

—Venga, Maxon —lo apremió.

Cuando se quedó allí de pie, solo con las bragas y el sujetador blanco de algodón, cerró la puerta de un golpazo contundente, y Maxon se encontró allí dentro con ella. Dentro de un local al que iban los muchachos a hacer el amor. Y Sunny y Maxon también iban a hacerlo.

—Esto es lo que pasa —dijo ella entre risitas—. Esto es lo que pasa. Esto es lo que... pasa. Lo que pasa, lo que pasa, lo que pasa.

Estaba borracha. Maxon lo sabía. Sunny lo agarró por la cintura de los vaqueros y los abrió de golpe, bajándolo por las piernas. Maxon sintió que sus pies se quitaban automáticamente los zapatos, poniendo cada punta en el talón opuesto y apretando hacia abajo. Era como si la sensación de tener los pantalones en los tobillos hubiera hecho que sus pies se comportaran así. Luego, Sunny apretó las manos en su pecho y le quitó la camisa de franela.

Ahí estaban, él en camiseta y calzoncillos, ella en ropa interior. Podía haber sido cualquier otro momento. Podían haber estado en los bosques. Esto no era algo nuevo, esto todavía era seguro. Aún había una posibilidad de que Sunny se echara atrás con sus planes, fueran cuales fuesen. Maxon podía escapar corriendo. Podía sacar una foto, justo en ese momento, antes de que ocurriera. Pero ella tenía prisa y estaba nerviosa. Agarró su mano y lo condujo, como una zombi, a la pila de almohadoness.

—Cállate un poco, Maxon, eres tan hablador... —se burló, dando saltitos con los pies mientras tiraba de él y lo lanzaba sobre la pila—. Túmbate boca arriba. Y no te preocupes. Sé lo que hay que hacer. Me lo contó Renee.

Maxon sabía que no debería estar allí. Sabía que aquel podía ser un mal momento. Podía no ser bueno. Sin embargo, mientras ella se plantaba allí, a la luz dorada de aquella vieja linterna, tarareando una canción mientras se quitaba el sujetador, mientras se arrastraba como un animal encima de él, mientras caía en sus brazos, Maxon no podía ni dejarla hacer ni detenerla. Sunny estaba encima, los pezones de sus tetas contra su pecho, sus manos en sus hombros, aplastándolo contra los cojines, y acercó la boca a su oreja.

—Te quiero, cariño —le dijo al oído, provocando con su respiración ondas eléctricas en su cuerpo.

Maxon sintió que se encendía aquel triángulo entre sus caderas y su ingle, muy rápido, como una sacudida. Sunny apoyó la boca sobre su cuello, por debajo de la mandíbula, en su clavícula, en su esternón y sus costillas. Era un beso tras otro, todos pequeños y castos, pero rápidos, como un beso de saludo. No hubo nada de la humedad que él tanto temía. No hubo el terrible sudor. Su cuerpo estaba frío, helado, excepto en las partes que ella tocaba, donde sus labios hurgaban en su piel. Le dejaba pequeñas marcas calientes, como imágenes térmicas, su cuerpo azul salpicado de formas de labios en naranja y rojo. Sunny fue bajando, besando el tórax que se arqueaba sobre su vientre, dejando caer los hombros para sostenerse, alzando en el aire el trasero mientras seguía descendiendo. Se reía nerviosa, apretando el rostro contra su vientre, haciéndole cosquillas.

Le besó el hueso de la cadera, luego frotó su mejilla contra los calzoncillos. Bajó la tela con los dientes de modo que el pene asomó por la cinturilla. El aliento caliente de Sunny sobre él hizo que sus manos se aferraran a los cojines que tenía alrededor. Maxon cerró los ojos con fuerza. No podía imaginarse lo que, al parecer, Sunny estaba a punto de hacer, y tampoco podía detenerla. Todo pasó de rápido a lento cuando ella empezó a mover la lengua. Era suyo, fuera lo que fuese lo que quería hacer con él. Algo muy simple, pensó Maxon. Un movimiento muy sencillo. Pero realmente le apetecía. Las manos de Sunny apretaron sus muslos.

Luego Maxon sintió la humedad caliente de su boca tocándolo, y gimió.

—No puedo —dijo atragantándose.

Era lo primero que decía desde que salieron del cine. Sunny apartó la boca y alzó la vista para mirarlo. Maxon la vio, la boca roja, los ojos negros, enmarcada entre sus piernas, los hombros morenos alzados como una leona dispuesta a matar.

—Venga, chico —dijo, y su boca se cerró sobre él de nuevo, y daba tanto gusto...

Momentos después, Maxon eyaculó en silencio, consiguiendo apartarse de su boca antes.

—Ha estado genial —dijo Sunny alegre, aupándose a su lado. Le pasó una mano por la entrepierna, agarró una sábana doblada de la pila y se la echó por encima.

Su mejilla contra el hombro de él, su brazo bajo el cuello. Maxon estaba caliente, más caliente que nunca, y flotando. Se quedaron dormidos, ella por el alcohol, él por que se sentía en paz.

Los despertó el sonido de la puerta al abrirse. Mientras Sunny abría los ojos y recordaba, lentamente, dónde estaba, vio la

244

silueta de su amiga Renee y dos chicos en la puerta. Renee estaba buscando la linterna por el suelo. Sunny fue asimilando lo que tenía al lado: Maxon dormido en calzoncillos y camiseta. Vio que ella estaba con las bragas puestas. Su plan había fallado. Al menos me quité el sujetador, pensó. Igual hasta nos besamos tumbados. Maxon estaba profundamente dormido, con la boca abierta. Sunny sacó el brazo de debajo de su cuello y la cabeza de él se ladeó. Extraño. Se preguntó si él también habría tomado vodka.

—¡Eh! ¡Está ocupado! —gritó a Renee.

—¿Sunny? ¿Eres tú? ¿Dónde está la maldita linterna?

—No lo sé.

—Yo tengo una linternita —dijo uno de los chicos, y Sunny reconoció la voz de Adam Tyler, un jugador del equipo de fútbol.

—¿Y por qué no lo has dicho antes, capullo? —espetó Renee, arrebatándosela para apuntar a Sunny.

—¡Eh! —se quejó ella cuando la luz le dio en los ojos, envolviéndose en las sábanas. Se levantó y saltó por su ropa. Empezó a ponerse los vaqueros bajo la sábana. El sujetador tendría que quedarse allí; bajo ningún concepto iba a ofrecer un numerito al equipo de fútbol. Ya se encargaría de eso Renee.

—Date el piro, hermanita, esto no es un motel —dijo Renee con cariño.

—Espera un momento —terció Adam Tyler—. ¿Ese no es Maxon Mann?

Sunny miró a Maxon. Ahora estaba sentado perfectamente recto.

—¿Qué haces tú aquí, Mann? ¿No sabes que esta es la suite nupcial?

Adam dio un puñetazo en el brazo de su amigo, que le devolvió el golpe. Renee sostenía la linterna apuntando al techo, y dijo con suavidad:

—Calla, Adam.

Maxon se levantó y extendió amistoso los brazos.

—¿Qué tal, Tyler? —dijo—. No sabía que vivías aquí, tío. Mis disculpas. Y mis felicitaciones.

—¡Que te jodan, colgado! —exclamó Adam, lanzándose hacia delante, amenazando a Maxon con los puños—. Yo no vivo aquí, follo aquí. Y tú no follas donde yo follo, ¿entendido? Así que llévate a tu putita calva y vete a tirártela en el baño, que es el sitio para mierdas como vosotros.

Sunny no vio a Maxon abalanzarse sobre Adam, pero oyó el sonido de su puño aterrizando en la cabeza del muchacho. Su amigo salió en su ayuda y le plantó un buen un puñetazo a la altura de los riñones a Maxon, quien empezó a pelear de verdad. Entonces, Renee se llevó a Sunny fuera, dejando la linterna de Adam en el suelo, todavía iluminando la escena. Al otro lado de la puerta se oían una especie de tifón embravecido.

—Venga —dijo Renee—. Tenemos que buscar ayuda. Van a matarlo.

—No —dijo Sunny, jadeando un poco mientras corrían por el centro comercial, abrochándose la cremallera de la sudadera—. No te preocupes por él, hazlo por ellos. En serio, hazme caso, Maxon no está en peligro.

Hubo un tiempo en que dos hermanos tumbaban a Maxon cuando se peleaban. Después, hacían falta tres hermanos, y más tarde cuatro. Desde que había dado el estirón ya no tenía moratones. O ganaba todas las veces o su cuerpo ya no reaccionaba al castigo. Era como si ni siquiera sintiera el dolor.

Sunny dejó que Renee se marchara. Redujo el paso y se dirigió a la salida. En la calle hacía fresco. Subió al coche, deseando tener un cigarrillo. También deseaba un vaso de agua y un par de ibuprofenos. Cuando Maxon salió del centro comercial unos minutos después, y cruzó a paso tranquilo el aparcamiento, iba bien vestido y exhibía una sonrisa despreocupada. Abrió la puerta y se encogió en el asiento del copiloto.

—¿Los has matado, Maxon? —preguntó Sunny, arrancando el coche.

—No. Pero podemos usar esa habitación cuando queramos.

—Cariño, ya sabes que me gusta beber, pero nunca voy a hacerlo si no estás a mi lado para protegerme. Y no creo que debamos volver a esa habitación.

Nunca volvieron a la suite nupcial del centro comercial Yates. Y Sunny, incluso durante sus años en la universidad, nunca bebió sin tener a Maxon al lado para protegerla. Y así fue hasta el fin de sus días.

En el estudio de las noticias del canal WNFO, Sunny estaba sentada en el mismo sillón blanco de mimbre de la anterior vez, con las piernas cruzadas del mismo modo, las manos a ambos lados de su barriga de embarazada. Pero ahora su cabeza estaba calva, y sus ojos rojos de tanto llorar. Aparecer en televisión como una mujer calva era algo que podía hacer por Maxon, importase o no. Tuviera o no Maxon la oportunidad de ver la cinta alguna vez. Verla sentada junto a Les Weathers, sin Maxon al otro lado, dejaría claro a todo el mundo que Maxon ya no estaba. Faltaba la simetría especial. Había una ausencia en el espacio. La cámara encuadraba solo a los dos, a Sunny y Les, y cuando el presentador comenzó la entrevista, el cámara cerró más el plano, solo en sus cabezas. Dos cabezas hablando en la televisión, una rubia y la otra calva.

Sunny había tenido un sueño en el que vestía la ropa de su madre. Las prendas le quedaban ajustadas y no encajaban en su cuerpo de embarazada, pero aún así las llevaba puestas, igual que el bolso de su madre. Y calzaba los zapatos de paseo de su madre mientras resolvía el papeleo de su muerte. Diecisiete copias del certificado de defunción, una necrológica decente, la incineración. Y cuando estaba discutiendo los detalles del funeral con el párroco de la iglesia, su madre entraba en la habitación, claramente viva y ni siquiera enferma. Tenía un enorme chichón reluciente en la cabeza, como si se hubiera caído de un árbol, olvidado quién era, entrado en coma accidentalmente y muerto de cáncer, para después recordar quién era y recuperarse del todo. Y lo que Sunny sentía en aquel momento, cuando veía a su madre entrar en la habitación, era enfado. ¿Por qué me has hecho pasar por todo esto?, le preguntaba. La enfermedad, las úlceras, el tener que desenchufar las máquinas. ¿Por qué he tenido que hacer todo eso sola, cuando estabas perfectamente bien como para hacerlo conmigo? Pero la madre estaba transformada. Al haber estado muerta de mentirijillas, ahora se encontraba en cierto modo por encima de cualquier reproche, y ni siquiera respondía.

—Sunny Mann —dijo Les Weathers—, en primer lugar, permítame decirle que siento lo que está sucediéndole en estos momentos, y que aprecio que haya accedido a compartir sus experiencias con nosotros de nuevo.

—Gracias por invitarme.

—En todo el mundo, y especialmente aquí en Estados Unidos, todos estamos siguiendo con atención la historia. Para poner al día a nuestros telespectadores, recordaremos que la nave en que va su esposo ha chocado con un meteorito y todas las comunicaciones con los astronautas se han perdido. ¿Cómo lo está llevando?

Sunny consiguió responder:

—Estoy bien. Lo asimilo lentamente, cada cosa a su tiempo.

Y luego contó cómo se había enterado, lo que pensó. Explicó que rogaba con todas sus fuerzas que Maxon estuviera vivo, y que toda la tripulación estuviera a salvo, y Les Weathers le dijo que él también, todos, el mundo entero. Después de la entrevista, alguien se acercó a quitarle el micrófono de la parte de atrás de su blusa y desengancharlo de su cuello. Les Weathers se quedó con ella en el estudio hasta que el personal se fue retirando. Al poco rato seguían allí sentados, todavía en las sillas de mimbre, sin nadie más alrededor.

—¿Cómo lo llevas, en serio? —preguntó él.

—No lo sé. Es bastante desagradable.

Les puso una mano sobre las suyas, y ella contempló las manos entrelazándose, del modo en que lo hacen naturalmente las manos humanas.

—Espero que sepas —dijo él— que estamos aquí para lo que necesites. Estamos todos para ayudarte. Especialmente yo.

—De acuerdo —dijo Sunny. Y se secó los ojos con la manga.

—Estoy al final de la calle, si me necesitas.

—Gracias.

—Y si no regresa, Sunny —añadió Les Weathers, inclinándose sobre su oído. Ella percibió el calor de su cuerpo, distinto del de las luces. Era un calor que se movía, que respiraba—. Si no regresa, ya sé que no está bien decirlo, pero lo diré de todos modos: si no regresa, quiero que sepas que a mí tampoco me importa la calvicie. No me importa.

25.

A las 2.30 de la madrugada, el teléfono junto a la cama de Sunny sonó. Era la NASA. Tenía que acudir de inmediato. Habían logrado establecer comunicación con la nave, y había señal de vídeo. Los astronautas estaban vivos y se encontraban bien. Podía hablar con Maxon, verlo, oírlo. Se puso algo de ropa, despertó a Bubber con un beso, lo vistió y salieron a toda prisa al coche. Se sentó, pestañeó y miró su reflejo en el retrovisor. Estaba a punto de enviar una carta de amor sin palabras. Partió hacia el centro de investigación de Langley, donde la estaban esperando.

A las tres en punto de la madrugada, el corazón de la madre sufrió unas palpitaciones. Palpitó y se fue apagando. Luego volvió a funcionar, pero a un ritmo inestable. Los riñones llevaban horas inutilizados, el hígado estaba muerto y la sangre, llena de toxinas. Dentro de su cuerpo, su mente iba a toda velocidad. En la habitación, bajo la sábana, no había cambios. La luz anaranjada de las farolas del aparcamiento se filtraba por las persianas como el sol de la mañana a través de la cáscara de un huevo. Unas horas antes había entrado una enfermera para tomarle el pulso. Ahora, en la habitación reinaba el silencio.

Decir que la madre no recobró la conciencia justo antes de morir sería falso. Sería algo que se dice para aliviar a la gente que quizá debería haber estado allí durante la muerte. No recobró los síntomas de conciencia: el movimiento de los párpados, la mano que aprieta, el suave movimiento de la cabeza. Pero sí recobró la conciencia de estar muriéndose. Y luchó contra la muerte. Ella sola, en la oscuridad, sin nada para ayudarle a controlar la negrura que invadía su interior, luchó contra su propia sangre corrompida y esas cosas horribles que tenía dentro y la destruían. Luchó por vivir.

En su cabeza, se encontraba en un puesto de verduras junto a una carretera en Pensilvania. Estaba seleccionando unos tomates, preguntándose si realmente serían del país, pues parecían demasiado perfectos. A cargo del puesto había una niña de la misma edad que Sunny y que pertenecía al mismo club 4-H. Un coche pasó zumbando por la carretera, sacudiendo el aire alrededor de las verduras. Un zorzal canturreó en el bosquecillo que tenían detrás. Podía oír el canto de las cigarras entre coche y coche. Estaban a finales de verano, a última hora de la tarde, y el sol poniente caía sesgado sobre el valle.

La chica la miró fijamente y dijo:

—Señora Butcher. —Emma recordó claramente el escalofrío que sintió cuando la niña añadió—: ¿Sabe dónde está Sunny ahora mismo?

—¿Dónde está Sunny? —preguntó Emma, devolviendo uno de los tomates a la cesta.

—Ejem… Se supone que no tengo que contárselo.

—Bueno, ¿está en peligro? —El dedo de Emma apretó un tomate abriendo un agujero en él, luego perforó otro y fue creando un cinturón de orificios en el fruto.

—Mmmm —dijo la muchacha, relamiéndose—. Sí, lo más seguro.

La Emma del hospital, inmóvil bajo las sábanas, incapaz de mover los brazos o cerrar el puño, recordó las ganas que le entraron de estrangular a aquella mocosa granujienta con sus vaqueros cortos, de hacerlo con su propia trenza desgreñada.

—Maggie —dijo Emma—, tienes que contarme ahora mismo dónde está Sunny. De lo contrario, me enfadaré mucho y se lo diré a tu padre.

—Bueno —dijo Maggie, arrastrando las vocales—. Supongo que lo mejor para Sunny es que se lo cuente.

—Cuéntamelo.

Emma apretó los dientes, en la cama del hospital, junto al puesto de carretera. ¿Dónde está mi hija? ¿Qué va a pasarle? Arréglalo, arréglalo, arréglalo.

—Esto... señora Butcher, ¿conoce el puente Belmar?

Emma ya no estaba allí. Corrió al coche, subió de un salto y salió disparada del pequeño apartadero, despidiendo una nube de gravilla. Conocía el puente Belmar. Durante tres generaciones, los jóvenes del condado de Yates se habían estado retando a saltar desde allí, y algunos morían en el intento. Un viaducto para el ferrocarril sobre el río Allegheny. El puente Belmar era legendario, sus pilares de piedra se hundían en el río, sus vigas oxidadas e inflexibles lo cruzaban allá arriba. Los muchachos se subían al pilar central, al que llegaban trepando por los peldaños oxidados de una escalerilla de servicio, y se tumbaban allí a tomar el sol, encima de las aguas. Los más valientes se lanzaban desde la plataforma al agua, casi doce metros por debajo. El Allegheny es un río poco profundo, pero la construcción del puente y la corriente en ese punto habían formado una profunda poza justo pasado ese enorme pilar central, así que si colocabas el cuerpo correctamente y calculabas bien la dirección del salto, podías hundirte limpiamente sin hacerte daño. O, como le había pasado a varios niños a lo largo de los años, podías matarte.

Vamos a ver, se dijo Emma. Para ser justos. Para ser sinceros. Esos chavales malogrados estaban borrachos, y Sunny jamás bebería. Esos chavales eran estúpidos, y Sunny es lista. Probablemente ni siquiera suba ahí arriba. Sabrá lo mucho que me enfadaría si me entero. Tendrá algo de juicio. No hará algo así. No saltará de ese puente. Para los chavales de la zona constituía un rito de iniciación, según le habían contado los vecinos durante una cena. Sin embargo, los hijos de los vecinos no lo habían hecho. Los listos e inteligentes niños de los vecinos habían crecido y se habían ido del pueblo sin haber saltado nunca del puente. El viaducto más impresionante en tres condados a la redonda. Emma se lo podía imaginar. Le ardía la piel.

Aceleró por la carretera principal sin preocuparse por el tráfico, invadiendo el carril contrario en las curvas a la izquierda, invadiendo el arcén en las curvas a la derecha. El hermoso sol de final de la tarde sobre el campo se había convertido en las llamas del infierno, que la quemaban. Sabía que Sunny no podía morir, y sabía que ella podía pararla. Podía gritarle: «Sunny, ¡¡para!!». La cabeza calva se giraría, la chica la saludaría con la mano, se volvería y se encogería de hombros avergonzada, dejando que otro chico lo hiciera, dejando que otro chaval saltara de la plataforma por ella.

Si estuviera con cualquier otro chico más inteligente. Pero Maxon simplemente la dejaría saltar, dejaría que hiciese lo que ella quisiera. Era como su esclavo, y era un caso perdido, demasiado perjudicado. Emma no podía confiarle la vida de Sunny. No creía que Maxon pudiera mantenerla a salvo, eso no se conseguía solo con pensarlo. ¿Por qué Sunny no podía enamorarse de algún zopenco optimista que le dijera la verdad, la mantuviera alejada de problemas, y acabara trabajando en un banco? Ese tipo de chaval jamás dejaría que se rompiera el cuello contra las rocas de un río. Jamás.

Al pie de la colina, frenó, bajó y echó a correr, dejando el coche abierto. La falda larga se le enredaba entre las piernas y sus pies levantaban gravilla. Su mente exigía que siguiera con vida. Tomó aire, temblorosa, y lo exhaló, moviendo un poquito las sábanas. Sentía el peso aplastante de las costillas, sentía que ya no podría inspirar más aire. Quizá aquel era su último aliento. Quizá había llegado al final. Fin de trayecto. Pero no podía ser. Tenía que correr, tenía que comprobar si Sunny corría peligro. Inspiró aire de nuevo, su pulsó se aceleró en su cuello, una bocanada de aire le colapsó la garganta, lo suficiente como para mantenerla con vida hasta que pudiera ver a su hija a salvo, hasta que pudiera verla y decirle: «¡No saltes de ese maldito puente!».

Sus piernas la llevaban como el viento, sobre la pista de gravilla y luego sobre las viejas traviesas de la vía, saltando de madero en madero. No sentía dolor, solo asfixia. Sentía que su sangre era incapaz de hacer su trabajo. Sentía que su mente se apagaba. No se lo digas a los pies, pensó. Deja que sigan corriendo. Al final, tomó una curva y vio el puente, sus trapezoides marrón oscuro alzándose contra el reluciente cielo azul.

«¡Sunny!», intentó gritar, pero no había aire. Sus pulmones estaban acabados. No podían hacerlo, ni siquiera por última vez. Su pecho se contrajo. Sus células lucharon. Se aferró al travesaño más cercano, se asomó, estirando la cabeza sobre las aguas, esforzándose por ver. Allí estaban los chicos. ¿Sunny estaba sola? No, Maxon ya estaba en el agua. ¡Bastardo! Seguramente había calculado todos los ángulos y trayectorias antes de lanzarse. Probablemente, le habría dicho a Sunny cuál era la forma correcta de saltar. No era justo. Seguramente ella se lo habría pedido. Lo haría, pues siempre estaba intentando ser como los demás niños. Cuánto significaba para la pobre y calva Sunny, con su horrible alopecia, saltar desde el puente de Belmar como los demás chavales. Después lo contaría, tomando refrescos en el Jolly Milk, sentada en el capó de algún coche, junto a una panda de chavales, un grupo de amigos, con el tímido de Maxon siempre detrás, conduciendo para ella, descifrando las matemáticas para ella, callado cuando ella le pedía que se callara, dejando que Sunny se matara con tal de integrarse.

Sunny estaba allí, preparada. La madre intentó balbucir unas últimas palabras. «Sunny, te quiero.» Pero no quedaba aire ni sangre, y la oscuridad fue descendiendo desde su cabeza y apagándola. En su ensoñación, Emma permanecía allí, con el cuerpo renqueante y desplomado sobre un travesaño. En la realidad, murió allí, en aquella cama de hospital, y entró en la oscuridad. Su cerebro dejó de funcionar y eso fue todo, justo en el peor momento. Por un instante, quedaron unos procesos electroquímicos dentro del cráneo. Y eso fue todo. Nadie la ayudó en su final, y nadie podría haberlo evitado. Simplemente, sucedió. Su muerte tuvo lugar a las 3.12 de la madrugada. Fue una muerte en privado entre la madre y ella misma, antes de que pudiera finalizar su último sueño. En eso consiste el morir: en no terminar.

La carretera que lleva al centro de investigación Langley atraviesa la zona pantanosa de la costa oriental de Virginia. En plena noche es un lugar oscuro y silencioso. Zanjas a ambos lados de la carretera drenan el agua, y hay garzas en pie con la cabeza oculta bajo el ala. Es como una versión más sórdida y reducida de la carretera que conduce al Centro Espacial Kennedy, a través de kilómetros de marismas cenagosas en la costa de Florida. Allí se pueden ver hileras de palmeras meciéndose al viento, las mañanas de los días de lanzamientos brillantes y optimistas. Aquí, Sunny veía plantas de kudzu iluminadas por los faros del vehículo y postes y más postes, y apenas si recordaba dónde tenía que girar.

A las 3.30, Sunny enseñó su identificación en la puerta. A la derecha tenía el hangar, enorme y blanco, lleno de piezas de cohetes, aviones y todo tipo de instrumentos. Detrás estaba el túnel de viento. La base era como un campus universitario, pero en lugar de bloques rectangulares de edificios administrativos y aulas, la arquitectura era toda enorme y extraña, no construida para servir de residencia a los humanos, sino para la conveniencia de la ciencia. Esa instalación, igual que su contorno geográfico, era una hermana deslucida e infradotada del Centro Espacial Kennedy. Pero Maxon trabajaba allí porque no había querido mudarse a Florida. Y en los últimos tiempos, no importaba demasiado. Su trabajo iba en su cabeza. Laboratorios y técnicos de laboratorio había en cualquier parte.

Dejó atrás los enormes edificios redondos, a los que llamaban en broma «tanques de cerebros», y pasó junto al nuevo acelerador. Dejó atrás el edificio donde Maxon probaba sus materiales, lleno de máquinas gigantes cuya única tarea consistía en intentar romper cosas para comprobar su resistencia. Muchos de los edificios de Langley eran cutres y de color marrón, los habían construido en los setenta y seguían exactamente igual. Uno siempre se sorprendía al entrar en aquellos edificios y encontrarlos llenos de tecnología punta.

Sunny aparcó y sacó con cuidado a Bubber del asiento trasero. El pequeño lloró un poco, parpadeó y, todavía dentro del coche, preguntó:

—¿Dónde estamos?

—¡Buena pregunta! —dijo Sunny—. Estamos en el trabajo de papá. Vamos a hablar con papá.

—Papá está en la luna. En la luna hay un conducto de lava. Allí es donde papá va a meter el robot. En el conducto de lava.

—Correcto —dijo Sunny—. ¿Te llevo en brazos, o puedes andar?

Por favor, di que puedes andar, pensó. No había tenido más contracciones desde que se había levantado de la cama, pero estaba preocupaba.

—Andar —dijo Bubber.

—¡Buen chico! —Lo besó repetidas veces por toda la cara. Él se resistía, tan impasible como si su madre estuviera besando el asiento.

—Me da igual que no quieras besos ni abrazos, Bubber —dijo ella asiéndole la mano—. Voy a besarte y abrazarte de todos modos.

—Está bien —dijo Bubber.

—Vamos.

Stanovich los recibió en la puerta. El vestíbulo del edificio de Maxon tenía luces tenues.

—El guarda de la entrada llamó para avisar de que habías llegado —dijo—. Ven, por aquí.

La agarró del brazo, y ella hizo lo propio con Bubber. Fueron a una parte del edificio que Sunny no conocía. Stanovich abrió varias puertas metálicas de color marrón y la hizo subir por unas escaleras. El cemento de los escalones estaba desportillado y las ventanas, polvorientas. Sunny se detuvo en el rellano e hizo un gesto a Stanovich para que le diera un respiro.

—Estoy un poco embarazada, Stan —dijo—. Ya no puedo subir escaleras a todo tren.

—Ah, vale —dijo él. Aguardó nervioso, golpeteando la barandilla con los nudillos. Stanovich era un hombre de cabello canoso, agradable y vivaracho; lo mismo podría ser lo bastante mayor como para ser el padre de Sunny, que tener cuarenta años. Llevaba un grueso bigote y unas gafas aún más gruesas, y tenía los ojos hundidos, cejas espesas y unas grandes orejas. Siempre vestía camisas de manga corta y pantalones negros o azul marino. Pertenecía a la vieja escuela de la NASA, era un profesional. Maxon lo respetaba muchísimo, y Sunny también. Y le caía bien. Tenía esposa e hijos en Newport News.

—Vale. Creo que ya he recobrado el aliento —dijo Sunny. Al ver su reflejo en una ventana, se fijó en que Stan no había comentado nada sobre su pelo, o la ausencia de él. Se preguntó si simplemente estaría distraído, o si Maxon se lo habría contado. Igual alguna vez, a altas horas de la madrugada, concentrado en un problema difícil, o paseándose frente a una pizarra llena de fórmulas, se había ido de la lengua. «Verás, mi mujer es calva —le habría dicho—. Pero volvamos a este robot.»

—Bubber, ¿estás bien? —preguntó Stan, dispuesto a seguir escaleras arriba.

El niño, mirando los bloques de cemento de las paredes, le enseñó un pulgar levantado. Stan subió presuroso el siguiente tramo y abrió otra puerta metálica.

—Estos son mis dominios —dijo—. Bienvenidos. Siento que tenga que ser en estas circunstancias.

—Pero son unas circunstancias buenas, ¿no? Están vivos, hablan. Saldrán de esta.

Stan permaneció en silencio, moviéndose más despacio por el recibidor gris.

—Stan —insistió Sunny, agarrándolo por el brazo y frenándose en seco—. Son buenas noticias, ¿verdad?

—Sunny, no quiero que te pongas triste en este momento, pero deberías saber la verdad.

—¿Cuál es la verdad?

—La verdad es que es posible que no vuelvan —respondió Stan. Luego tosió y se atusó el bigote.

Sunny se puso de los nervios al intentar descifrar ese gesto, algo que seguramente le habría pasado a Maxon. ¿Estaba siendo delicado con una mujer embarazada? ¿Exagerando el peligro? ¿Le picaría el bigote?

—¿Qué has dicho? —dijo Sunny en voz baja.

—El meteorito ha provocado más daños de lo que pensábamos, querida. Una vez que restablecimos la comunicación con ellos, Houston realizó unos diagnósticos, y no pinta bien. Sin el equipo de navegación que necesitan, no veo cómo desde aquí abajo podemos ayudarles a corregir su órbita, a llegar a la superficie, a encender los cohetes... Es demasiado. —Stan parecía a punto de echarse a llorar—. Maxon ha conseguido arreglar las comunicaciones. Lo ha hecho genial, en serio. Pero esta podría ser la última vez que hablas con él, querida. Por eso te llamamos para que vinieras a estas horas. ¿Lo entiendes?

—¿Han llegado a acoplarse con los robots? ¿Han llegado hasta ese punto?

—Sí. Han realizado la maniobra de acoplamiento con los robots. No sé cómo, porque no tendrían que haber podido, pero de algún modo lo han hecho. Por desgracia, creo que es lo máximo que conseguirán.

—No —dijo Sunny—. No me lo creo. No me creo que haya subido hasta ahí arriba para luego morirse.

Stan puso la mano en el pomo de una puerta. Dentro, tras un panel de cristal reforzado, Sunny vio gente y oyó voces.

—El meteorito fue algo que nadie pudo prever —dijo Stan—. No puedes culparlo. No había nada que Maxon pudiera haber hecho.

—Pero Maxon lo tiene todo en cuenta —protestó Sunny, apartándolo de un empujón para abrir la puerta—. Quiero hablar con él. Quiero hablar con él ahora mismo, ¡maldita sea!

La sala era grande, en una pared había ventanas con persianas. Por toda la estancia había bancos y mesas a rebosar de taladros, piezas de metal, sierras y máquinas con láser incorporado. Un cartel en la pared proclamaba: «¡Aquí creamos magia!». Angela Phillips ya había llegado y estaba sentada ante un gran monitor de pantalla plana plateado que se apoyaba sobre una mesa de madera sucia y vieja. No era de extrañar que hubiera llegado primero: vivía en Hampton. Como cualquier persona con dos dedos frente cuyo esposo trabajase en Langley.

Sunny había pedido vivir en Norfolk, por el teatro de la ópera y el museo de arte. Estaba en el consejo de esto y en el comité de aquello, valiéndose del dinero de Maxon para abrirse paso en la estratosfera social de la vieja ciudad. ¡Estúpida, estúpida, estúpida! Se arrepentía de todo. ¿Dónde iba a morir Maxon? ¿En el frío del espacio? ¿Caería sobre la luna? ¿O llegaría a la mitad del camino a casa y luego se quedaría sin aire? ¿Mataría a todos sus compañeros a bordo? ¿Lo haría? Veía a su marido cubierto de capas, bajo la nave, bajo el traje espacial, bajo el mono de vuelo, hasta llegar a su núcleo, donde respiraba, despacio y fuerte, sin que su pulso pasara nunca de cincuenta. Era una locura. Los médicos no se lo explicaban.

Había más gente en la sala. Se acercó a ella un hombre al que Sunny recordaba haber invitado alguna vez a cenar con su chabacana esposa. Resultaba evidente que no estaba lo bastante distraído como para no fijarse en su cabeza calva.

—Sunny —dijo—. ¿Estás bien? ¿Tienes... cáncer?

Su voz se fue apagando, pero Sunny le estrechó la mano con firmeza y le guiñó el ojo.

—¿Qué tal, Jim? Tíos, me habéis llamado tan temprano que no he tenido tiempo de arreglarme el pelo, así que decidí que mejor no traerlo, ¿no os parece?

El hombre no se rio, y ella tampoco. Cuando Angela la vio, le indicó que se acercara. Bubber estaba en el suelo jugando con unas probetas metálicas mientras se mecía. En el monitor, Sunny vio a Fred Phillips, cuya cara llenaba la pantalla. Angela estiró el brazo y agarró la mano de Sunny. Era una rubia auténtica, de espaldas estrechas y suave voz infantil.

La voz de Fred, ligeramente distorsionada por los altavoces, dijo:

—Amorcito, dime algo. Dime lo que sea.

—No sé qué decir —respondió Angela—. Todo va a salir bien. Estaréis en casa antes de que te des cuenta.

—La verdad es que no —dijo Fred, entornando unos ojos de mirada salvaje—. La verdad es que no es cierto. Así que cuéntame otra cosa, lo que sea. Dime lo que han desayunado hoy los niños.

—Los niños están dormidos, Fred. Los he dejado con mi madre.

—Quiero ver a mis chicos —pidió Fred, y se le atragantó la voz. Vieron cómo se agarraba la boca y sacudía la cabeza—. ¡Qué demonios, Angie! —gimió.

La transmisión llegaba con retraso, así que resultaba difícil comunicarse. Sus voces se solapaban, y después esperaban demasiado, y luego uno empezaba a hablar y entonces el otro esperaba. ¿Esto es lo que se siente al tener una pareja que habla todo el tiempo?, pensó Sunny. Todo ese pararse y recomenzar. Sunny oyó una voz que no era la de Maxon decir por detrás:

—Tranquilícese, Phillips.

—Fred, Sunny está aquí —dijo Stanovich, inclinándose sobre el hombro de Angela—. ¿Quieres dejar que se ponga el doctor Mann? Gracias.

—Claro, Stan —dijo Fred—. Te toca, Genio. Es hora de llorar y morir.

Angela se levantó y dejó que Sunny se sentara en la silla del escritorio de madera, mientras Fred parecía salir levitando del asiento en que estaba, y Maxon parecía bajar levitando a ocuparlo. Sunny se sentó perfectamente recta mientras veía enfocarse la cabeza de su marido. Maxon se aseguró de que estaba sentado exactamente en el lugar preciso, y luego la miró. Ella le sostuvo la mirada, observando las marcadas facciones de su rostro, su preciosa boca, sus orejas, sus rizos. No estaba segura de qué tipo de imagen estaba viendo, pero lo veía con mucha claridad, y le entraron ganas de llorar. Maxon puso su sonrisa formal estándar, y luego se acercó un poco más, curioseando la pantalla. Sunny vio que su cara cambiaba de formal y pública a hambrienta, la que ponía cuando necesitaba comer algo inmediatamente. Había visto su cabeza calva.

—Hola, cariño —dijo Sunny—. ¿Qué pasa?

—Bueno, creo que tendré que comerme a Phillips el primero —dijo Maxon.

—Vaya, ¿de veras?

—Sí. Gompers es un tío muy majete, y Tom Conrad está hecho de silicona, así que...

—Recapacita, Maxon, recapacita.

Sunny tendió una mano y tocó la línea de su nariz, la curva de su pómulo, el ángulo de su mandíbula en el monitor. Maxon guardó silencio. Sunny quería obligarlo a verla, confirmar que él lo sabía. Quería dictarle lo que tenía que decir, escribírselo, pasarle un papelito con palabras que pudiera comprender bien. Él permanecía en silencio. ¿Se lo estaba transmitiendo? ¿Estaba llegando el mensaje? ¿Le estaba enviando todo lo que necesitaba para sobrevivir? Sunny quería decirle: «Maxon, te quiero, siento haber sido una mierda de esposa, ahora soy buena, estoy lista para ser buena contigo otra vez y darte lo que necesitas. Por favor, no te mueras». Maxon no dijo nada.

Ella tomó un folio de la mesa, lo dobló y con un rotulador que había por ahí escribió en el papel con letras muy gruesas: LO SIENTO. Luego lo sostuvo delante de la cara. Cuando lo bajó y miró a Maxon, estaba segura de que él lo había entendido.

—Sunny, ¿quieres que vuelva a casa? —preguntó.

—Sí —respondió claramente—. Quiero que vuelvas a casa.

—Genial, vale. Pásame a Bubber.

Sunny levantó al niño del suelo y lo subió a sus rodillas. El pequeño sujetaba una probeta metálica en cada mano. Hacía ruidos, efectos de sonido, y se mecía. Sunny sabía que su mente estaba muy lejos de allí.

—¿Qué pasa, colega? —dijo Maxon. Bubber no alzó la vista—. ¿Qué tienes ahí?

—¿Le enseñas a papá tus probetas? —intervino Sunny—. Cuéntale a papi lo que tienes aquí.

Bubber levantó las probetas pero no miró al monitor. Siguió emitiendo pitidos y chillidos por lo bajo, ruiditos de ciencia-ficción.

—Bubber, mira aquí, donde señala mamá —dijo Sunny, pero él no alzó la vista—. Lo siento. —Vio que Maxon se agachaba y agarraba algo. Estaba sujetando algo sobre sus rodillas, con las cejas enarcadas y meneando la cabeza de un lado a otro.

—No pasa nada. Tiene buen aspecto —dijo Maxon.

—Sabe que estás ahí —dijo Sunny—. Es solo que le...

Ahora era Maxon quien estaba sujetando un cartel. En una página limpia de su cuaderno había escrito TE QUIERO. Había repasado las letras varias veces para que pudieran verlo bien. Lo sostenía sobre su pecho, junto a su corazón.

—Bubber —dijo Sunny, acercando los labios a la oreja del niño—. En serio, necesito que mires donde mami te señala ahora mismo. Tú solo mira donde apunta el dedo de mami.

Bubber miró, echó solo un vistazo rápido, y luego se volvió para recostarse sobre Sunny y chocar las probetas. Ella sonrió a Maxon y le dijo:

—Lo ha visto.

Pero Maxon seguía sosteniendo al cartel. Sunny supo que también era para ella. Intentó grabar en su memoria la imagen, para poder recordarla siempre, él, enmarcado en la pantalla, con su cuello alto blanco, sujetando aquel cartel sobre su corazón.

—Tengo que irme, Sunny —dijo Maxon—. No sé qué decir. Pero voy a seguir adelante y aterrizar este trasto.

—Maxon —intervino Stanovich—. Es muy peligroso. No sin los aceleradores de estribor.

—Claro. Tengo que apagar esto, Stan. Nos vemos.

Y entonces el monitor se volvió negro. Al momento, un aullido brotó de Bubber. Provenía del fondo de su garganta, pero sonaba como si viniera de la punta de sus pies. Sunny sabía, por experiencia, que eso era el principio de un ataque, seguramente uno de dimensiones épicas, y evidentemente no apto para el visionado público. Quería salir de la sala, dejar que el pequeño llorara y despotricara y se retorciera y echara espuma por la boca y la golpeara en el pasillo, pero primero tenía que quitarle las probetas.

—No, cariño —dijo—. No, no. No pasa nada. No pasa nada.

Empezó a soltar los dedos del niño de la probeta.

—Tenemos que irnos —le apremió—. Venga, Bubber, deja la probeta.

Pero aquello no fue lo más adecuado. Los chillidos alcanzaron su punto álgido. Con la cara colorada y llorando a moco tendido, Bubber se tiró al suelo, abrazando las probetas contra su cuerpo. Se puso a rodar por el suelo, dando patadas a todo lo que se encontraba, hasta meterse debajo de una mesa, donde se escondió. Sunny lo seguía renqueante, tan voluminosa y torpe. Le iba a resultar muy complicado controlarlo en ese estado. Ni siquiera podría sujetarlo si él intentaba escapar. No tenía ni las fuerzas ni el equilibrio necesarios. Empezó a arrodillarse para intentar convencerlo de que saliese, pero Stan la agarró del brazo.

—No pasa nada —le dijo—. Deja que se quede las probetas. Si queréis, os podéis quedar todos aquí un rato.

—Lo siento mucho —dijo Sunny—. Esto es...

—Sunny, no pasa nada. Yo tengo un chico con síndrome de Asperger. Y Rogers también. Quiero decir, él es el autista, no su hijo.

—¿En serio? —preguntó Sunny.

—En serio —dijo Stan—. Se podría decir que nos viene de familia. La familia de la NASA.

Sunny y Bubber pasaron el resto de la noche en la oficina de Stanovich. De hecho, cuando Sunny se llevó una almohada y una manta a un sillón para dormir un poco, Bubber se quedó en la oficina con los otros hombres. Estaba feliz jugando con piezas de robot, toqueteando las máquinas y sin decir nada a nadie.

Allá arriba, Maxon expuso sus planes para aterrizar la nave y los robots en la luna. Gompers tenía sus dudas.

—No sé, Mann —dijo—. Vamos a hacerlo, pero solo porque no podemos hacer otra cosa.

Phillips dijo:

—Eh, genio, ¿quién te ha dicho que podías hacer mi trabajo?

—Cierra el pico, Phillips —dijo Gompers—. A no ser que tengas otro plan.

—Phillips —dijo Maxon con amabilidad—, pues claro que puedo hacer tu trabajo. Si no pudiera hacer tu trabajo, o el trabajo de cualquier otro en esta nave, no habría venido.

Phillips se quedó mirándolo.

—Sin ánimo de ofender, señor —aclaró Maxon a Gompers.

—No ofendes, hijo —dijo Gompers—. Ahora, esperemos que tengas razón.

Lo que hicieron para concebir a su segundo hijo solo duró unos minutos. Sucedió bajo la peluca, bajo las sábanas. Estaba en el programa de Maxon, pero estaba vez no hubo resistencia por parte de Sunny. «Tienes razón —le había dicho—. Es el momento de tener otro hijo.» Lo hicieron a propósito, a sabiendas todo el tiempo de que algo iba mal en Bubber, de que algo iba mal en Maxon, de que algo iba mal en Sunny, de que algo iba mal en su madre, de que algo iba mal en todo el mundo. Lo hicieron a sabiendas de que el resultado de ese esfuerzo sería algo imperfecto, pero se esperaba que lo quisieran, a pesar de ello, debido a ello. Sunny tenía cajas en el armario de cedro con la etiqueta «maternidad». La mujer que ahora era rubia lo manejaría todo con destreza. Sunny y Maxon dejarían su relevo en el mundo. Harían lo que requería de ellos la ley evolutiva.

Pero el embarazo de la mujer que ahora era rubia se convirtió en el embarazo de la mujer que siempre fue calva. Y las certezas desaparecieron. Las leyes no estaban escritas, el mapa se desvaneció. Era el hijo de Maxon y de Sunny, y cualquier cosa podía suceder. No había expectativas aplicables de acuerdo a la lógica. El bebé que naciera podría ser un milagro.

26.

Por la mañana, Sunny recibió una llamada del hospital. Su madre había fallecido durante la noche.

Las conversaciones suben realmente de nivel cuando la muerte y el nacimiento entran en liza. Nada se queda sin decir. Todo lo que subyace asoma al exterior, y la oscuridad se derrama por el lenguaje corriente. Hablas sobre cosas sombrías porque hay decisiones que tomar. No existe la sutileza cuando tienes que decidir entre incineración o entierro, tampoco cuando tienes que decirle a otra persona si quieres que te seden o no.

Hubo un momento, cuando Sunny estaba sentada a una mesa pequeña y barata en el hospital, en una silla de oficina con ruedas, en el que se olvidó del apellido de soltera de su madre. En ese instante comprendió que se estaba desquiciando. Pero aun así siguió firmando documentos, pasando el bolígrafo sobre el papel. En el transcurso normal de tu vida, ¿tienes que tratar con un forense? No. ¿Tienes algún motivo para pronunciar la palabra *autopsia?* Nunca.

Cuando pierdes a tus padres, estás sola. No hay nadie en el mundo mirando cuando dices: «¡Miradme!». No hay nadie ocupando el vacío entre tú y el olvido, alzando sus manos y diciendo: «Para». Has llegado hasta aquí rodeada, y ahora debes continuar sin defensas. En su condición de persona embarazada, Sunny tenía que evitar exponerse de ese modo. Debía proteger al bebé de ese sufrimiento. Así que mientras el barco de su madre desparecía, hundiéndose en el horizonte, y su propio barco zarpaba al viento, tuvo que afrontarlo sin fuegos de artificio, sin reflectores, sin toques de corneta. Casi sin mención.

Sunny decidió que no habría funeral. Decidió que su madre sería incinerada. Esas cosas las llevaría el chico de la funeraria, y ella firmó la autorización para que tomara posesión del cadáver. La cesión tendría lugar en algún punto de las entrañas del hospital. Su madre saldría del edificio por una puerta trasera. Sunny no sabía qué aspecto tendría su madre, llegado ese momento. Podría ser realmente terrible.

Podrían haber oficiado un funeral en el condado de Yates, al que podrían haber asistido todos los amigos de Emma. Podrían haber oficiado un funeral en Virginia. Pero Sunny no podía organizar un funeral en ese momento. Sabía que su madre habría dicho: «Lo que te resulte más sencillo, querida. Haz lo que consideres oportuno. No me importa». Así que la incineraría. Todo parecía tan irreal que quería decirle al empleado de la funeraria que comprobara bien y se asegurara de que su madre estaba muerta. Quería instalar un botón de color brillante en el interior del horno: «Si está usted vivo y le están incinerando por error, PULSE AQUÍ». Su muerte había sido muy lenta, tal vez no se había acabado del todo, a pesar de la opinión de los médicos. Tal vez todavía quedaban algunas sinapsis funcionando, algún espíritu que resucitar para pronunciar las palabras: «Bien hecho, Sunny. Eres genial. Lo estás llevando muy bien».

—¿Se encuentra bien? —le preguntó una enfermera. Le habían entregado dos bolígrafos negros para firmar todos los papeles. Un bolígrafo y otro de repuesto. Pero el primero había funcionado bien.

—Esto es todo, creo —dijo Sunny—. Creo que esto es todo.

La muerte es algo espantoso. No tiene nada de romántico. La descomposición, a la vez cruel y dulce, comienza de inmediato. Al haberse criado en una granja en un condado rural, la muerte no le era extraña a Sunny. Había visto pájaros muertos, gatos muertos, muchos ciervos muertos, un caballo muerto tirado en un prado al que dio patadas repetidas veces mientras le gritaba: «¡Vive! ¡Vive! ¡Vive, maldita sea!». Incluso un año tuvo una oveja como parte de un proyecto para su grupo de 4-H, para clarificar un poco el concepto «cordero de mercado». Nu le construyó una casita que Sunny decoraba cada día con flores frescas, y escribieron FLORECILLA encima de la entrada. Le daba de comer de la mano, la cepillaba, y conoció la conmoción y el horror totales cuando, al finalizar la feria del condado, la vendieron a un carnicero del pueblo. Desde aquello, odiaba las ovejas. «Pensaba que lo sabías —le dijo su madre—. Pensaba que sabías lo que significaba esto.»

Había otros niños que criaban animales para vender en subastas año tras año, y Maxon era uno de ellos. Criaba un cerdo cada año, desde que cumplió los nueve, excepto a los once, pues el gorrino se le murió inexplicablemente en junio. Siempre guardaba su dinero separado de los pequeños ahorros de su madre, en escondrijos en el bosque y por el pueblo, sitios que solo él conocía. Con sus fondos propios, se pagaba sus animales y los gastos de su cría, y llevaba las cuentas escrupulosamente. Durante la semana de la feria se unía a los demás chavales, todos con vaqueros viejos y camisas de *cowboy*. Sus descuidadas botas resonaban en el suelo de cemento de la porqueriza cuando subían desde la pista que serpenteaba por el recinto de la feria. Sus duros nudillos arañaban los portones y vallas para guardar a los cerdos en rediles. Los chicos pequeños eran versiones juveniles de los mayores, que cada año se volvían más taciturnos, se les moteaba la cara de vello, aparecían con una visera que ya nunca se quitarían, les asomaba la nuez de Adán.

Tras el fiasco de la oveja, Sunny no volvió a criar animales de mercado, pero llevaba su caballo a la feria todos los años y se pasaba todo el día pegada a Maxon. Todos los chavales del instituto rondaban por las pocilgas, sentados sobre las vallas de madera, mascando chicle y dándose empujones. Luego estaban los establos para caballos, donde las chicas pasaban horas recogiendo hasta la última boñiga y colgando serpentinas en sus puestos, para ganar el premio a la Mejor Limpieza. También estaban los establos de bovino, donde los pesados cabestros tenían los rabos peinados en perfectas bolas de pelo. Pero era en las pocilgas donde las petacas pasaban discretamente de mano en mano, donde una mirada sesgada podía conducir a un empujón agresivo. Los chicos olían un poco, las chicas llevaban todas coleta, y las pecheras eran por lo general agarradas y zarandeadas con una brusquedad que conducía a peleas medio en serio, medio en broma.

A los cerdos les gusta revolcarse en la tierra; su proximidad puede provocar pensamientos calenturientos. Enseñar un cerdo en una feria del condado es algo peligroso, y el gran alivio que se siente al terminar te deja como aturdido. A los cerdos nunca se les puede amaestrar del todo, no importa con cuánto ahínco lo intentes, y en ocasiones son feroces como perros salvajes. Junto a cada grupo de chavales en la pista, con sus cerdos sueltos y un cayado en la mano para guiarlos, había también un grupo de padres, alerta, llevando planchas de contrachapado. El objetivo de estas planchas era meterlas entre dos cerdos que se pusieran a la faena. El día de los cerdos normalmente corría la sangre, y el evento siempre atraía a una muchedumbre. Los chicos que ganaban el concurso de doma se movían con la espalda agachada, encorvados sobre sus cochinos, contemplando al jurado como gatos. Llevaban un cepillo en un bolsillo y un pulverizador en el otro, siempre con su vara afilada lista para enganchar la oreja del cerdo y apartarlo a rastras. Maxon nunca ganó un concurso de doma, porque siempre evitaba el contacto visual con el jurado.

Era el día que se clausuraba la feria del 4-H, durante el último verano antes de que Maxon se fuera a la universidad. Le habían concedido una beca para el MIT, y Emma Butcher le iba a financiar el alojamiento y la manutención. Tenía dieciocho años. Sunny llevaba todo el día inquieta, no quería participar mucho en las celebraciones que estaban teniendo lugar, especialmente con los mayores. Se sentó al lado de Maxon en la valla del ruedo de calentamiento, junto a la pista central, donde los saltadores de equitación estaban corriendo en círculos a grandes zancadas, preparándose para su turno en la arena. La competición era a un fallo y fuera —un golpe de una pezuña en un obstáculo y ese competidor estaba eliminado—. Tenías que salir limpio y hacer limpio todo el recorrido, y no se concedía ni un segundo por aproximación. Maxon observaba los caballos tranquilamente, tostando su piel al sol de agosto. Pero Sunny se revolvía inquieta a su lado, dando patadas a la valla, arrancando con el pulgar trocitos de un nudo en la madera.

—Maxon, me siento nerviosa y rara —dijo, entornando los ojos para mirar el graderío al otro lado del ruedo polvoriento. Podía ver a su madre y a Nu sentadas juntas bajo un paraguas.

—¿Qué sucede? —preguntó Maxon mecánicamente.

—Vamos a dar un paseo —dijo Sunny. Se bajó de la valla, se sacudió el fondillo del pantalón con ambas palmas, sacó una gorra para el sol del bolsillo y se la encasquetó.

Caminaron de la mano por el ruedo de calentamiento, deteniéndose para dejar pasar los caballos a medio galope, y salieron por la puerta. Sunny saludó con la mano a su madre, que se sentó más erguida y se volvió para mirarlos. Sacudió la cabeza mirando a su hija, de un lado a otro, pero Sunny se limitó a lanzarle otro saludo con la mano. Estaba demasiado lejos y el día era demasiado confuso para cualquier comunicación. Se dio la vuelta. Subieron por el recinto de la feria, pasaron junto al puesto de comida del cuerpo de bomberos voluntarios, y el puestecillo de algodón de azúcar, pasaron el edificio de los conejos y el gran salón donde se juzgaban los arreglos florales y proyectos de artesanía. Llegaron hasta la salida, dejando atrás el cobertizo donde la gente de la feria guardaba los tractores y podadoras, y almacenaba heno y leña. Y salieron al bosque.

Caminaban en silencio, con dificultad, cuesta arriba. Maxon iba al ritmo de Sunny, agarraba su mano lo justo, ni muy fuerte ni muy suave. Si seguían andando terminarían entrando en las tierras recién segadas de alguien, así que Sunny se detuvo allí en el bosque, con el recinto de la feria a sus espaldas, por debajo. Estaban casi en lo alto de aquella colina. Las cigarras zumbaban y por allí había rocas que asomaban del suelo, parecidas a las que había cerca de sus casas, en los bosques de sus familias.

—Parémonos —dijo Sunny—. Necesito enseñarte algo. Antes de que te vayas.

—¿Qué es? —dijo Maxon.

A Sunny le parecía tan mayor, tan real, tan hombre. Sabía que cuando se fuera a la universidad seguiría cambiando, haciéndose mayor, sus huesos más prominentes, sus ojos más profundos. Se quitó la gorra y la dejó sobre una roca. Maxon estaba tieso como un palo. Con los vaqueros viejos caídos por la cintura, su camisa de vaquero exactamente igual que la de los demás chicos, marcando sus omóplatos. En el bolsillo del pantalón llevaba un cuchillo; en el de la camisa, una guía doblada, el programa de los actos de la jornada. Sunny le indicó que se quedara donde estaba y se quitó las sandalias, dejándolas con cuidado al lado de la gorra. Ahora podía sentir la fresca humedad del suelo del bosque, la tierra oscura bajo las agujas de pino. Se quitó los vaqueros y se quedó con la camiseta azul y las bragas estampadas de flores.

—Igual deberías sentarte —le dijo.

Maxon lo hizo. Su rodilla asomó por un agujero en los vaqueros cuando cruzó las piernas. Ella apoyó una palma en cada muslo. ¿Qué pensaría él que iba a suceder? Sunny se había imaginado muchas veces esa escena. No estaba borracha. No estaba loca. Estaba haciendo lo que necesitaba hacer, por él. Su madre podría enseñar a Maxon cómo estrechar manos y expresar arrepentimiento, pero a ella le tocaba enseñarle otras cosas. Sabía que su madre no les dejaría casarse. Maxon se iba a la universidad, sería de cualquier otra chica que conociese. Así que tenía que prepararlo. Sintiendo una suave brisa en las piernas, se dijo con convicción que lo hacía por él. No sería justo que saliera al mundo sin tener ni idea de lo que era una mujer. Sunny había leído mucho sobre el tema, y hablado de sus detalles con Renee, que llevaba al menos dos años siendo una experta. Había estado a punto de enseñárselo antes, en el Bon-Ton, recordaba, pero como le dijo a Renee, no pasó nada. Ese día sí pasaría algo. Tenía el convencimiento de que esa era su última oportunidad.

—Va a estar bien —le dijo—. No te preocupes.

Bajó los brazos y se quitó las bragas, sacando una pierna y luego la otra, y después las dobló y las metió en los zapatos. Cuando se volvió hacia él, Maxon tenía las mandíbulas apretadas. Se acercó a él.

—Es esto —dijo Sunny—. Esto soy yo. Esto son las chicas. He pensado que deberías ver una antes de marcharte.

Maxon guardó silencio. Sunny se plantó delante de él.

—Dame la mano —dijo—. Te enseñaré. Así es como debes empezar, acariciando un poco aquí abajo, por fuera. Puedes bajar por las piernas, y subir hasta aquí.

Sunny se quitó la camiseta, y no llevaba sujetador. Maxon no podía alcanzarla bien desde donde estaba sentado, así que Sunny lo aupó a la roca, apartó hojas y ramas y luego se tumbó. Estaba caliente bajo su espalda. Un par de piedrecillas la molestaban, y las quitó. Luego se sintió cómoda, la roca musgosa casi acunando su trasero, como si estuviera hecha a su medida. Maxon se arrodilló a su lado, como ante un altar.

—Deja de rezar —le dijo Sunny, y él se rio. Se rieron los dos. El aire se agitaba a su alrededor.

—Adelante —lo animó—. Ahora tócame por todas partes menos ahí. Como si estuvieras intentando solo rozarme. Y no aprietes.

Sunny esperaba sentir la sensación que Renee le había contado que tendría, algo así como quemarse, le había dicho. Pero, en cambio, sintió algo que se levantaba en su interior y se movía, como si se le revolviera el estómago al contacto con los dedos de Maxon.

—De acuerdo —dijo, abriéndose de piernas—. Míralo. No te preocupes ni pienses demasiado en ello. Está bien. Quiero que lo hagas.

Sunny cerró los ojos y se imaginó a Maxon mirándola, y sintió un hormigueo y un cosquilleo, algo que se estiraba y distendía en sus caderas. Él estaría frunciendo el ceño, con ojos brillantes, examinándola como si fuera un copo de nieve, un mecanismo bloqueado o una ardilla atrapada en una trampa. Sunny se abrió con los dedos, para que él viera su intimidad. Le explicó para qué era esa intimidad. Le enseñó dónde

271

tocar, cómo mover la mano. Era como leer un manual de instrucciones de un artilugio para montar. Sunny leía porque era la que sostenía el papel, pero los dos estaban ciegos, juntando las piezas de un modo que no podían prever, observando cómo encajaban. Sunny sintió un enjambre de abejas empezando a hervir en su interior, enrabietadas bajo su esternón, bajando en espirales hacia su ingle. Oyó que Maxon inspiraba hondo, pero su mano continuaba haciendo lo que ella le decía, sus ásperos dedos de granjero frotándola, su otra mano tocando ligeramente su piel.

—Ay, Maxon, hazme eso otra vez —le dijo quedándose sin aliento—. Sigue así lo más lento que puedas... sí, así.... Es perfecto.

Se olvidó de la roca sobre la que estaba, se olvidó de la feria del 4-H, se olvidó de cuánto llevaba temiendo su ausencia, de que Maxon se iba, de que terminaría casándose con otra mujer, se distanciaría, moriría, del rostro de su madre diciendo sin sonido las palabras «No, no, no. Maxon no. ¡Él no!». Solo estaba ahí, con él, en ese momento, en el espacio entre su mano y ella, y cuando sintió su boca cerrarse sobre su pecho, y cuando sintió que la penetraba con fuerza mientras la mano seguía moviéndose cómo le había indicado, y sintió que la embestía y se restregaba contra su cuerpo, le salió todo, todas las cosas que pensaba enseñarle, esa importante lección al final aprendida simultáneamente. Lo encerró dentro de ella, lo atrajo más cerca, amándolo más, y lloró por él, y le hizo prometer que nunca la dejaría.

En su hogar, en Virginia, Sunny se encontraba ante aquel cajón cerrado con llave. Había recogido las carpetas y las había apilado en la silla. Había apartado la silla, quitado la carpeta, el calendario, los reposalibros, el teléfono y el marco de fotos. El cajón que estaba cerrado era uno pequeño en la parte superior del lado derecho. En la mano tenía un hacha pequeña que había encontrado en el garaje. Era roja, casi cómica, como una versión de dibujos animados del hacha que tendría un leñador. No sabía de dónde había salido; quizá la usaba Maxon en el jardín. Pero estaba afilada.

La alzó por encima del escritorio y la clavó en la reluciente chapa de madera. No rebotó, ni patinó, ni resbaló. Sabía lo que se hacía. Una gruesa grieta se formó sobre la mesa al partirse la cubierta. De nuevo alzó el hacha por encima de la cabeza y volvió a descargarlo. ¡Cómo no iba a estar afilada! Maxon no era del tipo de hombre que tiene un hacha roma. Podía tener un cajón secreto, pero no un hacha roma. Otro hachazo, y otro. Fue despedazando la cubierta y abriendo un agujero lo bastante grande como para meter los dedos. Quitó una brillante lámina de chapa, y luego a base de pequeños golpes de hacha fue astillando la madera que había por debajo hasta alcanzar el interior del cajón. Dentro había papeles.

Dejó la herramienta a un lado y sacó tres sobres. El primero era grande y de manila, y tenía escrito «Sunny» con la letra de Maxon, gruesa y en mayúsculas. En el segundo ponía «Maria», con la misma letra. El tercer sobre era pequeño y blanco, y no tenía nada escrito.

Sunny se volvió, secándose el rostro, aferrando los sobres. Sintió el fantasma de una contracción sacudiéndose por su cuerpo y volvió a apoyar el trasero en el escritorio roto. Abrió primero el que ponía «Sunny». Contenía algunas fotos de ella, calva. No eran eróticas, ni siquiera provocativas, pero no había pelucas en las fotos. Sunny sonrió al mirarlas, pasándolas lentamente. Cuando se mudaron a Virginia, había erradicado cualquier evidencia de sí misma sin pelo. Quemó todas las pruebas en la barbacoa del jardín, pero al parecer no se había dado cuenta de que algunas fotos escaparon a la purga, y ahí estaban. Maxon las había salvado. Sintió otra contracción. ¿Habían pasado cinco minutos? ¿Tres?

Sacudió la cabeza y abrió el sobre que ponía «Maria». Era grueso, estaba lleno de cosas. Dentro había fotogramas y carteles de la película *Metrópolis,* incluido un original del cartel *art decó* de la película de 1927. En un tiempo, esos tesoros habían estado expuestos en su despacho en Chicago, pero también fueron víctimas de la purga. Aunque Sunny no se

273

había preocupado de supervisar su destrucción tanto como con sus fotos, pidió que fueran guardados, permanentemente y para siempre. En la película, Maria era una mujer transformada en robot, y las fotografías que Maxon había guardado en su cajón eran todas imágenes de Maria en su forma metálica. Básicamente, un robot calvo con tetas. Sunny tuvo que sonreír. Bueno, si Maxon escondía porno robótico, al menos era una humanoide calva, y no R2-D2.

Sintió que el bajo vientre se le endurecía y un dolor la atravesó como un relámpago, envolviendo su barriga. Se agarró el vientre con las manos y se encogió alrededor de su bebé. Podía sentir los músculos de esa zona en tensión, estaban como una piedra. El dolor la recorría, se estiraba por su espalda, y Sunny terminó meciéndose adelante y atrás mientras gemía. La canguro se había llevado a Bubber a la piscina en el coche de Maxon. Sunny podía llamar al hospital, pero sería una estupidez.

Decidió que después de abrir el tercer sobre, se tumbaría, bebería un poco de agua, pondría la CNN y se olvidaría del bebé. Cuando la canguro regresase, irían al hospital. Podía esperar hasta entonces. La contracción disminuyó, el puño que apretaba su parte media se relajó, respiró hondo. Era como si nunca hubiera sucedido, tan completo fue el alivio. Se preguntó si realmente había sido tan doloroso. Tal vez había estado imaginándose cosas.

Pasó el dedo bajo la solapa del pequeño sobre blanco y lo rasgó. Contenía dos hojas de papel de carta, escritas a bolígrafo con la letra formal y enmarañada de su madre. La primera iba dirigida a Maxon y la segunda a Sunny. Leyó la de ella primero.

Querida Sunny:
¡Hacía tanto calor en Birmania! Me pregunto si te acuerdas. Pero tú siempre estabas muy mona con tus batitas, nunca parecías sudar. Creo que es el pelo lo que hace que mucha gente parezca sudorosa. Una ventaja más de tu condición. Los chin te adoraban y siempre querían traerte regalos. Yo intenté

deshacerme de todos sus obsequios cuando nos fuimos, pero Nu salvó gran parte de esas cosas y las trajo consigo cuando emigró. Hay cosas bonitas, hechas a mano, en el ático de la granja, que igual te apetece desembalar algún día y descubrir con Bubber y el bebé.

En Birmania quería enterrarme, o evaporarme. Pero cuando llegaste, se me quitaron las ganas. Hice lo que hice porque quería salvarte, evitar que vivieras en el mundo de tu padre. Pensé que vivir en Birmania te asfixiaría, que ser de una raza distinta, además de calva e hija de un fanático, te convertiría en alguien tan extraño que jamás tendrías la posibilidad de descubrir quién eras en realidad. Ahora me preocupa que quizá eso es lo que realmente eras, esa niña blanca y calva entre las montañas de Birmania. ¿Cómo habría sido tu vida si nos hubiéramos quedado? No lo sé. Igual debería haberte permitido descubrirlo.

No estoy pidiendo perdón por lo que hice. Quiero que seas feliz, por encima de todo. Es todo lo que siempre he querido. Desde que naciste, he sido ante todo madre, y todo lo que hice fue por ti. Nadie más importaba. Sé que crees que eso es lo que tú estás haciendo ahora, y te pido disculpas por haberte reprendido por esa maldita peluca. No obstante, agradezco todos los años que no la llevaste.

Por favor, no sigas a Chandrasekhar y sus pócimas de brujo. Era un ladrón; se apropió de todo lo que pudo robar de la investigación de tu padre. Una vez, intenté quedar con él y pararle los pies, pero nuestros abogados me dijeron que no serviría de nada. Solo consiguió piratear algo insignificante, y además no funcionaba. Si tu padre hubiera podido desarrollarlo, quizá sí habría funcionado. Pero murió. Lamento todo lo que pasó.

Te quiere,
Madre

Sunny arrojó el papel al suelo y leyó la segunda carta.

Querido Maxon:
Me voy a morir de esto que tengo ahora mismo. Hay algo que tienes que contarle a Sunny cuando yo ya no esté. Yo fui

quien delató al padre de Sunny a los comunistas en Birmania. Yo soy el motivo por el que está muerto. Por favor, no se lo cuentes hasta que yo me haya ido. Elige un buen momento, cuando esté bien y haya comido algo. Díselo claramente y con calma, sin ningún movimiento en tu rostro. Después dile que lo sientes, y abrázala fuerte. Luego, dale mi carta.

Con todo mi cariño,
Madre

—Eres una asesina —dijo Sunny en voz alta—. Una asesina.

Recordó el rostro perfecto de su madre, su cara joven y pálida en las fotos de Birmania, tan despiadadamente serena. Recordó el cuerpo de su madre en la granja, afilado como un cuchillo, agarrando una escoba, un peine, un puñado de sobres. El aspecto que tenía cuando Maxon recibió la carta de admisión en el MIT. Recordó la avidez en sus ojos cuando la miraba a ella, a Sunny, por encima de sus gafas, cómo le decía: «Sunny, puedes hacer lo que te propongas en esta vida. Sé feliz. Sé libre».

Y entonces rompió aguas.

27.

Sunny salió por la puerta. El brillo de la tarde zumbó a su alrededor, toda la sal en la humedad ambiente crujió sobre su piel; todas las hojas refractaron la luz del sol hacia sus ojos; todo el barrio se retorció como un músculo abdominal dolorido. Se apoyó en la barandilla del porche, arrastrando los pies hacia los escalones, y luego los bajó tambaleándose, uno a uno. Necesitaba seguir moviéndose durante la contracción para evitar hundirse en el pánico. Había un flujo proveniente de su útero; se le escapó un poco cuando su pie izquierdo pisó la acera, enviando un chorrito por la cara interna del muslo. Gimió. El vientre se endurecía alrededor del bebé y sentía que la columna vertebral se le partía por la mitad; en la espalda, a la altura de la cintura, había claramente un cuchillo penetrándola. Se atragantó, pero no podía toser de tanto que le dolía, e intentó doblarse hacia delante para aliviar la espalda, aferrándose con fuerza a la barandilla del porche. Se imaginó que había una voz en su oreja diciéndole que respirara. De lo contrario, se habría desmayado. Luego, el dolor amainó.

Dejó la casa en la que vivía. Es una casa de monstruos, pensó. Vivimos en ella, somos monstruos y estamos creando más monstruos. Podría perfectamente tener una torre y rejas de hierro en las ventanas. Y también una mazmorra de piedra llena de esqueletos y una tía mascullando encerrada en el desván. Harían una serie cómica sobre su vida, pero para que el argumento funcionase tendrían que haber vivido expuestos como monstruos. Los Mann se habían mantenido de incógnito, ocultos bajo capas. La abuela, una asesina. El padre, un robot. La madre, una atracción de feria. El hijo, un peligro. La hija, ¿quién sabe? Ahora publicarían un reportaje de periódico. O algo así.

Necesitaba ayuda. Necesito ayuda, pensó. No podía acudir a sus amigas con la cara colorada y presa de la tensión. Necesitaba un brazo más fuerte, un salvador más sobrio y práctico. No podía salir a la calzada y tumbarse en el tráfico. Nadie aceptaría matarla. No podía volver, arrastrarse bajo la cama, y gritar «¡Quiero a mi madre!». No podía lloriquear «¡Maxon, ayúdame!». La única persona que se le ocurría lo bastante leal como para ayudarla, lo bastante flemático como para resultar útil, era Les Weathers. Y hacia su cuidada y elegante casa arrastró su cuerpo encorvado.

El día que nació Bubber todo fue distinto. Sunny despertó en plena noche con una contracción, firme y persistente. Tuvo tiempo de ducharse antes de que le viniera la siguiente, y luego le dio tiempo a ponerse una peluca antes de tener otra. Sacudió el hombro de Maxon.

—Ya viene —dijo, igual que las mujeres en las películas y la televisión—. Maxon, ya viene.

Él se despertó, listo en el acto.

—De acuerdo. Vamos a buscar a madre —dijo.

—¿Qué? ¿Es necesario? —protestó Sunny—. ¿No podemos ir nosotros?

Maxon se frotó la cara y se puso los pantalones.

—Ha venido hasta aquí para ver nacer al bebé. ¿No crees que le apetecerá estar en el hospital cuando te pongas de parto? Allí es donde más probabilidades hay de que nazca.

—Es plena noche. Estará dormida.

—La necesitamos —dijo Maxon.

Sunny guardó silencio. Sintió esa cosa extraña sucediendo en su útero, y sintió el pie del bebé moviéndose en su barriga justo debajo de las costillas. Le hubiera gustado tener a su madre cerca, porque era un apoyo muy sólido. Sin embargo, Emma no aprobaría la peluca. Llevaba rechazándola desde el comienzo de su visita, cuando vio a Sunny en el aeropuerto y le dijo: «¿Y tú quién eres?».

—Está bien —concedió al final—. Ve a buscarla. Yo voy a prepararme.

Sunny se puso las cejas, las pestañas, maquillaje, un pijama a juego, una bata de seda y se sentó a mirarse en el espejo del cuarto de baño. En su vida había experimentado momentos en que era consciente de que estaba viva en realidad y viviendo en el mundo, en lugar de contemplando una película protagonizada por ella, o narrando un libro con ella como personaje principal. Pero aquel no era uno de esos momentos. Sentía que estaba flotando un centímetro por encima de su ser físico, que era un espíritu en conflicto con su homólogo mecánico. Se incorporó con cuidado. Todo parecía estar bien.

—¿Va a venir? —le preguntó a Maxon, que había regresado a la habitación y estaba poniéndose una camisa, abotonándosela hasta arriba.

—Sí, va a venir. Está despierta.

—Ahora es cuando tú dices «Voy por el coche», y entonces se te caen las llaves, o no, déjame pensar... no encuentras las llaves —dijo Sunny, en pie junto a la puerta, dirigiendo el episodio de *Te quiero, Lucy* que Maxon obviamente no había visto.

—Las llaves están aquí —dijo él—. ¿Te encuentras bien? ¿Quieres que te lleve en brazos?

—Sí, eso me gusta —dijo Sunny. Las contracciones eran suaves—. Te ofreces a llevarme, pero yo lo rechazo. Digo: «Esto es algo normal. Totalmente normal». Digo: «Las mujeres llevamos haciendo esto desde el principio de los tiempos». Y entonces tú te das de morros contra la pared.

En el Audi de Maxon ya había una silla infantil instalada en los asientos traseros, detrás del conductor. Su madre se sentó detrás de Sunny, posando ambas manos en los hombros de su hija. Mientras Maxon conducía a toda prisa hacia el hospital por la calle vacía, Sunny soltaba grititos apagados cada vez que le dolía, pero estaba emocionada, muy emocionada por ver al bebé y comprobar que lo habían hecho bien. Sentía que iba de camino a recoger un premio. Se dirigía a contemplar el resultado de todo su esfuerzo. Cada vez que Sunny gritaba, su madre le apretaba los hombros. Cuando llegaron al hospital, Sunny vomitó en un cubo.

—¡Estoy mareada! —gritó a su madre.

—No pasa nada. Lo estás haciendo muy bien. Pero esa peluca. ¿En serio quieres...?

—No te atrevas a quitármela, madre —gruñó Sunny, doblándose con otra contracción. Agarró el cubo y devolvió más, bilis y espuma filtrándose entre sus dientes apretados—. No me toques. Haré que te saquen de la habitación.

Llegó un médico y le preguntó a Sunny cómo lo llevaba. Ella le pidió la epidural. También pidió una toalla y un espejo y se retocó la cara, apretándose las cejas, contando el intervalo entre contracciones. Vomitó de nuevo, con el estómago ya vacío. La habitación le daba vueltas cada vez que vomitaba, y cuando se incorporaba tenía que comprobar que nadie le había quitado la peluca. Y que su madre seguía allí. Maxon había salido al pasillo.

—¿Se encuentra bien, papá? —le preguntó la enfermera.

—No —dijo Maxon—. Tengo que salir.

El médico le realizó un tacto vaginal.

—Quiere la epidural —dijo la madre—. Póngansela.

Vino otro médico que hizo que Sunny se incorporara y se inclinara hacia delante. Le clavó una aguja en la columna que liberó una droga que la insensibilizaría de cintura para abajo. Al instante, dejó de sentir las contracciones. Dejó de sentir cualquier cosa. Un vómito espumoso más, y también dejó de devolver. Su cuerpo sucumbió, dejó de intentar reivindicarse. Se quedó quieto. Sunny cerró los ojos.

—Tengo frío. Que venga Maxon —dijo—. Ya no voy a vomitar más.

Su madre salió al pasillo, y cuando los dos volvieron a entrar, Sunny tenía el bolso en el regazo y estaba arreglándose el maquillaje, alisándose el pelo. Las rodillas levantadas encima de la manta, el cabello extendido sobre la almohada, preguntándose si estaba lista para ser madre. Señaló un espejo que había sobre una repisa.

—Maxon, agarra ese espejo. Ponte a los pies de la cama y sujétalo.

—Querida —dijo su madre—, eso es para mirar ahí abajo cuando salga el bebé.

Sunny sabía para qué era, que servía para mirar la vagina y ver la cabeza del bebé asomando. Pero ella necesitaba ver primero a la madre del bebé, asegurarse de que presentaba un buen aspecto. En el espejo, vio a una mujer tumbada sobre una almohada, vestida con una bata de hospital, a punto de dar a luz. La mujer estaba colorada, la mujer tenía los ojos muy abiertos, la mujer era, en todos los sentidos, exactamente lo que el bebé necesitaba que fuese. Miró al espejo de costado para que la madre entrara también en la imagen, con su lustroso pelo largo y rubio recogido en un moño, las cejas perfectamente arregladas, un pañuelo de seda al cuello. Contempló a su madre en el espejo, y la madre la vio y sonrió. Sunny soltó un largo suspiro y se recostó en las almohadas. Emma estiró una mano, como para tocarle la cabeza, pero la retiró y le dio unas palmaditas en el brazo. Maxon bajó el espejo.

Dos horas más tarde, todo seguía siendo perfecto. Maxon se había quedado dormido en un sillón y la enfermera había apagado las luces de la habitación, diciendo que Sunny también debería descansar. Tenía que prepararse para empujar, porque las contracciones eran regulares y las cosas estaban avanzando. Habían perforado su saco amniótico e introducido un tubito curvado en ella, que habían insertado bajo el cráneo del bebé, para controlar su frecuencia cardiaca y su estado. Habían colocado otro aparato medidor en su vientre, para medir las contracciones. Sunny veía las agujas moviéndose sobre el papel que salía de una máquina junto a su cama. Su vientre se endurecía cuando la aguja trazaba una montaña, y se reblandecía cuando la aguja volvía al valle. Era como si fuera la propia aguja la que movía sus músculos, no al contrario.

No sabía si podría empujar, porque no sabía cómo sería. Se tocó distraída las pantorrillas y no sintió nada. No podía mover las piernas. Intentó dormir.

El médico volvió a entrar, la palpó internamente y le dijo que estaba lista para empujar. Encendieron las luces, le dijeron a Maxon que se colocara junto a la cabeza de su mujer para contar, y la madre se puso al otro lado, sosteniendo la mano de su hija. Todo estaba en su sitio, cada pieza de la foto en su lugar, y aún así Sunny sentía que estaba flotando, a la deriva, fuera de sí, por encima. Intentó anclarse, amarrarse al cuerpo, a la realidad física, pero le resultaba muy difícil, y seguía elevándose, como emergiendo a la superficie de una piscina, algo que resulta imposible evitar. Era como si hubiera estado atada a sí misma por las piernas, y una vez que estas habían perdido la sensibilidad, se encontrase libre para levitar, lo quisiera o no. ¿Los globos no se asustan un poco, al subir flotando hacia el cielo sobre el aparcamiento del supermercado? A fin de cuentas, ¿adónde se supone que van a ir?

—De acuerdo —dijo el médico—. Ya sabes lo que tienes que hacer. Vamos a empujar al mismo tiempo que las contracciones. Contaremos hasta diez, y luego descansamos y esperamos a la siguiente contracción.

—¿Cómo sé cuándo tengo que empujar? —preguntó Sunny—. No siento nada.

—Yo iré mirando el registro. —El médico indicó el papel que salía de la máquina a su lado—. Y te avisaré cuando venga una contracción.

Sunny asintió. Agarraba la mano de su madre por un lado y la de Maxon por el otro, como anclas que la sujetaban a su propio cuerpo. Tiró fuerte de ellos y empujó con fuerza al bebé en su interior. Aun así, a la altura de su pecho, en el medio, había partes de ella que seguían flotando a la deriva. Suspendida en lo alto, en el aire, entre Maxon y su madre, entre sus cabezas, Sunny escuchaba sus voces, parecía que estuvieran charlando, aprovechando ese momento para mantener una conversación.

—Maxon —dijo Emma—. Tengo que contarte algo.

—¿Sí?

—Sabes que tu proyecto, la investigación que estás realizando ahora, es muy interesante.

—Ajá —dijo Maxon.

—Empuja —dijo el médico—. Venga todos, ¡a contar! ¡Uno, dos, tres, cuatro, cinco, seis, siete, ocho, nueve, diez!

—Y quieren que la lleves a cabo, ¿verdad? ¿A que te proponen que vayas a la luna? —El tono de la madre era dorado, relajante. Agarraba de la mano a su hija, pero era como si agarrara la de Maxon.

—Sí —dijo Maxon—. Pero Sunny no quiere. Me lo ha dicho.

—Yo pienso —empezó Emma, y sus suaves labios se apretaron al hacer una pausa—. Pienso que deberías ir a la luna. Tú en concreto. Para llevarlo a cabo.

—Sunny dice que no. Sunny no quiere —repitió Maxon.

—Sunny no sabe lo que quiere —dijo la madre—, ni lo que necesita. ¿Me entiendes?

Maxon no dijo nada. Sunny, flotando en el aire, esperaba que su marido hablara. Di algo, quería decirle. Dile que no. Dile que no vas a ir.

—¿Sunny necesita que yo vaya? —dijo Maxon.

—Bueno, todo el mundo, en realidad —dijo la madre con amabilidad, generosamente—. El mundo entero necesita que vayas a la luna. Pero, en cierto sentido, Sunny es la que más lo necesita. ¿No estás de acuerdo? ¿Qué dices? ¿No te lo parece?

Los ojos de Sunny estaban medio cerrados por la presión, por el esfuerzo de sacar a empujones al bebé. No podía ver si Maxon tenía el ceño fruncido o si había puesto la cara de cuando reflexionaba sobre la opinión de alguien. ¡Levanta las cejas un poquitín más! ¡Inclina la cabeza hacia un lado!

—No —dijo Maxon. Bien por ti, pensó Sunny.

—Bueno, pues a mí sí —dijo la madre—. Lo creo. Y pienso que si no vas, le estarás haciendo un gran daño.

Maxon volvió a guardar silencio. ¿Estaba mirándola a ella, a su esposa, tan profundamente enamorado? ¿Podía verla, allí en el hospital, bajo todo ese pelo? No, ella no quería dejar que se fuera. Era demasiado peligroso. Pero por el modo en que le apretó la mano, pudo adivinar que Maxon estaba asintiendo lentamente, formando un arco en el aire con la barbilla, arriba y abajo, para mostrar que aceptaba. Para mostrar que estaba de acuerdo con la idea.

—Acepto —dijo Maxon.

Sunny sintió un cambio en su cuerpo, atravesando toda su insensibilidad, y un movimiento en algún punto de la estancia, de modo que cuando contuvo el aliento y empujó, sintió tensión y determinación ahí abajo. Eso que estaba flotando, eso que estaba en el aire, cayó en picado y se hundió directamente en su sangre, en sus huesos, en ese movimiento grumoso y pivotante alrededor de sus caderas.

—¡Sí! —dijo el médico—. Ya veo la cabeza. Lo estás haciendo genial, Sunny. Venga, papá, cuenta: ¡Uno, dos, tres, cuatro, cinco, seis, siete, ocho, nueve, diez! Descansa. Y ahora, ¡cuenta!

Y así fue cómo sucedió. Los robots le decían al médico, que a su vez le decía a Sunny, cuándo empujar. El médico se lo decía a Maxon, que contaba hasta diez. No hubo ni una sola gota de sudor resbalando por su cara, ni se despegó una pestaña en el proceso. Aferrada a la mano de su madre por la izquierda y a la de su marido por la derecha, aquella forma de madre perfecta se abrió y una forma de bebé perfecto surgió. Bubber estaba pringoso de fluido, fuerte, chillón y grande, con una reluciente pelusa naranja. Igual que todas las madres normales aman a sus bebés normales, Sunny se prendó de él por completo. Jamás diría: «Esto no salió del todo bien». Jamás diría: «Mi hijo tiene algo raro». Jamás diría: «No se me ha dado bien ser madre». Porque se sentía, y era, muy responsable. Habría matado por Bubber, sin dudarlo.

Había oído a su madre y a Maxon hablando de algo. Pero ese recuerdo se había desvanecido junto con el recuerdo del dolor, a tal punto que llegó a preguntarse: «¿En serio mamá y Maxon han estado hablando de la luna mientras yo estaba dando a luz a Bubber? ¿O lo habré soñado todo?».

Debería haberse quitado la peluca, sí, allí y entonces. Debería haberla lanzado por la ventana del hospital, o haberla quemado. Debería haber dejado que todo cambiara, dejado que Maxon siguiera avanzando feliz al margen de las cosas, dejado que Bubber saliera tan naranja como su pelo, y haberle dicho a su madre: «Sí, tenías razón con eso, pero estás equivocada con lo otro». Debería haber recordado esa conversación tranquila y terrible, haberla sacado a colación con ambos. Haberse quitado las capas de su papel de madre y haber gritado: «¡Estoy aquí! ¡Estoy viva! No tienes que mandarle a la luna, y tú no tienes que ir». Pero, en vez de eso, se llevó a su bebé a casa, lo instaló en la habitación del bebé perfecta, le dio las comidas perfectas, lo llevó a los colegios perfectos, y siguió avanzando a trompicones por el mismo camino sinuoso que, al final, la condujo hasta aquí: sin marido, ni madre, ni hijo, ni pelo. Solo un gran cuerpo desgarrándose y un vecindario caliente y vacío para absorber sus partes ensangrentadas.

Subió renqueante los escalones del porche de Les Weathers, uno a uno, sintiéndose enorme y lenta, como una ameba arrastrándose hacia una cueva subacuática. La guirnalda de la puerta ya no estaba, y Les no la había reemplazado por otro adorno festivo. Sabia elección. Sunny agarró el pesado llamador de latón y lo dejó caer tres veces. No hubo respuesta. Esperó mientras le venía otra contracción, con lágrimas en los ojos debido al dolor en la espalda, y luego estampó el llamador con furia contra la puerta, provocando un estruendo que seguramente se oyó en toda la manzana. La puerta se abrió con un ligero chirrido. No estaba cerrada con llave.

La casa estaba construida como todas las viviendas adosadas antiguas en Norfolk y en el resto del mundo: una estancia conducía a la siguiente hacia el interior de la casa, sin salón en el centro. La primera habitación en que entró era una sala de estar, con un banco semicircular bajo el ventanal que sobresalía en la fachada principal de la casa. Había una chimenea, y sobre la repisa una colección de velas en altos candeleros y fotos en marcos de madera. En medio de la estancia había una mesa redonda de mármol con un gran arreglo de flores secas.

—¡Les Weathers! ¡Ayuda! —gritó. Tal vez estaba en el piso de arriba.

Al avanzar a la siguiente habitación de la casa, se detuvo con un pie en el aire, y alargó el brazo para mantener el equilibrio apoyándose en la moldura de la pared. Se detuvo porque había visto un televisor gigante volcado en el suelo, con la pantalla reventada. Sintió un pellizco de miedo enroscándose alrededor de la zona donde se producían las contracciones. Quizá habían entrado a robar al presentador. Quizá estaba en ese momento tirado en el piso de arriba, muriendo de un disparo en la espalda. Quizá debería marcharse y ponerse a salvo, a ella y al bebé. Pero marcharse ¿adónde? Era un animal necesitado de una madriguera. Era una pecadora necesitada de salvación. Era una mujer desesperada necesitada de un hombre firme como una roca, inconmovible. De todos modos, aquella primera habitación estaba muy ordenada. Avanzó arrastrando los pies hacia el fondo de la casa y llegó a la cocina.

En el pasado habría sido una estancia bastante elegante, de tonos blancos y negros, con armarios de puertas de cristal y un suelo de baldosines con diseños trenzados. Ahora estaba hecha un desastre, con todas las superficies llenas de trastos. Había agua sucia en el suelo. Sunny se giró y miró el frigorífico. En la puerta vio un imán que ponía: ¡NO QUIERO TRABAJAR! ¡LO QUE QUIERO ES PASAR EL DÍA TOCANDO LA BATERÍA! A su lado, una postal de Garfield quejándose: ODIO LOS LUNES. Sobre la encimera había otro televisor roto, tumbado boca abajo. A su lado, algo que una vez fue un melón. Habían reventado las puertas de dos armarios, y dentro de uno había un teléfono sobre fragmentos de cristal.

Sunny subió las escaleras, gritando:

—¡Les Weathers! ¿Estás bien? ¡Socorro!

Estaba de parto y con convulsiones, y Les Weathers podía estar desangrándose, agonizando. O quizá en realidad no vivía allí. Quizá era todo una tapadera. Era otra persona la que vivía allí, una versión maligna de Les Weathers, anti-televisión, anti-limpieza, anti-pelo-rubio. O quizá Les Weathers era un robot que habitaba en su coche y se desconectaba tras la última edición de las noticias, y nunca entraba en esta casa de pega, este edificio ruinoso. Subió nerviosa las escaleras, que crujían y protestaban bajo su peso. El suelo del recibidor del piso de arriba estaba inclinado, y las molduras de la pared, torcidas y agrietadas.

Al fondo del vestíbulo había un cuarto de baño lleno de cajas y con el lavabo arrancado de la pared, y luego un vestidor, donde Sunny encendió una luz. Encontró los trajes de Les Weathers, planchados, perfectos. Encontró una caja de viejos zapatos de vestir, parecidos a los que se pondría un abuelo. Se pasó un minuto entero recostada de lado, medio metida en el armario, aguantando una contracción y salpicando el suelo de líquido amniótico, pero tenía que seguir adelante. Necesitaba saber qué estaba sucediendo con Les Weathers. ¿Dónde se había metido? ¿Qué ocurría? ¿Esa era la casa de otra persona, alguien extraño, algún terrible hermano gemelo? ¿Otro Les Weathers?

Por el vestidor, accedió a otro cuarto de baño, cubierto de porquería, con una bañera llena de marcas de velas dispuestas sobre el borde, cuya cera al derretirse había pegado frascos de champú unos con otros y había formado una película sobre los baldosines. Había tanta suciedad dentro de la bañera que en el extremo de los grifos se veían dos nítidas huellas de pies. Ahí es donde se coloca Les Weathers, pensó Sunny. ¡Pone los pies sobre esas huellas! Enciende estas velas. Pisa este suelo. ¿La porquería y la mugre estarían allí desde la marcha de su mujer? ¿Las huellas habrían empezado el día que ella se fue? Un cepillo de dientes azul se mantenía en equilibrio al borde del lavabo. A su lado, un tubo de dentífrico Aquafresh, aplastado por la mitad.

Luego entró en el dormitorio, donde encontró otro televisor de pantalla plana gigante tumbado y reventado contra el suelo. Había pilas de periódicos y libros, ropas y cajas tiradas, y una antigua cómoda con ropa interior por encima. La enorme cama, cubierta con algo que parecía un tapiz, estaba rota. Las patas de la cabecera habían cedido o las habían arrancado con furia, de modo que había una pendiente pronunciada hacia la pared. Pero la cama estaba hecha, con una almohada en su sitio, junto a la pared, en el lado caído, el que se había hundido.

La almohada tenía una marca con la forma de una cabeza. Junto a la almohada estaba el periódico del día. ¡De ese mismo día! Sunny tuvo que reconocerlo. Llegada a tal extremo, tuvo que asumir esa evidencia visual, y aceptar el hecho de que mientras ella llevaba a cabo sus rituales nocturnos de despegarse las cejas, quitarse la peluca, guardarla en su vestidor, considerándose a salvo un día más, Les Weathers, del programa *Action News Reporting,* estaba tres casas más abajo durmiendo cabeza abajo en una cama hundida. Les Weathers, el último bastión de normalidad urbana, el de la mandíbula cuadrada y la piel impecable, el de la voz resonante y el gesto del dedo, dormía cabeza abajo en una casa donde los televisores encontraban un final violento. No había un gemelo terrible. No había un robot secreto. Él y aquello eran reales al mismo tiempo. En realidad, él era solo otro chiflado más. Sunny tuvo que reírse. Contemplando el vecindario por la ventana, se rio porque era algo demasiado ridículo. Todas las esposas babeando por él y, mientras tanto, él duchándose en esa bañera roñosa.

Se rio hasta que le vino otra contracción. Cuando se le pasó, regresó al recibidor. Tenía que encontrarlo. Tal vez estaba en el sótano. O acababa de bajarse de su Lexus, cerrándolo de un portazo, y avanzaba hacia ella trotando por el camino de entrada. Les Weathers, el hombre de portada de revista. Sunny oyó un ruido arriba y subió por la escalera del ático.

Lo encontró en una habitación preparada para ser un cuarto de bebé. Las bonitas cortinas y los faldones del moisés estaban polvorientos e inertes. Les se encontraba sentado en una mecedora. Era el rechinar de la silla lo que Sunny había oído. En el moisés no había nada. A su alrededor, todas las cosas que necesita un bebé: una caja de pañales, un vestidor con una lamparita, un cambiador sobre una mesita de mimbre, un rinoceronte de peluche morado. Él vestía su ropa de presentador, pero se había quitado la chaqueta, no llevaba corbata y tenía las mangas abiertas en el puño. Cuando habló, su voz sonó muy baja:

—Hola, Sunny, ¿estás bien?

—Bien, bien —dijo ella, atragantándose—. Ya me iba para mi casa.

—Siento no haber bajado a recibirte.

Sunny vio que había estado llorando.

—No pasa nada —dijo.

—¿Está mal, esta casa? —preguntó.

—No está del todo bien —dijo Sunny. Se acercó a la ventana para mirar la calle, pero al llegar sintió una punzada de dolor en la espalda y se arrodilló con otra contracción. Intentando respirar, se dispuso a sentir el espasmo ondulante. Su vientre, duro como una piedra, rozó el suelo al inclinarse y tocar la alfombra, intentando quitarse la presión de la espalda. Les Weathers se levantó de un brinco y se arrodilló a su lado, estrechándola entre sus brazos.

—Murió, ¿sabías? —dijo con un gemido—. Lo siento, pero murió. Murió dentro de Teresa.

Teresa era su mujer. Sunny, con la carne abierta de dolor por el parto incipiente, sintió la punzada de temor convirtiéndose en una necesidad imperiosa de escapar. Tenía miedo de Les Weathers.

—Teresa no se marchó con el bebé. Se marchó cuando el bebé ya no estaba. Muerto. Muerto en su seno. Intentamos ocultarlo...

Sunny giró para ponerse de costado y se hizo un ovillo alrededor de su bebé vivo. Les Weathers tendió las manos en un gesto efusivo.

—¡Es lo que hay! —dijo—. Es lo que hay, Sunny. Lo intentamos, pero esto es lo que hay.

En cuanto la contracción pasó y pudo moverse, Sunny empezó a gatear. Se arrastró hasta la puerta, se incorporó apoyándose en el marco. Bajó la escalera sentada sobre el trasero como un niño pequeño, peldaño a peldaño. Solo deseaba llegar a su casa, cerrar la puerta y estar a salvo. Pero los huesos de su pelvis estaban rechinando unos contra otros, y sentía que si iba demasiado deprisa acabaría literalmente partida en trocitos.

—¿Necesitas ir al médico?

—No me siento bien —masculló Sunny—. Hablamos luego.

Les Weathers estaba a su lado, alto y fuerte, pero en su interior había un bebé muerto. El hombre había desatado su furia contra la casa para sacarlo, pero el bebé seguía ahí dentro. La tomó del brazo, la ayudó a bajar el siguiente tramo de escalera, componiendo en su rostro un gesto perfecto de preocupación y atención.

—¿Quieres que te lleve al hospital?

Sunny alzó la vista para mirarlo. Les Weathers le pareció una gárgola, un tremendo error de cálculo. Pero ahí estaba, y era humano. El mismo hombre. El mismo hombre que se podía encontrar en todas las casas. Incluida la suya. Nada más que una persona. ¿Todo el mundo tiene una bañera con huellas de pies? ¿Todo el mundo tiene una mano deformada, una cabeza calva, una joroba de Quasimodo?

—No, no —dijo Sunny. Sabía que si conseguía sacar por la puerta su cuerpo crujiente y tirante, bajar los escalones, cruzar una baldosa de acera y luego la siguiente y luego otras cuatro, estaría a unos metros de su jardín. Sentía que le estaban arrancando la cadera, que le ardía la pelvis. Quería llegar a su jardín antes de que le viniera otra contracción. Sabía que estaba dejando un reguero de líquido por la acera, pero mantuvo la mirada al frente, siguió avanzando. Les Weathers la seguía.

—Sunny, ¿te llevo en brazos?

—No —respondió con firmeza, y se arrastró por el jardín. Sintió vergüenza ajena por haberlo descubierto, pero eso ya no se podía arreglar. ¿En qué punto dices «no pasa nada, no hay de qué avergonzarse» a una persona que duerme cabeza abajo en una cama hundida? ¿Acaso no es algo humillante? ¿Y las sacudidas de cabeza? ¿Y asesinar?

—No ha estado bien decir eso, Les Weathers. Llama a una ambulancia. Y luego vuelve a tu casa. Estoy bien.

28.

Sunny había visto a Maxon humillado una vez, pero no se lo contó, para que no lo supiera. Había pasado bastante tiempo desde la muerte de su padre, pero sus hermanos seguían tratándolo como un jornalero, y su madre no hacía nada por evitarlo. A veces, Maxon tenía que pelearse con ellos, y si podía escabullirse, lo hacía. Otras veces, se veía obligado a hacer lo que querían. Había días en que no respondía a las llamadas de Sunny, de modo que ella sabía que, o bien estaba liado con alguna faena, o bien en paradero desconocido, y en ambos casos no estaba disponible.

Fue uno de esos días en los que Sunny salía a montar sola. Tenía trece años, el verano después del primer curso de Maxon en el instituto al que ella estaba a punto de entrar. Era agosto, hacía calor y había tábanos por todas partes. Después de recorrer la pista a medio galope, Sunny dejó que *Pocket* eligiera por dónde ir. El caballo bajó por las sendas que abrían los ciervos entre los prados, donde podía agacharse y mordisquear las plantas de consuelda y menta que crecían salvajes, sin preocuparse por recibir picotazos en su hocico. Cuando Sunny ya no pudo soportar el calor del sol y estaba harta del ruido que hacía el animal al masticar y rumiar, lo dirigió hacia casa por los bosques y lo arreó para ponerlo a medio galope. Bajaron por el sendero de los leñadores, con una agradable brisa agitando su pelo y sus crines, y las moscas desaparecieron, reemplazadas por enjambres de mosquitos que atravesaban el aire a toda velocidad.

Los rayos de luz se filtraban entre las copas y caían amarillentos sobre los helechos, mientras las filas de árboles se sucedían una tras otra a su paso. Sunny oyó un grito antes de ver a nadie en el bosque, y refrenó el poni hasta ponerlo al paso. No quería que la vieran, pero pudo distinguir a un grupito de gente entre los árboles. Estaban gritando junto a un agujero y no advirtieron su presencia. Sin saber muy bien si debía dar la vuelta y alejarse galopando, o acercarse a ver qué hacían, dejó que *Pocket* siguiera avanzando, haciendo ruiditos apagados con sus pezuñas sobre la tierra.

Había tres jóvenes alrededor de un murete de piedra, y gritaban «¡¡No!!». Oyó una voz proveniente del interior del murete, suplicando y sollozando, y entonces supo que eran los hermanos de Maxon, que el murete de piedra era el cerco de un pozo y que lo habían obligado a meterse dentro.

Los pozos de campo eran construcciones imprecisas cuyas cañerías se podían atascar por una acumulación de fango, hojarasca u óxido. Había métodos para limpiar pozos que no implicaban que un ser humano tuviera que helarse en las gélidas aguas de un manantial de montaña, pero para los hermanos de Maxon este método no presentaba inconvenientes. Tenían que desatascar el pozo, hacer que volviera a funcionar, y no les importaba congelar a Maxon para lograrlo, así que no había problema. En ese momento se encontraban de espaldas al pozo, en silencio, fingiendo que se habían marchado. Contenían la risa y se daban codazos. Había una cuerda colgando del borde, pero no estaba atada a nada. Maxon no podría salir. Si tiraba de la cuerda solo conseguiría tirársela encima.

Al oírle chillar dentro del pozo, a Sunny le dio un vuelco el corazón. Maxon podía estar muriéndose. Podía estar perdiendo lo que le quedara de cabeza. Sintió crecer su furia, su necesidad de protegerlo. Al menos podría gritar «¡Estoy aquí, Maxon!», y así él sabría que no lo habían abandonado en el pozo, con las piernas apuntaladas en las paredes y el agua al cuello. Sunny sabía que estaría sufriendo allí abajo, en el frío. Pero no abrió la boca ni movió las piernas; su poni siguió avanzando lentamente por el sendero. Sabía que si los muchachos se percataban de su presencia, sería peor para Maxon. Ellos dos no podrían dominar a esos tres hombres. Más tarde, Maxon aprendería a vencerlos, pero de momento eran invencibles.

Entonces, los hermanos izaron la cuerda y empezaron a sacarlo. Primero asomó su cabeza, oscura y mojada, y luego su cuerpo. Maxon trepó y se quedó allí, goteando. Los hermanos estaban enfadados. No había completado la faena. Mientras deliberaban sobre qué hacer, señalando a Maxon como si fuera una llave inglesa o un taladro, él tiritaba y todo su cuerpo se sacudía. Sunny podía verlos pero no oírlos, excepto unos pocos sonidos que la herían como una carcajada estentórea. Maxon estaba en calzoncillos. Sunny podía ver hasta el último hueso de su cuerpo, sus angulosas clavículas, sus caderas marcadas, los bultos en la espalda. Quería mucho a ese cuerpo que los árboles ocultaban a su paso, ese cuerpo frío y goteante. Maxon se cruzó de brazos, frotándose arriba y abajo en un intento de entrar en calor. Sunny quedó terriblemente conmovida para siempre. Jamás olvidaría aquello.

Los hermanos se volvieron hacia Maxon. Habían terminado de deliberar sobre el asunto y le exigieron que volviera a meterse en el pozo. Maxon sacudió la cabeza con firmeza, una y otra vez, e intentó salir corriendo, pero rápidamente uno lo agarró por la muñeca. Soltó un aullido, un sonido como de perro herido que enardeció la sangre de Sunny. Luego «¡No!», gritó. «¡No, no!» «¡Por favor!».

Sunny jadeó, atragantándose al respirar. Podía gritar «¡Corre, Maxon!» y él llegaría hasta ella, se montaría de un salto en el poni y escaparían al galope. Podía salvarlo, protegerlo, calentarlo, sentir esa osamenta mojada pegada a su espalda mientras huían, ese brazo frío agarrado a su cintura, sus caderas entrechocando contra ella, mojándola y enfriando la espalda de su blusa. Pero no dijo nada, no hizo nada, dejó que la escena quedará detrás, dejó que los árboles la ocultaran, sus sonidos desvaneciéndose entre los cantos de pájaros y cigarras. Su poni era demasiado pequeño incluso para ella sola. Con Maxon también montado sería ridículo, probablemente ni trotaría. Sunny no poseía un corcel blanco, y ella no era un caballero medieval. Lo máximo que podía hacer por él era no hablar jamás de ello, no dejarle saber nunca que había oído sus gritos, lo había visto tan humillado, había contemplado su doloroso tiritar en el bosque, y había sentido un deseo extraño por ese cuerpo frío. Más tarde, en otoño, lo estrechó entre sus brazos en el planetario y lo besó bajo las estrellas.

Sunny entró en casa y cerró la puerta. La atrancó con llave y pestillo. Tendrían que echarla abajo quemándola con un soplete, o forzándola con una palanqueta. Tendrían que cascarla como a una nuez. Dentro de casa, cayó de rodillas debido a otra contracción y comenzó a arrastrarse hacia el salón. Llegó a la alfombra, tan inmaculadamente teñida y cosida, un millón de nudos por cada centímetro cuadrado. Había costado dieciocho mil dólares. Tantos nudos como estrellas hay en el cielo, dijo el vendedor, un vivaracho marroquí. Mala comparación, le dijo Maxon. Quieres referirte a densidad, no a cantidad. Inténtalo con bastones y conos en la retina. Eso te ofrece las dos cosas.

Cuando Bubber era bebé, Sunny puso un tapete de plástico sobre la alfombra para protegerla de las manchas, pero tenía que pasarse todo el tiempo ajustando el plástico en los bordes, hasta que lo quitó y se lo llevó arriba. Entonces esa habitación se convirtió en un templo, la cripta sagrada de la respetabilidad urbana, un lugar de descanso para los objetos de cristal que adquiría Sunny, para las tallas indias, para la plata. Las paredes estaban cubiertas de armarios, con vitrinas de vidrio resplandeciente. Un museo de solo cinco años de historia. Esto es insoportable, pensó. No lo aguanto.

Se meció a cuatro patas. Podía sentir al bebé, que estaba bajando. Hubo un giro, una gran voltereta en su estómago, y en ese momento supo que el bebé estaba a punto de salir. El bebé estaba a punto de nacer. En su oscuro seno todo estaba en el lugar correcto. No había comunicación desde fuera hacia dentro, ni viceversa. Pero había un proceso en marcha en el útero que ningún calendario externo podría entorpecer o acelerar. Se bajó las bragas tirando de ellas para atrás, luego hacia abajo, hasta que las lanzó a un lado. Las contracciones llegaban ahora una tras otra, rodando como partículas, no como olas, bombardeándola, sacándole lo que llevaba dentro.

Descansó la frente en la alfombra, estiró los músculos y la tensión finalmente la alivió un poco. Con la tensión, por fin se sintió mejor. Nadie iba a acudir en su ayuda. No había un plan B. Si iba a partirse en dos, tendría que hacerlo ella sola. Entonces se operó un cambio en su mente. Una nueva sensación de esto-está-pasando. Borró toda contemplación, toda reflexión, hasta que solo quedó Sunny sin más, una cosa cruda y sangrante con un vestido corto de seda amarillo limón levantado hasta la cintura, goteando sudor, con el culo en pompa, intentando explotar.

Entre el dolor y la postura agachada, con toda la sangre burbujeando ardiente en su cabeza, finalmente lo supo: era una inadaptada, y era calva. Pero era la única madre que había allí. En su seno, donde estaban los músculos, donde el bebé se había dado la vuelta y avanzaba a pataditas hacia su nuevo hogar, no existían las calvas ni las inadaptadas. Solo había un cuerpo con un bebé en su interior, haciendo lo que podía. «Lo siento —dijo el cuerpo al bebé—. Soy calva. He cometido errores terribles. Casi todos tus abuelos murieron por mi culpa. Vas a avergonzarte de mí. Voy a joderlo todo. Pero soy tu madre y haré lo que pueda. Sea lo que sea lo que realmente soy, y sea lo que sea lo que realmente pueda hacer, soy la madre que tienes. Aquí estoy. Intentándolo.»

Las contracciones se adueñaron de ella. Trató de trepar por las cortinas. Envolvió sus muñecas en la suave tela y se aupó tirando de ellas, meciendo su cuerpo contra las cortinas, retorciéndose y gimiendo. Las cortinas aguantaron, pero su mente flaqueaba. Se deslizaba lejos del tiempo, lejos de ese doloroso sostén. Igual era una acumulación de todo lo que había sucedido, o igual era una experiencia común a toda mujer que tiene un parto sola. Sentía el tirón de sus manos en las cortinas y la urgencia ardiente y pesada entre sus piernas. Aquello la hizo empujar, empujar, desde su garganta hasta sus muslos. Por encima, por debajo y alrededor veía una neblina púrpura cayendo sobre sus ojos, y comenzó a ver cosas que no estaban allí: su bebé, y la vida que tendría.

Vio a una bonita niña de seis años, de piernas largas, con cara de querubín y brillantes matas de pelo naranja reluciendo al sol. Un pelo igual que el de Bubber. Llevaba una vara de bambú, y pilotaba con destreza una barquita en el estanque de los Jardines de Luxemburgo en París. El viento soplaba con fuerza, esparcía agua de la fuente en un ancho arco y ululaba entre las hayas. Las embarcaciones se movían rápido, algunas escorando de lado, a punto de volcar. Pero la niña pelirroja apoyó su remo en el escálamo de la cubierta de su barca azul brillante y la empujó con fuerza lejos de la pared, con los ojos concentrados en su avance. Lo hace realmente bien, pensó Sunny. Es una experta; debe de hacerlo todo el tiempo. «Me llamo Emma», dijo la niña a un pequeño que había a su lado. Emma.

Vio a una niña de nueve años, intensa y feliz, trotando sobre un poni castaño por un prado lleno de consuelda y menta. Tenía las manos hundidas en la crin del animal y clavaba los talones descalzos en los flancos, azuzándolo para que corriera más. Su cabello dorado se veía ahora más corto, a la altura de la barbilla, rebotando en capas onduladas. La niña reía, presionando al poni con las rodillas como un cepo, apretando los dientes. Sunny sabía que se estaba quedando sin respiración, que tenía que empujar para sacar al bebé. Quizá era el viento en su cara, galopando por el prado. Quizá era todo en su cuerpo empujando con fuerza. Corría por la senda de los ciervos, paralela a la línea de árboles. Eran los bosques de Maxon. Quédate en el prado, chiquilla.

Vio a la chica otra vez, más mayor, en una nave espacial rumbo a la luna. Iba dormida en una litera, las manos detrás de la cabeza y los codos chocando con la pared, la barbilla levantada, como si estuviera resistiendo alguna sujeción invisible, alguna banda cruzando su vientre, algún cable en su cabeza. Llevaba una malla blanca de manga larga, y Sunny se fijó en que le quedaba un poco corta en los brazos, un poco ancha en la cintura. Estaba tapada con una fina sábana de plástico. Despierta, pensó Sunny. Deja que te hable. ¿Te acuerdas de cuando naciste? ¿Al final salió todo bien? ¿En qué momento supiste que estabas viva y que esta mujer era tu madre?

La chica creció, ahora tenía veinte años y dejaba a la familia en la luna. Estaban todos allí: Sunny, Maxon y Bubber, para despedirse. Sunny llevaba un jersey gris. Sonreía y se despedía con la mano de la chica, mientras se le caían las lágrimas. Maxon y Bubber permanecían quietos como estatuas, uno al lado del otro, exactamente de la misma altura. Llevaban trajes espaciales y estaban estáticos. Pero la chica se acercó y los besó a los dos, los abrazó, metió una mano juguetona en la axila de Bubber para hacerlo reír. Sunny vio que Bubber envolvía a su hermana con el brazo y la apretaba fuerte por los hombros. No te vayas, quiso decirle a la chica. Bubber te necesita. Yo te necesito.

Vio a la chica en la tierra, adoptando una forma humana, viviendo una vida humana, enamorándose, haciendo amigos. Iría de visita a la luna, pero nunca volvería del todo. Estaría bien. Todos la echarían mucho de menos. Sunny la visitaría alguna vez, pero nunca podría ignorar que no se encontraba en la luna. Siempre podría verla. Y eso la hacía sentirse crítica con su hija. La hacía sentirse atropellada y ansiosa. Sunny siempre regresaba, pero la chica nunca lo hizo. Su lugar estaba en la tierra. Sunny sabía que eso terminaría sucediendo. Sal, Emma, para que pueda pasar tiempo contigo. Te estoy esperando, voy a ayudarte a llegar. Voy a estar a tu lado, pase lo que pase.

A Maxon no le emocionó la visión de la superficie polvorienta de la luna. Ninguna desolación era lo bastante magnífica como para distraerle de la tarea de descargar los robots y seguir con su trabajo. Sin embargo, se emocionó al ver el conducto de lava, una enorme sima en la superficie lunar, en la parte trasera de un cráter más reciente. Descendía kilómetros, un antiguo conducto de un hipotético volcán prehistórico, hoy solo perforado por cuevas y protegido de los meteoritos y el sol. Habían alunizado tan bien, tan perfectamente cerca del lugar donde se suponía que debían hacerlo, que Maxon encontró el conducto de lava casi de inmediato. En ese momento sintió un arrebato de triunfalismo. Tengo razón, pensó. Tenía razón. Aquí está. Esta es la diferencia entre el éxito y el fracaso. Los humanos habían aterrizado. Colonizarían la luna.

Mientras Phillips y los demás se paseaban haciendo huellas y reparaciones, Maxon bajó el contenedor de carga con un cable. Bajar una caja tan enorme llena de robots madre con una gravedad tan baja fue coser y cantar. Casi podía llevarla él solo. Tuvo ganas de decir: «Chicos, vosotros quedaos aquí limpiando la mierda de vuestros pantalones mientras yo termino la misión», pero se abstuvo. A veces es mejor mantener la boca cerrada.

Maxon no pensó: fíjate, este desventurado trocito de materia biológica se ha redimido. Fíjate, ha sobrevivido. Fíjate, el lastimero empujoncito hacia el cosmos ha logrado establecernos en el universo, un primer paso fuera. No pensó: chúpate esa, universo. Ya estamos aquí, que es lo que Fred Phillips dijo que había pensado. Maxon solo podía pensar en la latitud y la longitud, y en que todo era exactamente como lo había imaginado. Ni más conmovedor ni más grandioso, solo exactamente como aparecía en los planos; así era.

Maxon y los robots llegaron a una cueva que había sido identificada por ultrasonidos y localizada en un mapa. Los geólogos la habían seleccionado para albergar la futura colonia. Maxon maniobró con la caja del cargamento en el lugar en que se suponía que debía pararse, se plantó a su lado y se asomó a la entrada principal. El conducto de lava estaba oscuro. Oscuro y frío. Él tenía una luz en su cálido traje espacial. ¿Se acordó de cuando lo arrojaron a un pozo y lloró para que lo dejaran salir? ¿El conducto de lava le trajo recuerdos de aquel miedo? No, no se acordó y no se los trajo. Los pozos no estaban en su memoria.

¿Se acordó de cuando lo sacaron del útero, empujado desde aquel oscuro conducto a este otro, a través de años de malentendidos, acercamientos y fijaciones nerviosas? ¿Sintió la presión del conducto de lava en su cuerpo, forzándolo a avanzar hacia abajo, hacia el fin de la misión? ¿El bebé en el útero comprendía al padre en el conducto de lava, instalando los robots, colocando las cámaras, trabajando durante horas en la oscuridad? ¿O la pequeña solo sabía esto: ha llegado la hora de que salgamos?

A la hora convenida, Phillips y Conrad sacaron a Maxon del agujero con una cuerda. Se había lastimado un pulgar, y estaba hambriento. Aparte de eso, sus preparativos en nombre de la humanidad para establecer la construcción robótica de una colonia lunar habían sido un éxito total. Los robots traqueteaban y chirriaban bajo la superficie, extrayendo sus materiales, creando a sus hijos, enseñándoles a andar, a moverse, a extraer minerales, a crear sus propios vástagos. Durante diez años, el mundo observaría con cámaras cómo la colonia iba tomando forma. En doce años, Maxon regresaría con su hijo Bubber, recién licenciado en el MIT, y abriría la esclusa de aire. Todo exactamente como lo había preparado.

Sunny limpió la sangre de la cara de su bebé. Permanecieron tumbadas juntas sobre la alfombra. El bebé estaba en el pecho de Sunny, apoyada de espaldas contra el suelo. Cada respiración parecía un milagro, ya sin dolor. No había llanto ni bisturí, ni báscula ni yodo. Apretada contra el corazón de su madre, envuelta en un pañuelo de seda rojo sacado de la repisa de los sombreros, la pequeña parpadeaba. El alivio de Sunny era tan intenso que sintió que podía quedarse dormida allí mismo, pero sabía que mientras ellas se iban enfriando, la temperatura del vecindario aumentaba por el pánico. Podía oír la ambulancia en la calle, y muchas voces. No quería que Bubber se alarmase al volver de la piscina a casa con la canguro. Sin levantarse del suelo, se arrastró hacia la puerta, desplazándose con cuidado para no molestar al pequeño bulto. En la puerta, estiró el brazo, abrió llave y pestillo y giró el pomo. Ahí estaban Rache y Jenny, en los escalones. Como si estuvieran esperando, listas para pasar y tomar unos sándwiches o beber unas margaritas. Solo estaban esperando, cada una con un pie en el porche.

—Mirad —dijo Sunny, retirando el pañuelo para enseñarles la cara de la pequeña—. Ya está aquí.

—Sunny —dijeron ellas. Esas amigas suyas le dijeron—: Sunny, es maravillosa. Y es clavadita a ti.

Agradecimientos

Gracias a mi marido Dan Netzer y a mi amiga Andrea Kinnear por comprender e interpretar a Maxon para mí, y por escribir las ecuaciones, pruebas y fragmentos de programación de este libro. Os presenté una idea enrevesada y la tradujisteis perfectamente a matemáticas.

Gracias a mi agente Caryn Karmatz Rudy y a mi editora Hilary Rubin Teeman por la visión que tuvisteis de este libro. Cuando pienso en el primer manuscrito, me maravillo ante el modo en que hicisteis del libro algo mucho mejor.

Gracias a Sara Gruen y Karen Abbott, cuyo apoyo inicial, permanente sabiduría y adorables ánimos han resultado de un valor incalculable en el nacimiento de este libro.

Gracias a mis primeros lectores, C. J. Spurr, Bekah James, Kate Baylewicz, Heather Floyd, Kristen DeHaan, Sherene Silverberg, Patricia Richman y Veronica Poterfield.

Gracias a las Madres de Diciembre, los Quilt Mavericks, Cramot, y a todos mis compañeros del Norfolk Homeschooling, por darme ánimos y por vuestros brillantes ejemplos de excelentes madres.

Gracias a Susannah Breslin, que se negó a dejar que sentara la cabeza y me ayudó a salir del adormecimiento de la maternidad, y a hacerme mejor.

Gracias a Joshilyn Jackson, que ha sido una valiente defensora de mi causa, sin la cual esta historia jamás habría llegado a convertirse en un libro.

Guía de lectura

Todas las constelaciones del amor

PREGUNTAS PARA DEBATIR

1. ¿Consideras que Emma, la madre de Sunny, es una buena madre?

2. ¿Cómo hubiera sido la vida de Sunny si no se hubiera quedado embarazada y no hubiera sentido la necesidad de ponerse la peluca a raíz de su maternidad?

3. ¿Es culpable de la muerte de Paul Mann, el padre de Maxon?

4. ¿Estás de acuerdo con Rachel, la amiga y vecina de Sunny, en que todos tenemos nuestra «calvicie», o crees que de verdad existen mujeres perfectas que lo hacen todo bien?

5. Tal vez a la larga fuera mejor para Maxon perder de vista a su padre, pero ¿consideras que Sunny se vio afectada de forma negativa por crecer sin una figura paterna?

6. Cuando Sunny se quita la peluca, empieza a darse cuenta de que en el centro especial donde lleva a Bubber quieren educarlo como si fuera un robot, medicándolo, ofreciéndole respuestas automáticas e imponiéndole comportamientos muy rígidos. ¿Qué opinión te merece esta manera de educar a los niños?

7. Emma no quería que Sunny se casara con Maxon. ¿Puedes entender sus motivos? ¿Estás de acuerdo con ella?

8. ¿Crees que Sunny llega a plantearse seriamente a Les Weathers, el atractivo presentador de televisión que vive en

su misma calle, como sustituto de Maxon, en el caso de que este falleciera?

9. Dónde preferirías vivir: ¿en la casa perfecta de un buen vecindario de una ciudad con solera, o en una granja aislada en la parte más salvaje de una región rural, como en la que crecieron Sunny y Maxon?

10. ¿Has tenido que cambiar algo de tu personalidad para encajar en un nuevo papel que hayas asumido, sea la maternidad o la paternidad, un nuevo trabajo, o el matrimonio?

11. En el caso de Sunny vemos cómo le cambia la maternidad; ¿crees que la maternidad suele cambiar a una mujer o piensas que es posible seguir siendo la misma persona que antes de tener hijos?

12. ¿Por qué volvió Emma a Estados Unidos con Sunny?

13. ¿Cuáles son los defectos de Maxon como marido? ¿Y sus virtudes?

14. ¿Crees que Sunny es la persona más apropiada para Maxon o podría haber alguien más acorde con él?

15. ¿Es realmente culpa de Maxon que Bubber sea como es?

16. ¿Te parece acertada la decisión de Sunny de sacar a Bubber del centro especial y dejar de medicarlo?

17. La maternidad es un tema muy relevante en esta novela. ¿Piensas que la relación de una mujer con su madre cambia sustancialmente cuando ella misma se convierte en madre?

18. Aunque Emma siempre promovió la aceptación y le animó a ir sin peluca, ¿por qué crees que Sunny empezó a usar pelucas?

19. Cuando se narra el nacimiento de Bubber (pp. 278-285), a Sunny le parece oír una conversación entre Maxon y su madre sobre su viaje a la luna, pero más tarde Sunny cree haberlo imaginado todo. En tu opinión, ¿tuvo realmente lugar esa conversación?

20. ¿Qué relación guarda la decisión de Sunny de quitarse la peluca después del accidente de tráfico con la de dejar de medicar a Bubber?